中國人應知的國學常識 3

The Knowledge Of Chinese

插圖本

中華書局編輯部——編著

撰稿人：

節日民俗　葉瑞昕

教育科學　陳　虎　魏崇祥

職官典制　湯穀香

法律文化　梁景明

哲學宗教　陳聲柏　田　飛

語言文學　張素鳳　左漢林

戲曲曲藝　梁　彥　吳　荻

音樂舞蹈　左漢林　汪　冲

文化典籍　陳　虎　周　飛

建築園林　孫　燕　徐曉穎

考古文物　劉可維

中華醫藥　羅　浩

前言

不知您是否意識到，也許您說的每一句話裏都包含著“文化”——

過年爲什麼要給小孩壓歲錢？元宵節爲何又叫“燈節”？清明掃墓的習俗是什麼時候形成的？中秋賞月緣何而來？除夕爲何要守歲？“狀元”、“榜眼”、“探花”之名是怎麼來的？慈禧“聽政”爲什麼要“垂簾”？……

這些問題，都可以在這套《中國人應知的國學常識》裏找到答案。

這裏所說的“國學”，與“中國傳統文化”同義，它不僅寫在典籍裏，更活在我們的生活裏、流淌在我們的血液中。除了經典常識、制度法律、教育科技，傳統的民生禮俗、戲曲曲藝、體育娛樂……也是本書要介紹的內容。

這裏所說的“常識”，有兩個重點：一是基礎知識、基本概念，二是讀書時經常遇到、在日常生活中經常使用、大家知其然但未必知其所以然的問題。

中國傳統文化博大精深，包羅萬象，還不是一本書所能囊括的。本書只是採用雜誌欄目式的方式，選取其中部分內容分門別類進行介紹。許多重要內容、基本常識將在以後各冊中陸續回答。

我們約請的作者，都是各個領域的專業研究者，每一篇簡短的文字背後其實都有多年的積累，他們努力使這些文字深入淺出、嚴謹準確。同時，我們給一些文字選配了圖片，使讀者形成更加直觀的印象，看起來一目了然。

無論您是什麼學歷，無論您是什麼年齡，無論您從事的是什麼專業，只要您是中國傳統文化的愛好者，您都可以從本書中獲得您想要的——

假如您是學生，您可以把它當做課業之餘的休閒讀物。

假如您身在職場、工作繁忙，它“壓縮餅乾式”的編排方式，或許能成爲您快速了解傳統文化的捷徑。

假如您退休在家，您會發現這樣的閱讀輕鬆有趣，滋養心靈……

總目

節日民俗

教育科舉

職官典制

法律文化

哲學宗教

語言文學

戲曲曲藝

音樂舞蹈

文化典籍

建築園林

考古文物

中華醫藥

中國人應知的國學常識 ③

The knowledge of Chinese

節日民俗

節日民俗

01

春節舊時叫什麼？

春節舊時俗稱新年，正式名稱爲元旦或元日，即夏曆元旦（正月初一）。辛亥革命後，我國開始採用西曆紀年，元旦之名被西曆1月1日“奪”去，夏曆正月初一便改稱春節。新年在古時最初被稱爲歲首。夏商周三代時間不盡相同：夏朝歲首在建寅之月，即夏曆一月（與今相同）；商朝歲首在建丑之月，即夏曆十二月；周朝歲首在建子之月，即夏曆十一月。至漢武帝時，頒佈《太初曆》，明確規定以夏曆正月初一爲歲首，從此歷代沿用，直至1911年爲止。1912年以後，中國人開始過西曆和夏曆兩個新年，夏曆新年——春節並沒有因爲政府採用西曆紀年而衰落，相反，春節由於承載著中華民族源遠流長的年俗文化而備受國人重視。

02

過年的由來有哪些傳說？

春節俗稱過大年，據說源於原始社會的臘祭，即一年農事完畢答謝神恩的儀式，同時含有祝賀豐收的意思，《穀梁傳・桓公三年》就說：“五穀皆熟，爲有年也。”甲骨文、金文中的“年”字，即含果實成熟、穀穗豐收的形態。

民間還盛行一個流傳頗廣的傳說：太古時期，有一種兇猛的怪獸，叫“年”，生性嗜肉，從飛禽走獸到活人，都是其吞噬的對象。爲了對付“年”，人們逐漸掌握了其活動規律，它是每隔三百六十五天，都會趁著夜色，竄到人群聚居的地方肆虐一次，等到雞鳴破曉，便返回山林中去了。人們把可怕的這一夜視爲“年關”，並想出了過年關的辦法：每到這一天晚上，家家戶戶都提前吃完晚飯，熄火淨灶，把雞圈牛欄全部拴牢，宅院前後門都封住，躲在屋裏吃“年夜飯”，熬夜守歲，祈求祖先的神靈保佑，直至新年黎明的到來。

03

古人如何過年？

傳統意義上的春節是個內容特別豐滿、時間跨度較大的節日序列。從臘月二十三的祭灶（或說臘月初八的臘祭），直到正月十五鬧元宵，都屬過年範圍。其中以除夕和正月初一爲高潮。在春節這一傳統節日期間，我國的漢族和大多數少數民族都要舉行各種慶祝活動，這些活動以拜神祭祖、除舊佈新、迎春納福、祈求豐年爲主旨。

爲迎接新年的到來，人們在年關臘尾要開展很多充滿寓意的年俗活動，包括祭灶、祭祖、守歲以及貼門畫、貼春聯、貼窗花、貼“福”字等等。祭灶多在臘月二十三舉行，民間流行全家人在這天黃昏舉行“送灶”或“辭灶”儀式。翌日有“掃房子”的習俗，以此除舊佈新，迎接新年的到來。祭祖多在除夕晚飯前後，民間稱之爲“接祖先回家過年”，全家人按輩分長次，先男後女，對著擺有麵點和水果等供品的祖先神位，一一磕頭跪拜，自此到初五，全家人每天早晚兩次在祖先神位前上香，直到初五晚上，才把祖先送走。除夕祭完祖後，全家人要團聚在一起圍爐守歲，以此祈求來年生活幸福。

正月初一，是春節節日序列的最高潮，主要包括燃放爆竹、拜年、給壓歲錢等習俗。春節習俗的重頭戲——拜年，古已有之，秦漢以後流傳開來，尤以明清時期爲盛。據明人陸容《菽園雜記》記載，新年到來時，朝官見面，不管認識與否都要互拜，百姓則各拜親友。家中拜年頗有講究：首拜天神地祇，次拜祖先影像，再拜父母尊長，最後全家人按長幼次序拜年。對尊長要行大禮，對孩童要給賞賜（俗名壓歲錢），平輩間拱手互拜。家中拜完後，男人們還要出門拜親戚朋友，順序是：初一拜本家，主要是五服之內；初二、初三拜母舅、姑丈、岳父等，以此類推，可一直拜到正月十五。

04

過年貼門神的習俗是怎麼來的？

過年貼門畫源於古人門神崇拜。古人認爲，門戶爲全家人每天必經之要津，必須驅邪鎮鬼，才能保全家人平安。早在戰國時期，先民已經在用“五木之精”的桃木刻

清人繪《門神·尉遲敬德》

清人繪《門神 秦叔寶》

成寫有咒語的“桃符”掛在門口鎮邪。後來，隨著紙的廣泛應用，桃符被畫有人像的紙代替。人們多在標誌著一年之始的正月初一前夕貼於門上，作爲門神，保佑全家人全年平安。最早被稱爲門神的是神荼和郁壘，南朝梁宗懍在其《荊楚歲時記》上說：“（正月一日）造桃板著戶，謂之仙木，繪二神貼戶左右，左神荼，右鬱壘，俗謂門神。”到了唐代，秦瓊與尉遲恭成爲新門神。傳說，患病的唐太宗，晚上常聽到鬼魅呼號，拋磚弄瓦之聲不絕於耳，於是令秦瓊(字叔寶)與尉遲恭(字敬德)二將進宮護駕，二人連日在太宗寢室門口戎裝站崗，自此再無怪異之事發生。太宗命令將二人畫像掛在宮門上，作爲門神鎮邪，以後世代相沿成習。宋時，門神畫進一步發展爲內容豐富、形式多樣的年畫系列。

05

過年貼春聯的習俗是怎麼來的？

過年貼春聯與貼門神一樣，都是從上古“桃符”演變而來。據《淮南子》記載，古人爲祛邪降福，每年都要在桃木製成的桃符上刻上咒語。五代後蜀之主孟昶在過春節時，喜歡與其文臣在桃符上題寫吉利文字，一天他忽發奇想，題寫了聯句：“新年納余慶，嘉節號長春。”該聯句以鮮明的迎新納福的內容，成爲中國最早的春聯。宋時，過年貼春聯已較爲流行，王安石《元日》詩裏說：“千門萬戶曈曈日，總把新桃換舊符。”此處“桃符”指的就是春聯。明代，太祖朱元璋大力提倡寫春聯，他在金陵（今南京）定都後，傳旨要求公卿士庶之家，過新年時都要寫一副春聯貼在門上，他親自出巡逐戶觀賞取樂。寫春聯、貼春聯自此推廣開來，成爲新年期間必不可少的年俗活動。

06

過年貼“福”字的習俗是怎麼來的？

過年貼“福”字，同樣源於上古掛桃符習俗。宋時開始流行，明清時期大盛。據南宋吳自牧《夢粱錄》上說：“士庶家不論大小，俱灑掃門閭，去塵穢，淨庭戶，換門神，掛鍾馗，釘桃符，貼春牌，祭祀祖宗。”其中的“貼春牌”即是貼“福”字。據說康熙在位時，從小撫養自己長大的孝莊太后重病纏身，康熙心急如焚，化孝心於筆鋒，創造了獨具一格的“福壽”聯體字，令工匠刻在大青石上，爲太后祈福，太后竟然奇跡般康復。康熙手書的這個“福”字，右上角像“多”字，右偏旁像“壽”字，蘊含了“多子多才多衣多田多福多壽”等多重含義，受到後人廣泛讚譽和模仿。民間將“福”字分正福、倒福和各類小“福”字。正福斗方，一家只能貼一個，須坐東朝西貼，寓意“福如東海”；倒福也是斗方，須坐北朝南貼在門廳的正前方，寓意“福入廳堂”。貼福字的順序應是從外向裏貼，先貼抬頭福，再貼門福，最後一個貼倒福，意味著一年的福氣都要從外面流進來。

康熙帝手書“福”字

07

過年貼窗花的習俗是怎麼來的？

貼窗花，最早是一種民間迎春習俗，起初多在立春日舉行。宋元以後，剪貼窗花迎春的時間逐步由立春改到夏曆新年，人們在除舊佈新之際用充滿動植物典故及戲劇故事的窗花喜迎新春的到來。勤勞的先民們在紅色或套色的彩紙上，以細膩的刀法，剪裁出諸如喜鵲登梅、燕穿桃柳、三羊（陽）開泰、二龍戲珠、鹿鶴桐椿（六合同春）、五蝠（福）臨門、蓮（連）年有魚（餘）、鴛鴦戲水、劉海戲金蟾、五女拜等題材的窗花，粘貼在窗戶上，爲夏曆新年增添了濃厚的節日氛圍。

08

過年爲什麼要燃放爆竹？

舊俗有“開門爆竹”一說，即在正月初一的早上，家家戶戶開門的第一件事就是燃放爆竹，以“劈劈啪啪”的爆竹聲除舊迎新。此俗始於漢代。據南朝梁人宗懍的《荊楚歲時記》記載：“正月一日……雞鳴而起，先於庭前爆竹，以辟山臊惡鬼。”是指用竹子放進火內燃燒，發出“劈劈啪啪”的響聲，以此避邪驅鬼，祈盼新年吉祥幸福。唐宋以後，人們發明了用火藥製成的、聲音更響亮、持續時間更長的鞭炮。自此新年放鞭炮成爲國人揮之不去的過年記憶。

09

過年爲什麼要給小孩壓歲錢？

給壓歲錢的年俗源於一個傳說：古時有一個身黑手白的妖怪，名字叫“祟”，每年除夕出來禍害小孩，於是人們就點亮燈火通宵守護，並把銅錢放在孩子枕邊以避邪，這就是“守祟”、“壓祟”，後來也稱爲“守歲”、“壓歲”。給壓歲錢的習俗在明清時期廣爲流行。當時的壓歲錢多是用紅繩串著賜給孩子的。清人富察敦崇《燕京歲時記》上說：“以彩繩穿錢，編作龍形，置於床腳，謂之壓歲錢。尊長之賜小兒者，亦謂之壓歲錢。”可以說，壓歲錢是長輩送給晚輩的護身符，保佑小孩在新的一年裏健康順利。

10

正月初五爲何叫“破五”？

舊俗，夏曆正月初一至初四，民間有很多禁忌，如不能用生米做飯，婦女不能出門，不能用針縫紉，男子不能勞作等，過了初五，這些禁忌才可以解除，否則，年內遇事就會破敗。因此正月初五被稱爲破五。作爲舊時歲時風俗，主要流行於華北、東北等地區，北京尤盛。清人富察敦崇《燕京歲時記》上說：“初五日謂之破五，破五之內不得以生米爲炊，婦女不得出門。至初六日，則王妃貴主以及各宦室等冠帔往來，互相道賀，新嫁女子亦於是日歸寧。”著名京味作家老舍在其名著《駱駝祥子》中也有如下說法：“她自己趕了身紅綢子的上轎衣；在年前趕得，省得不過破五就動針。”因此破五也叫“忌針節”。破五這天，民間通行的節俗是放鞭炮和吃餃子。破五放鞭炮俗稱“崩窮”，要把“晦氣”、“窮氣”從家中崩走。破五吃餃子俗稱“捏小人嘴”，據說，這樣可免除讒言之禍。習慣上，過了破五，商店、酒樓、五行八作方才正式開張營業。

11

正月初七爲何叫“人日”？

舊俗以夏曆正月初七爲人日，亦稱人勝節、人節。傳說女媧造物，按順序造出了雞狗豬羊牛馬等動物，於第七天造出人來，故初七爲人的生日。晉人董勳《答問禮俗》上說：“正月一日爲雞，二日爲狗，三日爲豬，四日爲羊，五日爲牛，六日爲馬，七日爲人。”依照古代占卜的原則，正月初一至初七的天氣狀況，是反映一年從人丁到生產狀況好壞的晴雨錶。人日這天如果遇上晴明溫和的天氣，就意味著一年人口平安，出入順利；如果遇上陰寒慘烈的天氣，就意味著一年人口可能產生疾病衰耗等厄運。杜甫《人日》詩句“元日到人日，未有不陰時”，即表達了詩人對豐收無望的憂慮。據南朝梁人宗懍《荊楚歲時記》上說，爲驅邪祈福，古人在人日這天，要以七種蔬菜做成菜羹以求吉祥；要用彩布剪成人形，或者將金箔鏤刻成人形，將之貼在

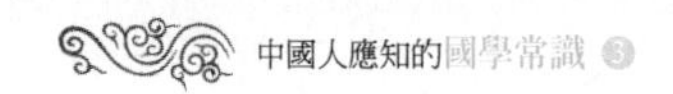

屏風上，或戴在頭髮上，此爲“人勝”；還要用鮮花做成各種頭飾，互相贈送，此爲“花勝”。文人雅士也有在這天結伴登高賦詩雅遊的。質樸的古人堅信，人事活動固有天命，但人爲努力總是可以在其中起一定的作用。

12

元宵節爲何又叫“燈節”？

夏曆正月十五日爲元宵節，爲一年中第一個月圓之日，這天晚上因此被稱爲“元宵”或“元夕”。 唐以來有觀燈的風俗，所以又叫“燈節”。說起元宵賞燈的由來，就必須提到東漢明帝信佛的故事。明帝聽說佛教有正月十五日僧人觀佛舍利，點燈敬佛的做法，就命令這天夜晚在皇宮和寺廟裏點燈敬佛，令士族庶民都掛燈。以後這種禮佛節日逐漸擴展爲民間盛大的賞燈節日。唐人李商隱詩句“月色燈光滿帝都，香車寶輦隘通衢”，很能說明唐代元宵賞燈的盛況。元宵節是舊曆新年的最後一天，人們非常重視，除賞燈習俗外，明清以來又發展出舞龍、舞獅、跑旱船、踩高蹺、扭秧歌等“百戲”內容。節日當晚，一家人要圍坐在一起吃元宵，以示團圓美滿，爲新年佳節劃上一個圓滿的句號。

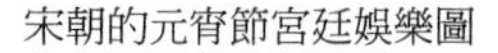

宋朝的元宵節宮廷娛樂圖

清人繪《賣元宵圖》

13

何謂塡倉節？

舊俗以夏曆正月二十五爲塡倉節。此節曾流行於全國各地，尤以北方地區爲盛。關於塡倉的含義，主要有三種說法。其一是以酒食飽腹爲塡倉，宋人孟元老的《東京夢華錄》有這樣的記載：“正月二十五日，人家市牛羊豕肉，恣饗竟日。客至苦留，必盡而去，名曰塡倉。”據說只有這天吃飽喝足，一年才不會挨餓。其二是以備糧儲物爲塡倉，清人潘榮陛《帝京歲時紀勝》上說，京師之民沒有種田儲糧的習慣，日常所需，主要是通過市場求購，新年期間活動頻繁，日用品消耗殆盡，塡倉節的來臨，就是提醒百姓，居家生活要及時補充倉儲，以備不時之需。正如民諺所說：“點遍燈，燒遍香，家家糧食塡滿倉。”其三是指祈盼豐收的儀式，在華北農村，這一天黎明，家家戶戶都在自己的院子裏或打穀場上，用篩過的炊灰，撒出一個個大小不等的糧囤形狀，並在裏面放一些五穀雜糧，以此祈求當年五穀豐登。塡倉節習俗的特點是喜進厭出，這一天，各家囤裏要添糧，缸裏要添水，忌諱賣糧，也不向別人家借東西，門口要放煤炭鎭宅，以求得一年生活富足。

14

立春爲何古時叫春節？

夏曆正月間（西曆2月4日前後）的立春節，是春季開始的標誌。一年之計在於春，古人非常重視立春節，自周代起立春日迎春，是先民必須舉行的一次盛大節日活動，因此立春又叫春節。周代，天子親率三公九卿諸侯大夫去東郊迎春，祈求豐收，回宮後要賞賜群臣，施惠兆民。唐宋時，宰臣以下在立春日都入朝稱賀。到明清時，迎春文化更盛。清代稱立春的賀節習俗爲“拜春”，迎春的禮儀形式爲“行春”。京兆尹和各府衙官員，在立春這天，必須穿戴整齊，去東郊的東直門一裏以外的春場去迎春，按照規定的儀式，對製作的春牛、芒神、柳鞭等舉行迎春禮儀，然後進宮朝賀並接受賞賜。

15

何謂打春牛？

春牛迎春

立春期間流行“打春牛”的習俗。民諺說：“春打六九頭，七九、八九就使牛。”耕牛在古代農業生產中具有決定性的意義，古人在立春日鞭打土制的春牛，含有送走寒氣、促進春耕的濃厚象徵意義。這個習俗起源於先秦，唐、宋以後盛行，特別是宋仁宗頒佈《土牛經》後，打春牛風俗流傳更廣。山東民間把土牛打碎後，爭搶春牛土，謂之搶春，以搶得牛頭爲吉利。浙江民間拜完春牛，一擁而上將春牛弄碎，搶得春牛泥土回家，撒在牛欄裏，據說可以促進牛的繁殖。其他地區還有採茶祭春牛活動。各地年畫中普遍刻印春牛圖，作爲吉祥圖像。

16

二月二爲何“龍抬頭”？

民諺曰：“二月二，龍抬頭。”夏曆二月初二前後，時值驚蟄，據說經過一冬沉睡的龍王爺，到了這天，會被隆隆春雷驚醒，所以這天也稱春龍節或龍頭節。龍是中國古代文化中的祥瑞神物，俗話說“龍不抬頭天不雨”，龍抬頭意味著雲興雨施，萬物發育，一年的農事活動就此拉開序幕，唐代詩人白居易的詩句“二月二日新雨暗，草牙菜甲一時生”，正是此種寫照。同時，作爲鱗蟲之精，百蟲之長，龍出則百蟲伏藏，有利於農業生產。明清以來，民間形成許多關於龍抬頭的習俗，諸如祭龍王、敬土地、撒灰引龍、扶龍、熏蟲避蠍、剃龍頭、忌針刺龍眼等等，正如清人富察敦崇《燕京歲時記》上說："是日食餅者謂之龍鱗餅，食面者謂之龍鬚麵。閨中停止針線，恐傷龍目也。"這些習俗中以"二月二龍抬頭，家家男子剃龍頭"影響最大，舊俗正月裏忌諱剃頭，從夏曆新年前理髮，至二月初二，男子已經一個多月未曾理髮，二月二龍抬頭，乘此吉日理個"龍頭"，可以祈願一年生活如意。其他正月忌諱如新娘不回門，媳婦不走娘家，正月不空房等，都可在二月初二這天解除。

17

何謂花朝節？

舊俗以夏曆二月十五爲"百花生日"，時値"驚蟄"到"清明"之間，此時春回大地，百花含苞欲放，故稱此日爲"花朝節"或"花神節"。花朝節在武則天執政時期流行全國。武則天嗜花成癖，每到夏曆二月十五這一天，總要令宮女採集百花，和米一起搗碎，蒸製成糕，用花糕來賞賜群臣，從此花朝節活動流傳開來。節日期間，姑娘們結伴到郊外遊覽賞花，並剪五色彩紙粘在花枝上，稱爲"賞紅"。宋以後，節俗中又增加了種花、栽樹、挑菜（採摘野菜）等內容。清人蔡雲詩句"百花生日是良辰，未到花朝一半春；紅紫萬千披錦繡，尙勞點綴賀花神"，很能說明古人過花朝節的盛況。受各地花信時間早晚差異的影響，節期在全國範圍內並不統一，江南和東北地區以二月十五爲花朝，中原和西南地區以二月初二爲花朝，還有一些地區以二月十二或十八爲花朝。

18

春分爲何祭日？

夏曆二月間（西曆3月21日前後）的春分，是春季九十天的中分點。分即半，是日晝夜基本等分。漢代董仲舒《春秋繁露》上說："春分者，陰陽相半也，故晝夜均而寒暑平。”過了春分，陽氣逐步多於陰氣，春分候應——“初候玄鳥至，二候雷發聲，三候始電”即顯現出這個特徵。先民認爲，天之陽氣，惟日爲本，在陽氣多於陰氣的起始日期——春分祭日，可順生陽氣，使農作物長勢更好。自周代起，皇帝都要在這天率群臣出東郊舉行祭日儀式，據清人潘榮陛《帝京歲時紀勝》上說：“春分祭日，秋分祭月，乃國之大典，士民不得擅祀。”民間在這天有種樹、做春酒、釀醋等習俗，正如清人宋琬詩句所述：“夜半飯牛呼婦起，明朝種樹是春分。”

19

何謂社日？

社日是古人祭祀社神的節日，在春分前後。社神，即土地神，相傳爲古代共工氏之子，名曰後土，掌土地與農業之事。其俗起於先秦。社日這天，鄉鄰們在土地廟集會，準備酒肉祭神，然後宴飲。唐人王駕詩句“桑柘影斜春社散，家家扶得醉人歸”（《社日》），即是此種風俗的寫照。漢以前只有春社，漢以後開始有秋社。自宋代起，以立春、立秋後的第五個戊日爲社日。春社祈穀，祈求社神賜福、五穀豐登；秋社酬神，報告社神豐收喜訊，答謝社神。宋以後有官社、民社之分。民社爲二月初二，俗稱土地公公生日，官社日期不變，其祭祀爲國家祀典，在社稷壇舉行。春社習俗以飲酒、分肉、賽會、婦女停針線爲主要內容。秋社則逐漸衰微，與中元節（七月十五）合併。

20

何謂寒食節？

寒食節亦稱禁煙節，時間在夏曆冬至後一百零五日。是日禁煙火，只吃冷食。其俗相傳源於春秋時期，是爲紀念晉國人介子推而設。晉國公子重耳流亡十九年，介子推捨身相隨，立下大功。重耳返國繼位（史稱晉文公），大肆封賞功臣，子推堅辭不就，背著老母躲入綿山。晉文公前往尋找，子推避而不見，晉文公下令放火燒山，想把子推母子逼出山來，不料，子推堅持不出，母子二人被活活燒死。悲痛的晉文公爲此下令，每逢子推忌日都要禁止生火做飯，只吃冷食，以示追懷之意。究其歷史實際，禁火寒食的習俗，實際上更早源於古人換季改火之俗。古人鑽木取火，十分珍惜火種，每個季節都要換取新火，每次新火未至前，都要禁止人們生火，據《周禮・秋官・司烜氏》上記載："中春以木鐸修火禁於國中。"可見當時是司烜氏搖著木鐸，警示人們禁火冷食。寒食節在後世發展過程中，逐漸增加了祭掃、踏青、蕩秋千、蹴鞠、拔河等習俗，成爲清明節興起前民間的第一大祭祀性節日。

21

清明掃墓的習俗是什麼時候形成的？

清明最初只是節氣名稱，時間在夏曆三月間（西曆4月5日前後），比寒食節晚一至兩天。清明的含義，據《歲時百問》上說："萬物生長此時，皆清潔而明亮。故謂之清明。"到了清明這天，天氣回暖，正是春耕春種的大好時節，同時也是惜春正命、紀念亡人的絕佳時機。唐代統治者允許百姓將寒食節掃墓祭祖的習俗延續至清明這天，以此強化愼終追遠、敦親睦族的孝親傳統，清明初具節日性質。到了宋代，民間興起焚燒紙錢祭奠先人的習俗，由於寒食節禁火，清明節升火，百姓燒紙就只能在清明期間舉行，清明掃墓由此逐漸取代寒食掃墓的傳統。值得注意的是，清明節以掃墓祭祖爲主題，但同時也含有踏青春遊的內容，蕩秋千、蹴鞠、拔河等戶外活動節日期間特別流行。按照哀而不

五代 趙喦《八達春遊圖》

傷、陰陽協和的文化傳統，倒也可以理解：墓祭是通陰間，踏青是順陽氣，恰爲一枚硬幣的兩面，缺一不可。

22

清明節爲何要插柳戴柳？

清明期間流行插柳戴柳習俗，人們或者將柳枝插在門楣上，或者將柳條盤起來戴在頭上。其俗源於兩種傳說。其一，是爲紀念介子推，據說子推母子被燒死在老柳樹旁，晉文公便賜老柳樹爲“清明柳”，後人插戴柳條，是爲子推母子招魂。其二，受佛教影響，認爲每年最早捕捉春天氣息的柳樹陽氣最盛，是陰間野鬼害怕的對象，北魏賈思勰在《齊民要術》中即提到：“取楊柳枝著戶上，百鬼不入家。”唐太宗也曾在清明這天賜給大臣柳圈，以起避邪驅疫的作用。柳樹強大的生命力與內在靈性，給人以佑生避邪的希望，從而成爲清明期間衆人插戴的護身符和吉祥物。

曲水流觴圖

23

上巳節是個什麼樣的節日？

古時以夏曆三月的第一個巳日爲“上巳”。每逢這天，古人相約於河邊祓禊，以祓除不祥，祈福消災。其俗源於二說。一說起於周公曲水之宴，《續齊諧記》上說，當年周公在洛陽城建成的時候，在水邊舉行儀式，以酒杯置於水面上隨波流動，以祈求平安。另一說起於《周禮》水濱祓禊之說，漢人應劭《風俗通》上說："按《周禮》，女巫掌歲時以祓除疾病。"是指人們用香草在水中沐浴，以祓除疾病和不祥。漢時加入祈求生育平安的內涵。魏晉以後，上巳節固定在三月初三，不必取巳日，節日習俗又加入踏青春遊、文人雅集的內容。晉人王羲之等文人雅士在蘭亭修禊，曲水流觴，飲酒吟詩，傳爲文壇佳話。

24

何謂浴佛節？

相傳夏曆四月初八爲釋迦牟尼生日。佛教寺院於是日誦經，取法傳說中龍王以香水洗灌悉達多太子的故事，用名香浸水，灌洗佛像，以此紀念佛的誕生，故稱浴佛節。是日，民間要用梧桐葉染飯，使米飯呈青色發光狀，稱做烏飯，除全家食用外，還要饋贈親友，意爲分享佛的賜予，以此祛病延年。新嫁女兒之家，要以烏飯加雞蛋，饋贈婿家，以此帶去佛對子孫興旺的保佑。

25

古人如何過立夏？

夏曆四月間（西曆5月6日前後）的立夏節，是夏季開始的標誌。"立夏"的"夏"意爲"大"，是指春天播種的農作物此時已經長大了。古人非常重視立夏節。在周代，天子於是日親率公卿諸侯到南郊迎夏，並舉行祭祀炎帝、祝融的儀式。民間習慣以這天的陰晴占卜一年的豐歉，如果這天無雨，認爲將主當年乾旱，所謂"立夏不下雨，犁耙高掛起"。

立夏是暑熱瘟疫多發之時，民間有很多習俗，旨在驅疫祛病。是日，人們有嘗新、補夏及秤人之俗，把將熟之小麥或大麥穗在火上烤熟吃，叫"嘗新"；食用鹹鴨蛋或茶葉蛋，叫"補夏"；用秤秤人之輕重，以防身體消瘦疾病纏身，叫"秤人"；用五色絲線爲孩子繫手繩，叫“立夏繩”；同時嚴禁家人坐在門檻上，以防夏令疾病上身久駐。

26

五月初五爲何被稱爲“惡日”？

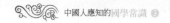

夏曆五月初五的端午節是紀念詩人屈原的節日，有包粽子、賽龍舟等紀念性風俗。同時，這天也被古人視爲“惡日”，有飲雄黃酒、掛香袋、戴香包、插菖蒲、採百藥等驅疫避邪的習俗。原來，古人把夏曆五月視爲“陰陽爭、死生分”的惡月，據《禮記・月令》記述，五月爲陽氣最盛之月，同時，陽到極處必轉陰，陰氣也於此月開始滋生，陰陽交侵，易致毒蟲出沒，瘟疫流行，於人於物均爲有害。五月初五是陽氣運行到端點的端陽之時，《周易》上說，陰惡從五而生，此時五毒（蜈蚣、蠍子、壁虎、蜘蛛、毒蛇）並出，尤爲惡日。如果這天生子爲不祥。漢人應劭《風俗通》上說：“五月五日生子，男害父，女害母。”孟嘗君生於五月初五，其父在其降生時就要遺棄他，其母私下撫養，才長大成人。逢此惡日，人們自然要避邪除惡。漢代起，習俗即流行在這天用青、赤、黃、白、黑等五彩絲線串成細索，繫於臂上，稱爲“長命縷”或“續命縷”，以此驅瘟病、除邪氣、止惡氣。更加積極的辦法是以藥克毒。戰國時成書的《夏小正》上說：“此日蓄採衆藥以蠲(juān)除毒氣。”《荊楚歲時記》也說此日要“採百藥”。其中，飲用雄黃酒、菖蒲酒的做法尤其流行，明李時珍《本草綱目》上說：“菖蒲酒，治三十六風，一十二痹，通血脈，治骨痿，久服耳目聰明”，“雄黃性味辛溫有毒，具有解蟲蛇毒燥濕、殺蟲驅痰功效”。

27

古人如何過夏至？

夏曆五月間（西曆6月22日）的夏至，是全年白晝最長的一天。是日，陽氣最盛。過了這天，陰氣便逐漸滋長，夜間漸長，白晝漸短，象徵從夏至到冬至的陰期開始。

夏至候應——“初候鹿角解，二候蜩始鳴，三候半夏生”，是說夏至初至，陰氣剛剛萌發，作爲陽獸的鹿得陰氣而生新角；又五天，蟬鳴大作；再五天，半夏這種喜陰的草藥便滋長起來，這些候應較爲明顯地反映了夏至後陰氣滋長的過程。因爲地代表陰，所以皇帝於陰期開始之日——“夏至”要率群臣到北郊祭地，祈求安度陰期。是日，民間有吃伏茶、祭田公田婆、拜秧田等習俗。

28

六月六是個什麼樣的節日？

夏曆六月初六在宋代叫天貺(kuàng)節，後演變爲曬蟲節。天貺節始於北宋眞宗年間。眞宗爲洗刷澶淵之盟的恥辱，乃由大臣王欽若僞託夢見神明，於正月、六月兩次降天書於京師及泰山。眞宗將第二次降天書之日——六月初六定爲天貺（意爲天賜）節，並在泰山岱廟修建天貺殿，是日京師斷屠，禁止殺生，不許吃葷。明代以後節日以晾曬經書、衣物爲主要內容，已失去天貺節原來含義。

六月初六，恰逢小暑大暑節氣，天氣炎熱潮濕，室內物品極易發黴腐壞。傳說是日爲龍王爺曬鱗日，民間曬衣物，官府曬官服，士人曬典籍，僧人曬佛經，這樣可以防黴防蛀。因此，民諺有云：“六月六，人曬衣裳龍曬袍。”清代，皇宮內的檔案、實錄、御制文集等，都要擺出來通風晾曬。京師白雲觀藏有道教經書五千多卷，在每年的六月初一至初七，都要舉行晾經會，道士們衣冠整潔、焚香秉燭，把藏經樓裏的道教典籍統統取出來通風翻曬。

29

七夕爲何又叫乞巧節？

夏曆七月初七之夜，是傳說中牛郎織女在天河相會的節日，同時也是婦女在庭院中進行乞巧活動的節日。所謂乞巧，就是向織女乞求一雙巧手的意思。在男耕女織的傳統社會，婦女擁有一雙巧手，做的女紅精巧，就是向人炫耀的資本。七月初六、初七兩

清　任頤《乞巧圖》

晚，姑娘們穿上新衣，戴上新首飾，焚香點燭，對星空跪拜七次，稱爲“拜仙”。然後，手執彩線對著燈影將線穿過針孔，如一口氣能穿七枚針孔者叫“得巧”，被稱爲巧手，穿不到七個針孔的叫“輸巧”。唐人林傑詩句“家家乞巧望秋月，穿盡紅絲幾萬條”，就是此種風俗的寫照。或者捕蜘蛛一隻，放在盒中，第二天開盒如已結網，也可稱爲“得巧”。

30

七月十五爲何被稱爲鬼節？

夏曆七月十五爲中元節，亦稱“盂蘭盆節”、“鬼節”，俗稱“七月半”。按照道教的說法，七月十五是中元日，地官下凡，定人間善惡，道觀是日要作齋醮薦福，囚徒惡鬼當時可得解脫。按照佛教的說法，傳說佛陀弟子目連得知死去的母親在餓鬼道中受苦，向佛陀祈求救母之法，佛陀說其母罪業深重，非一人之力所能拯救。目連於七月十五設百味珍肴、鮮果於盆中，供養十方僧衆，求他們超度其母，目連之母因此得脫餓鬼之苦。這個傳說由於吻合儒家孝親傳統，很快受到追捧。南朝梁武帝始設盂蘭盆（梵音詞，意爲“解倒懸”）會，施齋供僧，後逐漸發展爲追祭祖先亡靈的法會。是日，宮觀寺院設盂蘭盆會，街巷搭起高臺、鬼王棚座，誦念經文，做水陸道場，施放焰口，俗謂“濟孤魂”。當日還有焚化紙制法船、燃放河燈的做法，俗謂“慈航普渡”。

31

古人怎麼過立秋節？

夏曆七月間（西曆8月8日前後）的立秋節，是秋季開始的標誌。秋季是農作物收穫的季節。古人非常重視這個節日。在周代，天子親率公卿諸侯大夫，到西郊迎秋，並舉行祭祀少皞、蓐收的儀式。民間有通過立秋來臨時間在早晨還是晚上，來占卜當年秋季天氣涼熱的習俗，如東漢崔寔《四民月令》上說："朝立秋，暮颼颼。夜立秋，熱到頭。"還有通過立秋這天的天氣狀況，預判秋收豐歉程度的習俗：如果立秋這天下雨，認爲秋田暢茂，豐收在望；如果立秋後天空見虹，則認爲是主歉收，謂之天收。是日天氣轉涼，民俗或以石楠紅葉剪刻花瓣插戴鬢角，或以懸秤秤人與立夏所秤之數相較，或以秋水吞食紅小豆七粒，以求避過瘧痢之疾。

32

秋分爲何祭月？

夏曆八月間（西曆9月23日前後）的秋分，是秋季九十天的中分點。是日，晝夜基本等分。漢代董仲舒《春秋繁露》上說："秋分者，陰陽相半也，故晝夜均而寒暑平。"過了秋分，陰氣逐步多於陽氣，秋分候應——"初候雷始

清宮廷畫家繪《雍正十二月令行樂圖》之"八月賞月"

收聲，二候蟄蟲坯戶，三候水始涸”，即顯現出這個特徵。先民認爲，日屬陽之精，月屬陰之精，在陰氣超過陽氣的起始日期——秋分祭月，可調和陰氣，有利於農作物取得好收成。自周代起，皇帝都要在這天率群臣出西郊舉行祭月儀式。民間有根據秋分日期早晚，判斷收成豐歉程度的習俗。

33

中秋賞月緣何而來？

中秋賞月圖

夏曆八月十五的中秋節，以家人團圓賞月爲習俗。追溯其源，中秋賞月大約在唐代才形成習俗，在宋代才成爲一個節日。在此之前，先民在夏曆八月過的節日惟有秋分；自周代起，歷代帝王已形成在秋分當晚祭月的習俗。從秋分祭月到中秋賞月，主要跟先民對自然節令的自覺認識有關。按天文學解釋，當太陽經過黃道上二十四節氣中之“秋分”點時，最接近的一個滿月日便是八月十五。此時秋高氣爽，晚上能見度高，這時的月亮，比起其他時節的，更顯圓滿皎潔，正如唐人歐陽詹詩句所述：“十二度圓皆好看，其中圓極是中秋。”

與秋分祭月濃厚的官方色彩不同，中秋賞月的形成具有明顯的民間休閒成分。早在漢代，枚乘《七發》上就有在夏曆八月十五月圓之夜，與遠方的交遊兄弟，一齊在廣陵的曲江邊上觀濤的記載。唐時，中秋賞月活動開始流行起來，據宋人朱弁《曲洧舊聞》上說："中秋玩月，不知起於何時。考古人賦詩，則始於杜子美。"杜甫《八月十五夜月詩》曰："滿目飛明鏡，歸心折大刀。轉蓬行地遠，攀桂仰天高。水路疑霜雪，林棲見羽毛。此時瞻白兔，直欲數秋毫。"可見，桂樹、玉兔等賞月神話的主要元素此時已很流行。宋代，中秋賞月之風更盛，孟元老《東京夢華錄》上說："中秋節前，諸店皆賣新酒……中秋夜，貴家結飾台榭，民家爭占酒樓玩月。絲篁鼎沸，近內庭居民，夜深遙聞笙竽之聲，宛若雲外。閭里兒童，連宵嬉戲。夜市駢闐，至於通曉。"至明清時期，中秋節以其"花好月圓人團聚"的鮮明主題，成爲影響力僅次於新年的民俗大節。

34

重陽節爲何要登高？

夏曆九月初九的重陽節，又名"登高節"。其原因有二。一是從文化觀念上看，古人認爲"九爲老陽，陽極必變"，九月初九，月、日均爲老陽之數，尤爲不吉利，重陽這天有必要舉行祓除不祥的活動。二是從自然節令看，重陽節過後，草木開始凋零，陰氣加重，瘟氣易生，於人於物均爲有害。與三月初三的"踏青"習俗正相反，重陽這天有必要舉行"辭青"活動。古人樸素地認爲，登到山或塔的高處，儘量與代表陽氣之最的太陽及上天靠近，有利於起避邪驅瘟的作用。南朝梁人吳均在《續齊諧記》中記載的一則神異故事較好地反映了此種文化心理：東漢時汝南人桓景，隨仙人費長房遊學，費長房要求他在重陽這天，與家人各作絳囊，將茱萸繫在胳膊上，然後登高，並飲菊花酒，才可免禍。桓景照辦了，因此躲過一劫。從此，歷代相沿，遂成節日習俗。王維《九月九日憶山東兄弟》詩中"遙知兄弟登高處，遍插茱萸少一人"，記述的就是全家登高的活動場景。

35

何謂送寒衣?

舊俗於夏曆十月初一要祭祖掃墓，焚燒紙衣，叫“送寒衣”。 明人劉侗《帝京景物略》上說：“十月一日，紙肆裁紙五色，作男女衣，長尺有咫，曰寒衣。有疏印緘，識其姓字輩行，如寄書然，家家修具夜奠，呼而焚之其門，曰送寒衣。”意思是天氣冷了，一家都穿新衣了，也應該給死去的親人寄點寒衣去。在十月初一這天糊好寫有亡人籍貫、稱謂、姓氏的紙製“寒衣包”、“金銀錁子包袱”，以及附帶給土地爺的酒資小包袱，以火焚化，希冀寄達亡人那裏。按照傳統的歲時節令，草木凋零的十月，實爲“正陰之月”，在陰氣盛時祭祀亡靈，最能符合時宜。

36

古人怎麼過立冬節？

夏曆十月間（西曆11月7日前後）的立冬節，是冬季開始的標誌。關於“冬”字，《樂記》解釋說“藏也”，《漢書・律曆志》解釋說“終也”，都有著萬物收藏、規避寒冬的意思。在周代，天子於是日親率公卿諸侯大夫，到北郊迎冬，並舉行祭祀顓頊、玄冥的儀式。是日，天氣轉寒，統治者往往要向群臣表達禦寒之意，漢文帝會賞給百官五色繡羅或棉襖，魏文帝要求不論貴賤都要戴上溫帽，等等。民間以該日晴雨狀況，占卜一冬天氣，如果該日刮西北風，則主來年禾稻豐收。

37

冬至爲何祭天？

夏曆十一月間（西曆12月22日前後）的冬至，是全年夜晚最長的一天。是日，陰氣最盛。過了這天，陽氣便逐漸滋長，白晝漸長，夜間漸短，象徵從冬至到夏至的陽期開始。冬至候應——“初候蚯蚓結，二候麋角解，三候水泉動”，是說冬至初至，陽氣剛剛萌發，敏感的蚯蚓感受陽氣而捲曲成結；又五天，作為陰獸的麋得陽氣而生新角；再五天，泉水感受陽氣發出淙淙流水聲，這些候應較為明顯地反映了冬至後陽氣滋長的過程。因為天代表陽，所以皇帝於陽期開始之日——“冬至”要率群臣到南郊祭天，祈求安度陽期。唐宋以來，朝野將冬至放在與歲首同樣重要的位置。宋人孟元老《東京夢華錄》上說：“十一月冬至。京師最重此節，雖至貧者，一年之間積累假借，至此日更易新衣，備辦飲食……慶賀往來，一如年節。”有的地方甚至稱冬至日為“過小年”，到了這天，學校放假、商業歇市、農人休息，做好應時食品，相互宴請餽贈，民諺故有“冬至大如年”之說。

38

臘八節是怎麼來的？

舊俗於夏曆十二月初八要過臘八節。其來源甚早。在遠古時期，“臘”本是一種祭禮。《禮記正義》上說：“以其初為田事，故為蠟祭，以報天也。”先民常在冬月將盡之時，用獵獲的禽獸祭祖敬神，祈求豐收和吉祥。漢人應劭《風俗通》上說：“《禮傳》：臘者，獵也，言田獵取禽獸，以祭祀其祖也。或曰：臘者，接也，新故交接，故大祭以報功也。”可見，古代“獵”與“臘”相通，“獵祭”即“臘祭”，同時，“臘”還含有新舊交接之意，所以就把每年終了的十二月稱為“臘月”，把舉行臘祭的這一天稱為“臘日”。先秦的臘祭日在冬至後第三個戌日，南北朝以後逐漸固定在臘月初八。到了唐宋，此節逐漸蒙上濃厚的佛教色彩。相傳佛祖釋迦牟尼成佛之前，絕欲苦行，餓倒在地，有一牧羊女送他粘米和糯米做成的濃粥，他才得以保全性命。飯後，釋迦牟尼在河裏洗個澡，就在菩提樹下靜坐沉思，終在十二月初八日得道成佛。從此佛門定此日為“佛成道日”，並熬製濃粥（即“臘八粥”）供佛，誦經紀念，相沿成節。到了明清，供佛內容更是取代上古祭祖的含義，而成為臘八節的主旨。是日，民間要熬煮、贈送、品嘗臘八粥，迎接新年的氣氛自此逐漸濃厚。

39

臘月二十三（四）爲何被稱爲過小年？

清代灶王牌

民謠曰："二十三，糖瓜粘；二十四，掃房子。"說的是每年臘月二十三、二十四要進行祭灶和掃房子這樣的民俗活動，以此迎接新年的到來。傳統上多將臘月二十三（四）視爲過年序幕的拉開，因爲正月初一俗稱"過大年"，臘月二十三（四）也就相對應地被稱爲"過小年"。

過小年以祭灶爲標誌性民俗。民以食爲天，在生產力較爲低下的農耕社會，人們將飲食視爲生活中的頭等大事。中國先民很早就有灶神崇拜。《淮南子》上說："黃帝作灶，死爲灶神。"《周禮》上說："顓頊氏有子曰黎，爲祝融，祀以爲灶神。"將黃帝或者其後裔視爲灶神，可見古人對灶神的重視程度。道教興盛後，民間又傳說灶神是玉皇大帝封的"九天東廚司命灶王府君"，灶神這時已演變成不僅司廚而且司命的民間大神。在廣爲流傳的《太上感應篇》裏，有"司命隨其輕重，奪其紀算"的記述。司命即指灶君，算爲一百天，紀指十二年，說的就是灶王爺專門上天告發人間罪惡，一旦有人因罪被告，小罪要減壽一百天，大罪要減壽十二年。因此，舊時人家灶間都設有"灶王爺"神位，並在其神位兩側貼一副對聯："上天言好事；下界保平安。"按照"官三民四"的說法，官府祭灶在臘月二十三，民家祭灶則在臘月二十四。灶王爺自上一年的除夕以來就一直留在家中，以保護和監察全家，到了臘月二十三灶王爺便要升天，去向玉皇大帝彙報這一家人的善惡言行。全家人要在這天黃昏舉行“送灶”或“辭灶”儀式，即向設在灶壁神龕中的灶王爺敬香，並供上用飴糖和麵做成的糖瓜，以乞求灶王爺在玉皇面前多說這家人的好話。除夕再舉行“接灶”儀式，將其請回來，繼續發揮爲全家保平安的作用。祭完灶後，家家戶戶都會緊接著進行“掃房子”的活動。掃房子又叫“撢塵”，因“塵”與“陳”諧音，新年到來之際掃塵有“除陳布新”的含義，此舉是要把一切黴運、晦氣統統掃出家門。臘月二十三（四）的祭灶活動，實際上對夏曆新年起了直接的接引作用，將之命名爲“小年”確也是名副其實的。

40

除夕爲何要守歲？

除夕之夜時值辭舊迎新之際，按照一副傳統春聯上說是“一夜連雙歲；五更分二年”，是個超乎尋常的時間節點。舊俗要求全家人團聚在一起圍爐守歲，共同祈求來年幸福生活。這個習俗最早見於西晉周處的《風土記》：除夕之夜，衆人徹夜不眠，迎候天明，稱爲“守歲”。其含義一般有兩種：年長者守歲爲“辭舊歲”，有珍愛光陰的意思；年輕人守歲，是爲父母祈壽，有恪守孝道的意思。除夕夜是團圓夜，離家在外的遊子都要趕回來團聚，全家人要圍坐在一起和麵包餃子。和麵的“和”字諧音“合”，象徵團圓；餃子的“餃”諧音“交”，取更

坐在炕上包餃子的北方女人

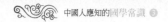

歲交子之意，意爲新舊年於子時交替，一家人團聚在此時吃餃子，充滿吉祥如意的含義。

中國人應知的

國學常識 3

The knowledge of Chinese

教育科學

教育科舉

41

古代的科舉考試都有哪些科目？

在中國科舉制度史上，科舉考試的科目，前後有很大變化。隋朝是科舉制度的草創時期，考試的科目大致有秀才、進士、俊士、明經四科。唐朝是科舉制度的確立時期，科舉考試除了沿襲隋朝的四科之外，又增加了明法、明書、明算三科。其中明經科中又細分爲五經、三經、二經、學究一經、三禮、三傳、三史、開元禮等名目。俊士、秀才兩科，不久被廢止。明法、明書、明算等科，均爲錄用專門人才設置的，並不經常進行。因此，唐朝的科舉科目可以說主要是進士、明經兩科。北宋前期，沿襲唐朝及五代舊制，科舉考試主要有進士、明經、諸科。宋朝的諸科，大致相當於唐代的明經科，其中也分爲九經、五經、三禮、三傳、三史、學究、明法、通禮等細目。宋神宗熙寧年間，在王安石變法中，也對貢舉之法進行了改革，廢止了以往的明經、諸科，專以進士一科取士。此後，元、明、清三朝沿襲不改，也都是用進士一科取士。

42

古代的科舉考試都考哪些內容？

隋唐以來，鄉試（解試）與會試（省試）考試內容大致相同。唐朝初年，進士科的考試僅考時務策。唐高宗時期，加試雜文、帖經。到中宗神龍元年（705），科舉考試就形成了“先帖經，然後試雜文及策”的三場考試制度。所謂“雜文”，在唐中宗以前

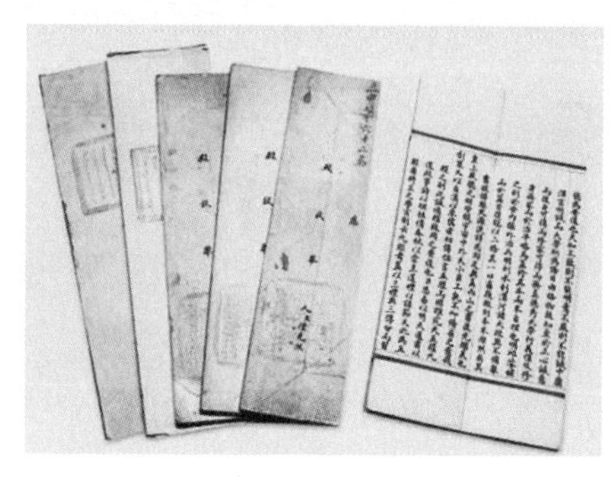
清殿試舉人卷

主要是指箴、銘、論、表之類，到唐玄宗天寶年間，才開始專用詩賦。

北宋初年，沿襲唐及五代舊制，科舉考試時，主要考詩、賦、論各一首，策五道，帖《論語》十帖，對《春秋》或《禮記》墨義十條，偏重於以詩賦取士。北宋神宗熙寧四年（1071），王安石在變法中改革貢舉，進士科停考詩賦、帖經、墨義，改爲四場考試：第一場考本經大義五道，第二場考《論語》、《孟子》大義各三道，第三場考論一首，第四場考時務策三道。南宋時期的進士科，分爲經義進士和詩賦進士兩種。詩賦進士，第一場詩賦各一首，第二場論一首，第三場策三道；經義進士，第一場考本經大義三道，《論語》、《孟子》大義各一道；第二、第三場所考內容，與詩賦進士相同。

明朝的鄉試、會試分三場：第一場考“四書”義三道、“五經”義四道；第二場考論一首，判五條，詔、誥、表各一道；第三場考經史策五道。考試題目和答題主旨主要出自“四書”和“五經”之中。試卷行文，是嚴格的八股文程式，並且答題內容和行文格式不得有任何的突破。

清朝的科舉考試，沿襲明朝的制度，其中也屢有變更，至乾隆五十二年（1787）成爲定制：第一場考“四書”文三篇、五言八韻詩一首，第二場考“五經”文五篇，第三場考經史、時務策五道。清朝末年，因爲時局發生了巨大的變化，反映在科舉考試上，也相應地出現了變更。光緒二十七年（1901），考試改爲：第一場考中國政治史事論五篇，第二場考各國政治藝學策五道，第三場考“四書”義二篇、“五經”義一篇。但是，僅僅實行了三年，科舉制度就被廢除了。

至於殿試的內容，北宋前期是賦、詩、論三題。神宗熙寧三年（1070），改爲考時務策一道。此後，元、明、清一直沿襲不改。

43

“狀元”之名是怎麼來的？

狀元是中國古代科舉考試——殿試進士的第一名。它爲什麼叫“狀元”而不叫別的呢？原來唐朝的科舉考試結束後，要由主考官將錄取檔案交到門下省，再由門下省寫成狀子，呈報給皇帝恩准，這份狀子裏的頭名當時叫“狀頭”。這本是朝廷官員在完成例行公事時使用的專用術語。後來人們覺得“狀頭”太不雅，於是改稱“狀元”了。

科舉考試選狀元開始於隋，確立於唐，完備於宋。明、清時期，殿試的一、二、三名，名稱確定爲“狀元”、“榜眼”、“探花”，合稱“三鼎甲”。狀元的地位日益特殊，新進狀元一開始就被授予六品的翰林院修撰官職。而明、清時期的翰林社會地位又特別高，擔任宰相者一般都有翰林學士的頭銜，所以翰林素有“儲相”之名，因爲這個職位比較容易接近皇帝，所以升遷的機會比同榜的其他進士要快得多。考中狀元者，若有幸被皇帝招爲駙馬，頓時會身價百倍，少不得光宗耀祖，更有享不盡的榮華富貴！

從唐高祖武德五年（622）至清光緒三十年（1904）最後一次科考，共1282年間，歷代共錄取有姓名記載的文狀元654名，武狀元185名。歷史上的第一個狀元是唐武德五年的孫伏伽，最後一個狀元是清光緒三十年的劉春霖。最年輕的狀元是唐高宗顯慶元年(656)的蘇瑰和咸亨四年(673)的郭元振，當時年齡都不滿十八歲；年齡最大的狀元是唐代的尹樞，他一生參加科舉考試幾十次，直到七十多歲才自薦考中了狀元，了卻“金榜題名”的夙願！中國歷史上雖然出了個女皇帝武則天，卻很少出現過眞正意義上的女狀元。只有清朝太平天國時期二十歲的女子傅善祥，參加太平天國組織的科舉考試而成爲了“女狀元”。

在“學而優則仕”的封建時代，文人們都把考狀元作爲躋身仕途的唯一途徑。“十年窗下無人問，一舉成名天下知”、“書中自有黃金屋，書中自有顏如玉”，這激勵著歷史上的無數學子臥薪嚐膽、懸樑刺股、勇跳龍門。中狀元者號爲“大魁天下”，因其爲殿試第一甲第一名，又別稱“殿元”。又因其位居三鼎甲之首，所以也別稱鼎元。但古代的狀元並不全部是殿試的第一名。如唐朝的狀元鄭谷，當年殿試就不是第一名，而只是第八。清朝的科舉考試對考卷文字書寫的要求很嚴格，康熙皇帝更是酷好書法，於是天下的士子紛紛勤練書法。這一風氣對狀元的擇取也產生了影響。康熙三十年(1691)的殿試，原擬吳昺爲狀元，但康熙皇帝喜歡第二名戴有祺的書法，於是戴有祺便成爲了欽點的狀元。更有甚者，據《十國春秋》記載，五代時期南漢的劉龑（yǎn）定例，作狀元者，必先受宮刑。故羅履先《南漢宮詞》曰："莫怪宮人誇對食，尙衣多半狀元郎。"

古代考中狀元並非易事，要經過童試、院試、鄉試、會試、殿試幾個階段。殿試通常由皇帝欽命大臣主持。一旦高中狀元，披紅掛彩、敲鼓鳴金、騎馬遊街、前呼後擁，好不威風。舊時一副對聯生動地描繪了中狀元前後的境遇：

舊歲饑荒，柴米無依。走出十字街頭，賒不得，借不得，許多內戚外親，袖手旁觀，無人雪中送炭；

今科僥倖，衣祿有望。奪得五經魁首，姓亦揚，名也揚，不論張三李四，踵門慶賀，都來錦上添花。

44

"榜眼"之名是什麼意思？

明 謝遷書榜眼坊額

榜眼是我國古代科舉考試——殿試取得進士第二名的名稱，與第一名狀元，第三名探花合稱"三鼎甲"。"榜眼"之名要晚於狀元，終唐一代，沒發現有這個稱謂。實際上，榜眼這一名稱與狀元、探花一樣，都是民間的習慣用語，並非官方用語。在朝廷正式發放的金榜上，只稱進士一甲第一名、一甲第二名、一甲第三名。

榜眼之名始於北宋太宗太平興國五年（980）。初時第一名稱狀元，第二、三名俱稱爲榜眼，意思是第二、三名分立狀元左右，如其兩眼。如北宋初年的王禹偁在《送第三人朱嚴先輩從事和州》詩中云："貨船東下曆陽湖，榜眼科名釋褐初。"據清人趙翼在《陔余叢考·狀元榜眼探花》中考證："北宋時第三人亦呼爲榜眼。蓋眼必有二，故第二、第三人皆謂之榜眼，其後以第三人爲探花，遂專以第二人爲榜眼耳。"到了北宋末年，就只以第二名爲榜眼，第三名則稱探花。所以《明史·選舉志二》中記載"(殿試)分一、二、三甲以爲名第之次。一甲止三人，曰狀元、榜眼、探花，賜進士及第。

 45

"探花"之名是怎麼來的？

探花是中國古代科舉考試——殿試中取得進士第三名的名稱，與狀元、榜眼一樣，其實都是民間的習慣用語。"探花"一詞最早出現在唐朝，但當時並非是指殿試進士的第三名，只是當時的戲稱，與登第名次無關。唐朝的新科進士放榜在每年的春季，此時正是京城長安杏花盛開的季節，新科進士爲了盡情慶賀自己中第，要舉行一場遊園盛會，稱爲"杏園宴"。挑選進士中兩名年少英俊者爲"探花使"，負責到各園採摘鮮花，迎接狀元，於是這兩個人便被稱爲"探花郎"。也就是說，唐朝的"探花"只表示一榜進士中年齡最小的兩個人，與殿試取得的名次沒有任何聯繫。這個詞在五代、北宋時期出現極少，因爲五代和宋朝時期的都城裏都沒有"杏園"，自然也就沒有探花郎了。探花什麼時候被作爲進士第三名代稱的呢？這是個很難確切回答的問題，據清人趙翼的《陔余叢考》推測，應該在南宋末年。大約從明朝開始，狀元專指殿試第一名、榜眼專指第二名、探花專指第三名才最終成爲定式。

46

縣試是如何進行的？

縣試是指由各縣縣官主持的考試。明清時期，縣試試期多在二月，取得出身的童生，向本縣禮房報告，填寫姓名、籍貫、年歲、三代履歷，並取得本籍的廩生保結。以清朝的縣試爲例，報名程序一般爲：一、請本籍的廩生出具擔保書（不需要交納任何費用）；二、向縣學老師買小結（出銅錢二十文）、大結（出銅錢二十四文）各一紙，填寫上本人的年貌、籍貫及祖宗三代名字；三、匯總以上各結，向縣禮房報名納卷，每卷需出錢一百零八文，因此民間就有“一百單八捐童生”的諺語。

縣試一般分爲匯考、頭覆、二覆、三覆、四覆、五覆共六場。匯考：考“四書”題文二篇及五言六韻試帖詩一首。頭覆：考“四書”、“五經”題文各一篇，試帖同上。二覆：考“四書”文、性理論各一篇，試帖同上。三覆：考“四書”文、《孝經》論各一篇，試帖同上。四覆：考“四書”文、賦各一篇和五言八韻試帖詩一首、七律二首或四首。五覆：考“四書”四題作四小講。府考向府禮房納卷，手續與縣府同。向挨保廩生換結，需出結金銅錢一百文。童生如喪服未滿、身家不清（清朝規定，娼、優、隸、卒三代不得應考）及廩生不肯出具擔保，均不能參加考試。府縣考試大約各需一個月的時間，如遇歲考年，由於院考多在三月末四月初進行，往往縣考在三月間、府考在五六月間進行，所以時間安排上比較寬裕。

47

府試是如何進行的？

府試是明、清兩朝科舉考試程序中“童試”的其中一關。通過縣試後的考生，才有資格參加府試。府試在本府府治所在地進行，一般由知府主持。參加府試的程序和考試方法如報名、保結與考試的場次、內容與縣試差不多（詳見縣試條），只是出面擔保的廩生比參加縣試時要多一名。府試考試通過後，就可以參加院試的舉人考試了。

48

何謂院試？

院試，是明清時期的學子爲取得參加正式科舉考試的資格，必須參加的一種由朝廷派往各省的學道（或稱學政、學台）主持的考試。因爲學政稱提督學院，所以由學政主持的考試被稱爲院試。又因爲有時學政被稱爲提學道，所以也稱這種考試爲道考。爲防止考試中作弊，院試考試時都是採取糊名制。參加院試合格者，即被錄取爲其所在地縣、州或府學的生員，初入學的被稱附學生員，以後逐步升爲增廣生員和廩膳生員，民間一般統稱爲秀才。一旦取得秀才資格，就享受不出公差和免納田糧的優待。秀才每年由學政主持考試一次，叫做“歲考”，其主要作用是督促和檢查生員們的學習情況。每遇大比之年的前一年，都由學政主持舉行“科考”。成績列爲一、二、三等前三名的生員，才能參加第二年在省城舉行的“鄉試”。報名等手續與府縣試大致相同，考試分正場一場，複試一場，揭曉稱“出案”。

49

古代科舉考試中的鄉試是怎麼考的？

正規的科舉考試分爲鄉試、會試和殿試三級，鄉試爲省一級的考試，考試合格者稱爲舉人。明清兩朝，每三年在各省的省城(包括京城)舉行一次考試，於子、卯、午、酉年舉行，因考試常在秋季的八月舉行，故又稱秋闈。主考官二人由皇帝委派，同考官四人，此外還有負責受卷、彌封、謄錄、對讀、巡綽監門、收檢懷挾等官員。考試分爲三場：第一場考“四書”義三道，經義四道；第二場考論一道，判語五條，詔、誥、表一道；第三場考經史時務策五道。三場考試分別在八月九日、十二日、十五日進行。考生入場，要經過嚴格的搜查，不許挾帶。入場後，每一名考生由一名

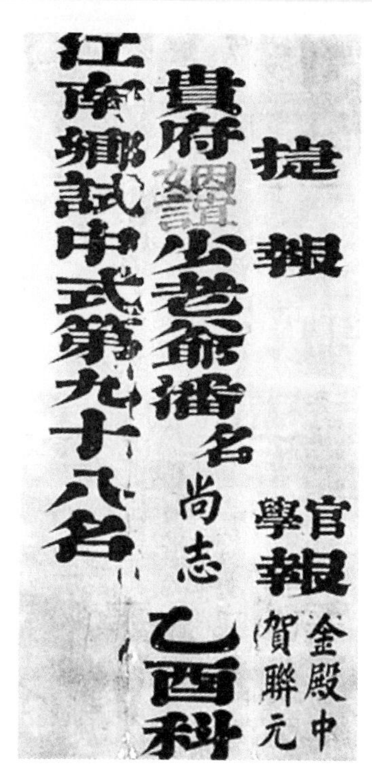
捷報
貴府老爺潘名尚志
官學報
金殿中
賀聯元
乙酉科江南鄉試中式第九十八名

清江南鄉試捷報

號軍監視，以防作弊。黃昏時交卷，如果還沒做完試卷，照例給蠟燭三根，燭盡還沒有答完的，就要被強行扶出考場了。考生交卷後，經過彌封、謄錄、對讀等程序，然後送主考、同考官評閱，評閱的時間名義上十天，但眞正用於評閱的時間實際不過三四天。鄉試錄取的名額，由朝廷決定。考試錄取後發佈正、副榜，正榜錄取的稱爲舉人，第一名叫做解元，也稱"解首"。如人們熟悉的明朝的風流才子唐伯虎，因爲他曾在參加鄉試時取得過第一名，所以又被稱爲唐解元。蒲松齡《聊齋志異・姊妹易嫁》中所言"秀才宜自愛，終當作解首"的解首，就是指的鄉試第一名——解元。清人李調元《制義科瑣記・會元解元入翰林》中所云："伊翕庵舉進士，引見南海子，上顧學士曰：此人山東解元也，遂改庶起士。"就是說此人當年參加山東鄉試時，曾獲得過第一名。

50

古代科舉考試中的會試是怎麼考的？

會試是舉人在京城參加的全國統一考試，由禮部主持，又稱禮闈。考試合格者再參加最高一級的進士考試——殿試。明清時期，每三年在京城舉行一次貢士考試，考試一般於鄉試後次年的春天，也就是在丑、辰、未、戌年的春天在京城禮部舉行。參加考試者，必須是鄉試中合格的舉人。會試也要考三場，考試時間分別在二月初九、十二、十五日。考試的內容與程序，基本上與鄉試一樣。因考試在春季舉行，所以又稱春闈。會試考試由禮部主持，由皇帝任命正、副總裁，只是同考官的人數比鄉試增加了一倍，主考、同考、監試等官也都由級別較高的官員擔任。各省的舉人及國子監監生都可以參加考試，考試合格者爲貢士，第一名爲會元。如《明史·選舉志》所云“會試第一爲會元”。《警世通言·唐解元一笑姻緣》也說：“伯虎性素坦率，酒中便向人誇說：‘今年我定做會元了。’”禮闈取士，明朝初年不分南北，洪武三十年（1397）“南北榜”案之後，錄取名額才有南北差別。至洪熙元年（1425），始定南北錄取名額，大致南方占十分之六，北方占十分之四。宣德、正統年間(1426～1449)，又分爲南、北、中卷，於是分地而取的原則確立。

明 謝遷書會元世科牌坊

51

古代科舉考試中的殿試是怎麼考的？

殿試是中國古代科舉制度中最高級別的一級考試。武則天時首創，北宋開寶六年（973），宋太祖趙匡胤親自復試舉人，由是殿試成爲常式。明朝的殿試考場一般設在奉天殿或文華殿，由於是“天子親策於廷”，所以又稱爲“廷試”。皇帝在朝堂上，對會試錄取的貢士親自策問，以確定他們的名次。實際上，皇帝大多數情況下並不親自策問，而是委派大臣主持殿試，評閱試卷的大臣只能稱爲讀卷官。讀卷官從進士出身的高級朝官中選拔。殿試的時間，按照科舉程式規定，一般是在三月初一日，從成化八年（1472）起，改爲在三月十五日進行。殿試的內容很簡單，僅僅考試時務策一道。試題一般由內閣預先擬定，考試的前一天呈

宋 佚名《殿試圖》

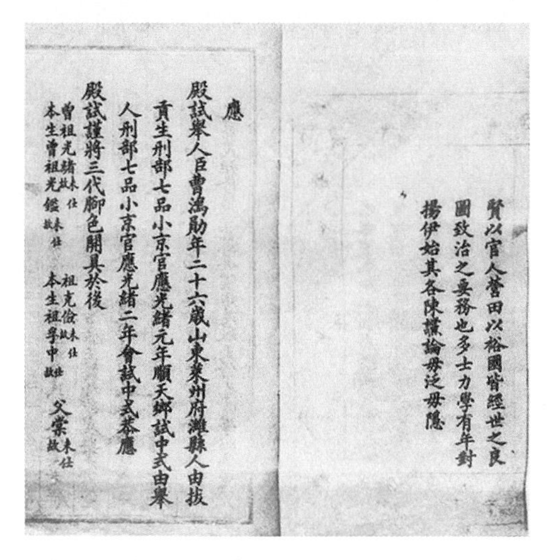
賢以官人營田以裕國皆經世之良
圖致治之要務也多士力學有年對
揚伊始其各陳讜論毋泛毋隱

應
殿試舉人臣曹鴻勛年二十六歲山東萊州府濰縣人由拔
貢生刑部七品小京官應光緒元年順天鄉試中式由舉
人刑部七品小京官應光緒二年會試中式恭應
殿試謹將三代腳色開具於後
曾祖光璘故未仕　祖克儉故未仕　父棠故未仕
本生曾祖光鑑故未仕　本生祖學中故仕

清光緒二年（1876）狀元曹鴻勳殿試卷

給皇帝圈定。殿試時間以一天爲限，日落前必須交卷。完卷後，受卷官將試卷送交彌封官，彌封官彌封後將試卷送交掌卷官，掌卷官立即轉送到東閣，由讀卷官進行評閱。余繼登在《典故紀聞》卷十六中記載：“殿試畢，次日讀卷，又次日放榜。”一天之內，有限的幾個讀卷官要評定那麼多考卷，應該是相當緊張的。不過，明朝參加殿試的舉人，一般都能通過考試，讀卷官的任務，主要是從衆多的試卷中挑選出三份卷子，以便確定一甲三名的人選，其他分等定名次是無關緊要的。殿試合格者，錄取分爲三甲：一甲三名，賜“進士及第”，第一名稱爲狀元，也稱爲殿元或鼎元；第二名稱爲榜眼；第三名稱爲探花。二甲若干名，賜“進士出身”。三甲若干名，賜“同進士出身”。二、三甲第一名皆稱爲傳臚，一、二、三甲又統稱爲進士。

52

古代的武科考試考什麼內容？

清 同治光緒年間的武進士吳拔禎的府第

武科是古代科舉制度中爲選拔軍事作戰人才而特設的科考專案。創設於武則天長安二年（702）。這一考試科目與其他常科考試在考試安排、考試要求等方面一樣，但主要考射箭、馬槍、舉重、負重等內容。考試中對射箭技能要求很高，既要遠而準，又要平而直。射箭有遠距離射靶、騎馬射箭等考試項目。馬槍是騎在奔跑的馬背上，用槍擊刺物體。舉重，要求雙手舉起關閉城門用的大門栓。此外，參加武科考試的，還有身高要在六尺以上等方面的要求。如曾在平定“安史之亂”中發揮了重要作用的名將郭子儀，就是參加武科考試走入仕途、並開始他戎馬一生、屢立戰功的軍旅生涯的。唐朝以後的歷代都在科舉考試中沿襲設立了這一科目。宋朝的武科考試是先閱騎射，後考策問。仁宗皇帝就曾親自主持過武舉考試。宋神宗時，又設立了武學。南宋時期，參加武科考試被錄取者，有“武舉及第”、“武舉出身”等名目。金朝的武科考試，考試內容除挽弓、遠射、以槍刺板等外，還有問孫吳兵法書等文化方面的考試內容。明朝有武學，也有武舉考試。明憲宗成化十四年（1478），設武科的鄉試和會試，一如文科考試。明思宗崇禎四年（1631），還舉行了武科的殿試，武科殿試，就是從這時開始的。清朝武科考試分爲外場和內場，外場主要考馬箭、步箭、弓、刀、石等項目，內場主要考默寫武經。考試級別一如文科科考，分爲院試、鄉試、會試、殿試及童生、生員、舉人、進士、狀元等名目。光緒二十七年（1901），武科被廢除。

53

何謂恩科？

明清科舉制度，稱每三年舉行一次的鄉試及會試爲正科。如果遇到皇帝即位及皇帝、太后、皇后慶誕等其他皇室慶典，皇帝特別恩准在正科之外再開科考試，稱之爲恩科。恩科起源於宋朝“特奏名”，據清人顧炎武《日知錄・恩科》記載：“宋時有所謂特奏名者：開寶三年三月庚戌，詔禮部閱進士及十五舉嘗終場者，得司馬浦等一百六人，賜本科出身，特奏名，恩例自此始，謂之恩科。”如果恩科與正科在同一年，或將正科改爲恩科，正科提前一年舉行；或於次年補開正科；或兩科合併舉行，稱爲恩正並科，錄取名額則按兩科取中。明清時期也沿用此制。如道光十一年(1831)辛卯的科試，恰逢道光皇帝的五旬萬壽，正科鄉試

清末狀元張謇捷報

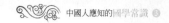

就是在次年壬辰補行、正科會試於癸巳補行的，而正科之辛卯鄉試、壬辰會試，都改爲恩科。中國近代著名的實業家、教育家張謇，就參加了光緒二十年（1894）慈禧太后六十壽辰特設的恩科會試，並一舉考中狀元，被授予翰林院修撰之職。

54

何謂博學宏詞科？

博學宏詞，古代科舉考試中的一個科目，兼有一定的科舉制度中制舉的某種性質，始設置於唐玄宗開元十九年(731)。

唐朝學子科舉及第後並不能立即做官，實際獲得的只是一種任職資格，其後還要經過吏部的銓選考試，方可眞正得到任命。當時進士及第以後，雁塔題名、曲江宴會，確實是一朝登龍門，身價增十倍，許多人也因此一路仕途平坦，位至公卿。但是按唐朝的一般情況，在進士及第後少則一年、多則幾年，有時甚至十幾年才能通過銓試獲得官職。於是，不少進士在“春風得意馬蹄疾，一日看盡長安花”這種短暫的喜悅輕快後，便會面臨著長期寂寞的候選日子，所以當時就有“猶著褐衣何足羨”的慨歎。他們爲了早日獲得官職，常常奔走於權貴之間以期得到他們的推薦，有的人則長期沉浮於民間，生活困頓。

爲了解決這一矛盾，唐朝設置了博學宏詞、書判拔萃、三禮、三吏、三傳、五經、九經、開元禮、明習律令等科目，不拘選限、不次拔擢人才，凡考試優等者不論獲得科舉及第年數多少，皆可立即入仕。這些科目中以博學宏詞科最爲重要，考中者地位也最高，因而唐朝後期的許多進士及第者都曾參加過這一考試。不少著名人士在參加這一科試時還一再受挫，如韓愈、歐陽詹等文學家皆失望而歸，白居易因爲避祖諱被迫放棄參加這一考試。但唐朝後期的博學宏詞科也確實選拔了不少人才，如著名的宰相陸贄、裴度，文學家劉禹錫、柳宗元等。

唐朝的博學宏詞科要求很高，顧名思義，“博學宏詞”既要“博學”，又要有“宏詞”，一是要求學識淵博精深，二是要求文詞優美恢宏。正如李商隱在《與陶進士書》中所說：“夫所謂博學宏辭者，豈容易哉？天地之災變盡解矣，人事之興廢盡究矣，皇王之道盡識矣，聖賢之文盡知矣，而又下及蟲豸、草木、鬼神、精魅，一物已上，莫不開會。此其可以當博學宏辭者邪？恐猶未也。設他日或朝廷、或持權衡大臣、宰相問一事、詰一物，小若毛甲，而時脫有盡不能知者，則號博學宏辭者，當其罪矣。”（《樊南文集詳注》卷八）所以，博學宏詞科在學識方面是要求廣博貫通的。考試內容是“試文三篇”，包括詩、賦、議論各一。從《文苑英華》和《全唐文》中保存下來的唐朝博學宏詞的賦、論試卷來看，博學宏詞科試卷在文詞方面的水準確實很高，大多辭藻宏麗。因而登科者喜悅程度絲毫不亞於進士及第。如何扶在大和九年(835)及第，次年宏詞登科，因以一絕寄舊同年云：“金榜題名墨尚新，今年依舊去年春。花間每被紅妝問，何事重來只一人？”得意喜悅之情溢於言表。正因如此，故博學宏詞科在五代後唐時被稱作“重科”（《五代會要》卷二十二《宏詞拔萃》）。

但宋朝以後，博學宏詞科更趨接近制科，也僅偶爾一舉，而且較爲冷落。清代也只分別於康熙十八年（1679）和乾隆元年（1736）開科兩次。

55

何謂登科與及第？

登科，是指參加科舉考試的應考人被錄取，也特指考中進士，又稱爲“登第”。如清朝袁枚的《祭妹文》中有：“適三年，予披宮錦還家，汝從東廂扶案出，一家瞠視而笑，不記語從何起，大概說長安登科，函使報信遲早云爾。”五代王仁裕的《開元天寶遺事‧泥金帖子》中又記載：“新進士才及第，以泥金書帖子附家書中，用報登科之喜。”其中的“及第”又是何指呢？及第，也是登科的別稱，也就是應考者考中進士。因張榜公佈的皇榜上的題名有甲乙次第的分

明 王守仁進士及第牌坊

別，故名。隋唐時期，只用於考中進士。明清時期，殿試中考中一甲三名的由皇帝親自賜“進士及第”，也簡稱爲“及第”。另外，還有狀元及第、榜眼及第、探花及第稱謂的分別。參加科舉考試未被錄取者，稱爲落第或下第。

56

何謂瓊林宴？

黃梅戲《女駙馬》中有“我也曾赴過瓊林宴，我也曾打馬御街前”兩句唱詞，深爲聽衆所喜歡。戲文中的“御街”，是當時皇帝朝拜祖宗時的專用道路，也是當時首都最繁華的地方。而瓊林宴又是指什麼呢？

瓊林宴是歷代皇帝在科舉考試殿試後爲恩寵新科進士，在皇宮內苑特賜舉行的歡慶宴會。這一舉動開始於宋代。宋太祖時規定，在科舉考試殿試後，由皇帝親自宣佈新科進士的名次，並賜宴於內苑以示慶賀。宋徽宗政和二年（1112）以前，由於皇帝親賜宴會的地點都是在著名的皇家花園——瓊林苑，故該宴被稱爲“瓊林宴”，這對新科進士而言是倍感恩寵的事情。據《宋史・樂志四》記載：“政和二年，賜貢士聞喜於辟雍，仍用雅樂，罷瓊林苑宴。”所以，政和二年以後，瓊林宴又改稱“聞喜宴”，宴會地點也改在辟雍舉行。南宋狀元文天祥曾有一首《御賜瓊林宴恭和詩》：“奉詔新彈入仕冠，重來軒陛望天顏。雲呈五色符旗蓋，露立千官雜佩環。燕席巧臨牛女節，鸞章光映壁奎間。獻詩陳雅愚臣事，況見賡歌氣象還。”描寫的就是當時舉行瓊林宴的盛況。

元、明、清三代科舉制度盛行，皇帝欽賜宴會招待新科進士一直延續不斷，所以這樣的宴會又稱爲“恩榮宴”。雖名稱有所不同，但其儀式和內容大致一樣，仍然可統稱爲“瓊林宴”。據歷史記載，與宋朝同時的遼國也曾採用宋人的做法，在內果園或禮部設宴招待新科進士，也稱之爲“瓊林宴”。

57

何謂鹿鳴宴？

中國古代科舉制度下，地方官員於鄉試放榜次日，爲祝賀學子考中貢生或舉人並宴謝內外簾官等，要舉行“鄉飲酒”宴會。由於飲宴之中必須先奏響《鹿鳴》之曲，隨後朗讀《鹿鳴》之歌以活躍氣氛、顯示某人的才華，所以稱爲鹿鳴宴。《鹿鳴》是《詩經・小雅》中的一首樂歌，一共有三章，三章首句分別是“呦呦鹿鳴，食野之苹”、“呦呦鹿鳴，食野之蒿”、“呦呦鹿鳴，食野之芩”，大意爲鹿子發現了豐美的水草不忘夥伴，發出“呦呦”叫聲招呼同伴來一起進食。古人認爲這一舉動堪稱美德，於是取其寓意，天子賜宴群臣、地方官宴請同僚及當地舉人和地方豪紳，以此達到收買人心、展示自己禮賢下士的效果。科舉考試中，舉行鹿鳴宴款待新中士子的行爲開始於唐朝，明、清時期延續不改。《新唐書・選舉志上》記載：“每歲仲冬，州、縣、館、監舉其成者送之尙書省；而舉選不由館、學者謂之‘鄉貢’，皆懷牒自列於州、縣。試已，長吏以鄉飲酒禮會屬僚，設賓主，陳俎豆，備管弦，牲用少牢，歌《鹿鳴》之詩，因與耆艾敘長少焉。”清吳榮光《吾學錄・貢舉》中也記載：“《通禮》：順天鄉試揭曉翌日，燕主考、同考、執事各民及鄉貢士於順天府，曰鹿鳴燕，以府尹主席。”

又據宋吳自牧的《夢粱錄・士人赴殿試唱名》記載：“帥漕與殿步司排辦鞍馬儀仗，迎引文武三魁，各乘馬帶羞帽到院，安泊款待……兩狀元差委同年進士充本局職事官，措置題名登科錄。帥司差撥六局人員，安撫司關借銀器等物，差撥妓樂，就豐豫樓開鹿鳴宴，同年人俱赴團拜於樓下。”由此可知，宋代殿試文、武兩榜狀元設宴，同年團拜，也稱爲“鹿鳴宴”。

科舉中式的祝賀宴會之所以取名“鹿鳴”，大概還有祈求福祿的隱義。因爲鹿與祿諧音，有“祿”就能升官發財，所以古人常以鹿象徵“祿”的意義，新科中舉意味著入“祿”之始。但升官發財終歸與提倡“修身齊家治國平天下”的儒家思想存在著很大的距離，於是聰明而含蓄的古人，就取了“鹿鳴”這個充滿詩意的代名詞。

58

何謂曲江宴？

唐朝科舉考試新考中的進士，在放榜後大家均要湊錢於曲江亭舉行盛大的歡慶遊宴，稱之爲曲江會。歷史記載，唐代新科進士正式放榜之日恰好就在當時非常隆重的上巳節之前，而上巳節又是唐代的三大節日之一，所以這種遊宴，皇帝往往親自參加，參與遊宴的人員也是經過皇帝“欽點”的。遊宴期間，皇帝、王公大臣及參與遊宴的其他人員，一邊觀賞曲江邊的優美景色,一邊品嘗著宮廷御宴的美味佳餚。曲江遊宴種類繁多、情趣各異。其中又以上巳節遊宴、新進士遊宴最爲隆重，在歷史上的影響也最深遠。考中進士既然是人生的一件大事，自然是要慶祝一番的，慶祝的形式就是所謂的曲江宴。因爲宴會通常是在科舉考試中的禮部試——關試後才舉行，所以又稱之爲“關宴”。因舉行宴會的地點一般都設在杏園曲江岸邊的亭子中，所以也稱之爲“杏園宴”。參與宴會者，每每要吟詩作賦，所以後來曲江遊宴逐漸演變爲詩人們吟誦詩作的“詩會”。南宋楊萬里有《曉寄芙蓉徑》詩云：“恰似曲江聞喜宴，綠衣半醉戴紅花。”按照傳統的“曲水流觴”風俗，將酒杯放於流水中，酒杯漂流到誰的面前，就要罰誰飲酒作詩，再由衆人對詩進行評比，這就是所謂的“曲江流飲”。唐僖宗時，又在曲江宴中專門設置“櫻桃宴”，來慶祝新科進士及第。

59

會武宴與鷹揚宴各指什麼？

“會武宴”是科舉考試時代於武科考殿試放榜後，專門爲武科新科進士舉行的宴會。自唐朝開始，在武科殿試放榜後都要在兵部爲武科的新科進士舉行隆重的歡慶宴會，以示祝賀。清吳榮光的《吾學錄・貢舉》中記載：“《通禮》：武殿試傳臚後，燕(宴)有事各官暨諸進士於兵部，曰會武燕(宴)。”清人梁章鉅在《浪跡叢談・武生武舉》中也記載：“文稱鹿鳴宴，武稱鷹揚宴，人皆知之；文進士稱恩榮宴，而武進士稱會武宴，則罕有知者。”

“鷹揚宴”是古代科舉考試武科鄉試放榜後而設的歡慶宴會。所謂“鷹揚”，是形容如雄鷹展翅一樣威武，取自《詩經》“維師尙父，時維鷹揚”（大意是頌揚太公望率領的軍隊如雄鷹展翅一樣威武雄壯）之句。鷹揚既是對新科武舉人的勉勵，又是考官們的自詡。清朝，武舉科考鄉試放榜後，考官和考中武舉者要共同參加名爲“鷹揚宴”的慶賀宴會。清人吳榮光在《吾學錄・貢舉》中記載：“武鄉試揭曉翌日，燕（宴）監射、主考、執事各官及武舉於順天府，曰鷹揚燕（宴），儀與鹿鳴燕（宴）同。”

武科殿試比武科鄉試規格要高，所以會武宴的規模要遠比鷹揚宴氣派得多，往往宴會排場浩大，群英畢至，盛況無限。

60

雁塔題名是怎麼回事？

雁塔，指今天陝西西安慈恩寺內的大雁塔。在大雁塔內題名，寓意指參加科舉考試考中了進士。唐代的新科進士在參加完曲江宴會後，還有一項重要的活動，就是題名於雁塔。

唐韋絢的《劉賓客嘉話錄》記載：“慈恩題名，起自張莒，本於寺中閒遊而題其同年，人因爲故事。”故事是這樣的：唐中宗神龍年間，新科進士張莒遊覽京城名慈恩寺，一時興起，就把與自己同時考中者的名字題在了大雁塔下。不料，此舉引得文人紛紛效仿。尤其是新科進士，更把能在雁塔題名視爲莫大的榮耀。他們在參加完曲江宴飲後，乘興集體來到大雁塔下，推舉擅長書法者將他們各自的姓名、籍貫和及第時間，用墨筆題寫在大雁塔的牆壁上。他們之中若有人日後做到了卿相，還要再將姓名改爲朱筆書寫。

雁塔題名，也爲後世留下了許多膾炙人口的趣談。最出名的要算是大詩人白居易了，他二十七歲一舉中第，按捺不住喜悅心情，揮毫寫下了“慈恩塔下題名處，十七人中最少年”的詩句。又如另一位新科進士劉滄，也寫詩表達“紫毫粉壁題仙籍”的自豪。一些沒有進士頭銜的權貴，對此非常嫉妒。如唐武宗時的宰相李德裕不是進士

西安大雁塔舊影（1904年）

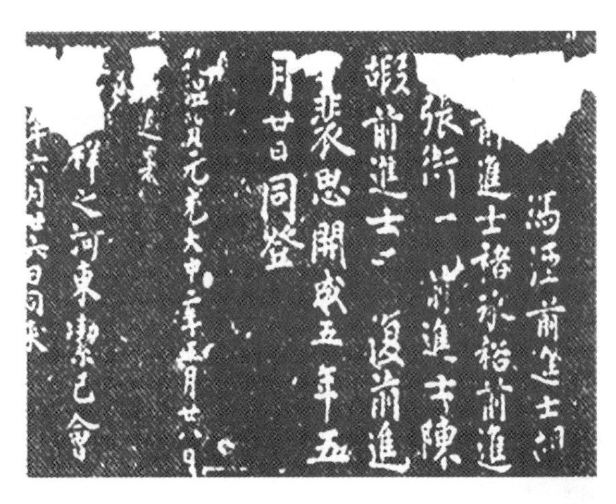

雁塔題名拓本

出身，所以非常忌恨進士，於是不僅下令取消了曲江宴飲這一盛大活動，而且還命人將新科進士的題名全數除去。

但是，由於雁塔題名終究是學子們夢寐以求的榮譽的象徵，所以這種活動後代仍然沿襲不改。宋朝的士大夫對雁塔題名的先朝舊事仍舊津津樂道：“唐人登科，燕集曲江，題名雁塔，一代之榮。觀當時士風，以不得與爲深恨。”（《寶刻叢編》卷七）清朝的文康在《兒女英雄傳》第十二回中仍有“第一件事是勸你女婿讀書上進，早早的雁塔題名”的記載。流風波及朝野，影響既深且廣。

當然，新進士題名並不僅限於慈恩寺一地，如唐昭宗天復四年（904），新科進士放榜，因昭宗當時車駕駐蹕於陝州，所以新科進士遂在陝州的開元寺題名。但影響最大的還是雁塔題名，所以後世群起效法之，並用爲典故。

不同的是，唐朝的題名一般是墨書於塔壁，兩宋以後，各朝的進士題名變成了刻石立碑。如高似孫《緯略》卷五記載：“本朝進士題名，皆刻名於相國、興國兩寺，蓋效慈恩也。”南宋時期，進士題名在禮部貢院或臨安的寺觀。元、明、清三朝，大都在國學之內立進士題名碑。

由於歷屆新科進士對雁塔題名樂此不疲，所以不久，大雁塔的白牆便成了“花牆”。可惜的是，時過境遷，那些曾經滿牆的進士題名，到現在都已經無影無蹤了。

61

什麼是進士題名碑？

北京孔廟進士題名碑

進士題名碑，是將科舉考試中金榜題名的進士之名刻於碑上而成。它源自唐代新科進士的雁塔題名。

進士題名刻石立碑，大概始於北宋時期，當初一般立於京城的寺觀或禮部貢院。北京孔廟的進士題名碑最早出現於元代皇慶二年（1313）。孔子歷代被尊稱“大成至聖先師文宣王”，不僅是天下讀書人的祖師爺，也是皇帝的老師。考中進士並能在先師的府院中的石碑上留下自己的名字，這是一種無上的榮耀。明代常常將元碑上的進士題名抹去，然後再刻上當時新科進士之名，因此現在元朝的進士題名碑保存很少，僅存三塊。明朝永樂十年(1412)以前的進士題名碑在南京國學。北京孔廟中的進士題名碑起於永樂十四年(1416)丙申科，止於光緒三十年(1904)甲辰科，計195通。

明、清兩代共舉行科舉考試201科，共有51624人考中進士，其中不乏歷史上的有名之士，如林則徐、曾國藩、李鴻章、翁同龢、康有爲等。進士題名碑上主要刻有每位進士的姓名、次第和籍貫。如解放後曾任最高人民法院院長、全國人大常委會副委員長等職的沈鈞儒先生，是清朝光緒三十年清代最後一科的第二甲進士，在光緒三十年的進士題名碑上即刻有“沈鈞儒，浙江秀水人”字樣。

清朝中期以前中了進士，都是由禮部發給牌坊銀三十兩，一甲三名還要另外增加五十兩，用以在宗祠豎立牌坊，可謂光宗耀祖。另外禮部還要提請工部撥給新科進士們用於建碑的費用白銀一百兩，用以在國子監立石碑一方，刻上全體進士的姓名，以便青史留名。而甲辰恩科的時候，清朝已接近衰亡，國庫極度空虛，進士牌坊的錢也就免發了，在國子監刻碑的費用，也就只好由進士們自己去想辦法籌措了。

62

何謂傳臚？

傳臚，原是科舉考試殿試後由皇帝宣佈登第進士名次的典禮。古代，上傳語告下稱為臚，傳臚即唱名之意。傳臚唱名，開始於宋代。沈括的《夢溪筆談》中記載："進士在集英殿唱第日，皇帝臨軒，宰相進一甲三名卷子，讀畢拆視姓名，則曰某人，由是閣門承之以傳臚。"至明朝則變為：會試的第一名稱為會元，二三甲的第一則稱為傳臚。《明史・選舉志》中云："會試第一為會元，二甲第一為傳臚。"清朝時期又有變化，傳臚成了殿試二甲第一名的專用稱謂。

據清朝的制度："是日晨，鑾儀衛設鹵簿法駕於殿前，設中和韶樂於殿簷下……鴻臚寺官引新進士就位。宣制曰：'某年月日策試天下貢士，第一甲賜進士及第，第二甲第一名某人，引出班就御道左跪；第二名某人，引出班就道右稍後跪；第三名某人，引出班就御道左又稍後跪。每名皆連唱三次。嗣唱第二甲某等若干名，第三甲某等若干名，僅唱一次，不引出班。唱時以次接傳至丹墀下，所以是日稱為傳臚。唱名畢，樂作，大學士至三品以上各官及新進士均行三跪九叩禮。中和韶樂奏顯平之章。禮成，皇帝乘輿還宮。"由此可知，清朝殿試結束後，傳臚唱名不僅非常熱鬧，而且還有一套繁瑣的禮儀規範。

63

何謂兩榜？

科舉考試中，舉人試和進士試各為一榜，合稱為兩榜。由舉人而考中進士，稱

“甲榜”。甲與乙對立而言，取中舉人稱乙榜，也稱爲一榜。兩榜之稱，開始於唐朝。當時的進士會試，分爲甲、乙兩科，也就是後來所謂的“兩榜”。元朝在舉行的爲數不多的科舉考試中也分爲左、右兩榜。元朝統治者將當時天下的人劃分爲四個等級，依次分別爲：蒙古人、色目人（西部各少數民族及留居中國的歐洲人）、漢人（原金朝統治區內的漢族及其他民族）及南人（原南宋統治下的南方漢族及其他民族）。不同等級的人分開參加科舉考試，考試的難易程度也不一樣，前兩個等級的蒙古人和色目人只需考兩場，而漢人和南人卻要考三場。考試內容，蒙古人和色目人相對比較容易，而漢人、南人較難。考中張榜公佈的名單，蒙古人、色目人列一榜，稱爲“右榜”；漢人、南人則另列一榜，稱爲“左榜”。錄取名額雖然兩榜數目相等，但所任官職差別很大，蒙古人的進士比色目人高一等，色目人又比漢人、南人高一些。如果蒙古人、色目人自願參加漢人、南人的科目考試，考中進士之後，還要再加一等派給官職。到了清朝，進士參加的會試，舉人參加的鄉試，錄取名單張榜公佈，分別爲甲榜、乙榜，合稱“兩榜”，成爲定制。

64

何謂備榜？

備榜即“副榜”，是科舉考試中除正式錄取外，另取若干名張榜公佈時所用的附加榜示。元朝實行科舉制度以後，國學生歲貢制度也部分被納入科舉考試體系。據《元史・選舉志》記載，當時所貢生員，“每大比選士，與天下士同試於禮部，策於殿廷，又增至備榜而加選擇焉”。“舉人下第者，悉授以路府學正及書院山長；又增取鄉試備榜，亦授以郡學錄及縣教諭”。元順帝年間，也依例從國子監應貢會試者中取錄十八人以爲備榜。蘇伯衡《蘇平仲集》卷六《送樓用章赴國學序》也說，元朝時期鄉試增取備榜，授以州學錄、縣教諭等學職。明朝永樂年間規定，會試副榜不能參加殿試，但可應下屆會試。嘉靖時期規定，鄉試副榜，每正榜五名取中一名，名爲副貢，不能與舉人同赴會試，但可應下屆鄉試。清朝相沿不改。如明朝後期的文學家凌濛初，滿腹經綸，卻不願專攻“帖括”之學，初次參加萬曆二十八年（1600）杭州的鄉試，即以備榜落選。三年之後再參加鄉試，又以備榜落選。當時考舉人，除了參加本籍的鄉試，還可以監生或貢生的身份到國子監參加國子監的考試。兩次鄉試落第的凌濛初，於是趕赴到南京參加國子監的考試，仍然以備榜落選；再長途跋涉趕到北京參加國子監的考試，最終仍以備榜落選。凌濛初在科場中屢敗屢戰，耗磨了半生精力，對通過科舉考試進入仕途失去了希望和信心，於是寫下了《絕交舉子書》，準備歸隱終老。

65

何謂貢生？

北京國子監辟雍

科舉時代，在府、州、縣生員（秀才）中挑選成績或資格優異者，升入國子監讀書，稱爲貢生。明朝的貢生分爲歲貢、選貢、恩貢等；清朝分爲恩貢、拔貢、副貢、歲貢、優貢和例貢等名目。其中一年或兩三年由地方挑選送入國子監讀書的，稱爲歲貢，由於大都挨次升貢，所以又有“挨貢”的俗稱；每逢朝廷大典被選中的生員，稱之爲恩貢；每三年由各省學政就本省生員擇優報送國子監的，稱爲優貢；每十二年由各省學政考選本省生員擇優報送朝廷參加朝考合格的，稱爲拔貢；鄉試取入副榜直接送往國子監的，稱爲副貢。清代貢生，也別稱“明經”。貢生相當於舉人的副榜。做了貢生以後，理論上可以當官了，蒲松齡就是在做了幾十年的貢生後，才“挨”到了一個“儒學訓導”的虛銜。儒學訓導是什麼意思呢？封建社會的學校分國家級的國子監、省級的府學、縣級的縣學，蒲松齡的這個儒學訓導就是縣學的副職，是一個沒有實際意義的閒職虛銜。

66

何謂廩生、增生和附生？

廩生，即廩膳生員的簡稱，爲古代科舉制度中的生員名目之一。明朝時，府、州、縣學的生員最初每月都由官方供給廩膳，用以補助生活。但名額有定數，並非全部生員都有這樣的待遇。如明朝初年就規定：府學四十人、州學三十人、縣學二十人，由政府每人每月供給廩米六斗。清朝沿襲明朝的舊制，並規定：生員經過歲考、科考兩場考試，名次在一等前列者，才能取得廩生的名義。具體名額，則根據州、縣的大小而有所不同，每年發給廩餼銀四兩。但廩生要有一項應盡的義務，就是必須爲應考的童生做擔保，保證參加當年考試的該名童生不存在身家不清及冒名頂替等舞弊行爲。

後來，廩生數額逐漸增加，這些新增加者，就被稱之爲“增廣生員”，簡稱“增生”。又於額外增取廩生，附於諸生最後，稱之爲“附學生員”，也簡稱“附生”。後世乾脆將凡是剛入學者都一律統稱爲附生。其中在歲考、科考兩次考試中，獲得等第高者可以補爲增生、廩生。而廩生之中，食廩時間長的人，可以充歲貢。

67

何謂庠生、邑庠生？

庠生是對明清科舉制度中府、州、縣學生員的別稱。庠、序，在古代都是指學校，所以在校的學生都被稱爲庠生。元柯丹丘《荊釵記・會講》中就有“家無囊橐，忝列庠生之數”的說法。庠生，古時又有秀才之意。明清時期，州、縣學又稱爲“邑庠”，所以秀才也叫“邑庠生”。秀才向官署呈文時，則自稱庠生、生員等。

68

何謂鄉貢？

中國古代的科舉制度中，常科的考生一般有兩個來源：一是生徒，一是鄉貢。不由學館而先經州、縣考試，及第後再送尚書省應試者就稱之爲鄉貢。鄉貢起源於科舉制度確立時期的唐朝，是指不經過學館考試直接由州、縣推薦參加科舉考試的士子。《新唐書・選舉志上》記載："唐制，取士之科，多因隋舊，然其大要有三：由學館者曰生徒，由州、縣者曰鄉貢，皆升於有司而進退之……其天子自詔曰制舉。"韓愈在《請復國子監生徒狀》中也說"緣今年舉期已近，伏請去上都五百里內，特許非時收補。其五百里外，且任鄉貢"。五代時期王定保的《唐摭言・統序科第》中又記載："自武德辛巳歲四月一日，敕諸州學士及早有明經及秀才、俊士、進士明於理體、爲鄉里所稱者，委本縣考試，州長重覆，取其合格，每年十月隨物入貢。斯我唐貢士之始也。"明清時期，鄉貢有時也指鄉試。如明葉盛《水東日記・黃希聲》中有："黃鐸，字希聲。永樂中，鄉貢舉人。"清方文也有《送姚彥昭還里兼懷陳二如都下》詩云："才高轉不得科第，同時鄉貢良可哀。"

69

何謂監生？

監生是指在封建時代的國學——國子監中學習的學生。其名稱始於唐憲宗時期。宋朝除國子監及其下屬各學校的生員被通稱爲監生之外，司天監裏也有監生。

明朝進入國子監的監生大致可分爲四類，即舉監、貢監、蔭監、例監。舉監是指參加會試落選，由翰林院再選擇成績優秀者送入國子監學習的舉人。貢監是指因才能優異而被推薦進入國子監的生員。洪武初年規定，天下府州縣學，每年都應推薦一名品學兼優的學子到國子監學習。後來因推薦學生的標準把握不嚴，往往造成一些年長無學識的人入監學習的惡果，所以很多監生品學俱差。至明孝宗時，就改爲在各府州縣除了常貢之外，每三五年再選貢一人，通過考試把品學兼優、年輕有爲者選入國子監學習。蔭監，是指三品以上官員或勳戚的子弟進入國子監讀書的學生。例監是指或因國子監生員不足，或因國家有事、發生財政困難，平民納粟於官府後，特許他們的子弟進入國子監學習的，這種生員也被稱爲民生。

北京國子監牌樓

清朝國子監的學生分爲監生、貢生和官生三種，監生大致分爲四類，即恩監、蔭監、優監、例監；貢生分爲六類，即歲貢、恩貢、拔貢、優貢、副貢、例貢；官生，是七品以上官員子弟中的聰敏好學者。此外，還有經提學官選拔的廪增附生和滿洲勳貴子弟、先賢的後裔等。乾隆以前，對監生的考核非常嚴格，後來制度逐漸廢弛，僅存虛名。尤其是清朝後期，國家多事，財政嚴重困難，捐納監生氾濫成災，監生品學日差，監生之名，遂被世人輕視。

70

何謂拔解？

拔解始見於唐朝的科舉取士制度中。唐朝規定，學子參加進士科考試，必須先由其籍貫所在地解送，那些不經外府考試就直接被送入京城參加禮部試者，就稱之爲拔解。唐李肇《唐國史補》卷下云："京兆府考而升者，謂之等第。外府不試而貢者，謂之拔解。"宋王讜《唐語林．補遺三》也記載："令狐綯（táo）罷相，其子滈（háo）進士，在父未罷相前拔解及第。"

71

何謂武童生？

明清時期參加武科生員考試的考生，稱“武童生”，也簡稱“武童”。其報名程序與文童試一樣。考試先經縣試、府試，然後由學政進行院試。縣試錄取後，造冊送府試，府試錄取後，造冊送院試，縣、府試原卷，須合訂呈送，以備查對。未經縣試、府試，學政不得收考。清朝初年，武童不限錄送名額，後來才有具體規定。據《清會典事例·兵部·武科》記載，清朝順治二年(1645)規定，京衛武童生，每年春、秋兩季由兵部主持考試，每季錄取五十名。直隸各省武童，參照文童例，各省學政三年一考，錄取多寡沒有定額。同書又記載，康熙三年(1664)規定：京衛武童生，參照直省，歸併學政考取；三年一考，共錄取百名。又據《黎陽鬱氏家譜》記載，清朝後期，松江府每年考試，共錄取“文童”二十五名、“武童”十五名。清代李伯元以1900年庚子事變後處於動盪、變革中的中國社會爲背景創作的小說《文明小史》第三回中也說：“總共拿住了三十四個人，內中有三個秀才，十八個武童，其餘十三個，有做生意的，也有來看熱鬧的。”武童考試分爲外場兩場、內場一場：頭場爲馬射，馳馬發三矢，全部沒有中靶者不能繼續參加考試。二場步射，連發五箭，全部沒有中靶或僅中一箭者不能繼續參加考試。馬射、步射合格，再試開弓、舞刀、掇石。第三場爲內場，最初考策和論，後改爲默寫武經。外場考試，由各省總督、巡撫、提督、總兵於就近副將、參將、遊擊內，委派別省籍貫者一人會同學政進行考試。主考人員自接到通知起，要封門回避，不得與相識及家人往來，直至考試結束。

72

何謂散館？

散館是明清時期的一種特殊制度。明清時期的貢士，經過皇帝親自主持的殿試考中進士後，除一甲三名立即被授予修撰、編修之外，其餘新科進士則被選爲庶起士，由皇帝特派的翰林院學士負責教習，以三年爲期，學習期滿後，經考試優等，原來的二甲進士授予編修之職，三甲進士授予檢討之職；次者擔任各部主事或到地方上擔任知縣。因翰林官相當於唐、宋時期的館職，庶起士學習之地稱爲庶常館，所以翰林庶起士學習期滿就稱散館，留下擔任翰林院的編修、檢討者就稱爲留館。如清朝著名的文學家袁枚，乾隆戊午科中順天鄉試，次年考中進士，改庶起士。散館後，改任江南爲知縣，最後調任江寧知縣。

73

口義、墨義各是什麼意思？

口義和墨義是中國古代科舉考試中所用的方法。以唐朝的考試方式爲例，有塡補句子中空白字詞的帖經，有被稱爲墨義的筆試，有被稱爲口義的口試。考試內容以儒家經典爲主，目的是選拔合格的國家公職人員。唐朝以後，科舉考試時就很少有口義形式的考試了。據《舊唐書・憲宗紀上》記載：“禮部舉人，罷試口義，試墨義十條，五經通五，明經通六，即放進士。”《續資治通鑒・宋太宗太平興國八年》也記載：“進士免帖經，只試墨義二十道，皆以經中正文大義爲問題。”至於墨義考試所考內容爲何，清初的黃宗羲在《明夷待訪錄・取士上》曾有解答，云：“唐進士試詩賦，明經試墨義。所謂墨義者，每經問義十道，五道全寫疏，五道全寫注。”

74

何謂試帖詩？

試帖詩是中國古代科舉考試中所採用的一種考試文體，也叫“賦得體”，以題前常冠以“賦得”二字而得名。這種詩體起源於唐代，是在“帖經”、“試帖”等考試方式的影響下產生的，而被科舉考試所採用。詩體多爲五言六韻或八韻排律，題目範圍與用韻，開始時都比較寬鬆，唐玄宗開元年間，開始規定嚴格的韻腳。但在唐代選擇作詩的題目依然非常寬泛，對詩的內容也沒有做過多硬性要求，考生容易發揮水準，展示自己的才華。自宋仁宗景祐年間(1034～1038)，開始規定考試的題目必須在經史中出，試帖詩被經義文所取代。直至清朝初年，科舉考試中基本不再考詩賦。清乾隆二十二年（1757），又開始在鄉試、會試中加試五言八韻詩，格式限制比前代更加嚴格。出題必須從經、史、子、集等典籍中選擇詞句，有時也採用前人現成的詩句或成語；韻腳在平聲各韻中各出一字，所以應試者必須能夠背誦平聲各韻的字；詩內不允許出現重複的字；語氣必須莊重；題目之字，必須在首次的兩聯中點出，又大多使用歌頌皇帝功德的詞語煉句，顯得十分僵化。特別是科舉考試的後期，用於考試的試帖詩與八股文相比，其程式化的程度更爲嚴重。

75

墨卷和朱卷各指什麼？

墨卷和朱卷都是明清時期科舉考試的試卷名稱。在參加鄉試、會試時，考生必須使用墨筆書寫試卷，就稱爲墨卷。墨卷收上來後，爲了防止閱卷中某些考官徇私舞弊，先由謄錄生用朱筆將考生的墨筆答卷謄錄一遍，然後再送試官評閱，這謄錄的卷子就稱朱卷。《明史・選舉志二》所謂“考試者用墨，謂之墨卷；謄錄用朱，謂之朱卷”，就是指這一過程。

76

何謂磨勘？

科舉考試的鄉試是國家的掄才大典，考取舉人，便意味著取得了做官的資格，其重要性可以說關乎國家的興亡。所以，爲了保證閱卷的品質，在公佈錄取名單之後，各省都必須將錄取舉人的試卷解送到禮部進行複查，這個步驟就叫“磨勘”。磨勘一般由禮部會同翰林院共同完成，他們會詳細審閱每一份試卷，檢查主考官、同考官在閱卷過程中是否有舞弊行爲，以及閱卷是否認眞。比如試卷中是否存在錯別字、語句不通等問題。如果存在，批閱考卷者是否予以標明。對於主考官、同考官閱卷過程中的錯漏，一經“磨”出，都必須進行嚴厲處罰。按照規定，主考官、同考官批閱過的考卷若沒有通篇“句讀”的，就會受到降一級的處罰。如果同考官“句讀”有誤，則會受到罰俸一年的處罰。情節嚴重的，還會被連降幾級、罰俸數年。那些主考官、同考官本來就都是些六七品的小官，哪能受得了這樣的處罰？爲了避免在閱卷中出紕漏，主考官、同考官們不僅事先要做好充分的準備，批卷過程中也是小心謹慎、膽戰心驚。

77

何謂對讀？

在中國古代科舉制度中，爲保障考試結果的公平合理，在鄉試、會試中一般用謄錄試卷送考官評閱的辦法，來防止作弊。爲防止在謄寫過程中因謄錄草率，導致錯誤，試卷謄錄完畢後，一般要選取文理明通的生員充當對讀生，對謄錄完畢的試卷進行校對，這一過程就稱之爲對讀。同時還設立對讀官對這些對讀生進行統一管理。

78

同考官、房考官指的是哪些人？

同考官是指明清時期科舉考試的鄉試、會試中協同主考官或總裁官批閱考卷的官員。由於他們在“闈”中各自都有單獨的房間，所以又稱之爲房考官，簡稱房官。考試完畢，試卷收齊並謄清後，先分發各房官批閱，各房官批閱完畢的考卷加上自己的批語，然後推薦給主考官或總裁官。以明朝的秋闈科考爲例，其考試共分三場，每場三天，共持續九天，其中八月初九日考第一場，十二日考第二場，十五日考第三場。《大明律》規定，秋闈頭場考試完畢，便由主考官掣房簽分卷，然後各房開始分頭閱卷。兩位主考官並不直接批卷，他們只是爲幾位同考官推薦上來的試卷把關，決定取與不取，全部閱卷任務，都是由幾位同考官完成。而錄取放榜的時間不會晚於八月底，距離開始閱卷的時間也不過十幾天，若再扣除中間的休息時間，那麼眞正閱卷的時間不過三四天。而每位考生的考卷，平均在第一場要答兩千兩百多字，第二場三千五百多字，第三場也有三千多字，三場共計近萬字。如浙江在明洪武四年(1371)參加鄉試的生員是一千二百多人，在短短的數天內，區區幾個房官，要批閱數量如此巨大的考卷，工作量之大可想而知。但房官在閱卷時必須逐字逐句地閱過，不僅要注意文字是否通順，還要給每份試卷寫評語，並陳述其是否薦卷的理由。如果在複查中發現閱卷中存在問題，房官將會受到嚴厲的懲罰。所以，為了保證萬無一失，房官在考前就一定要對考試的科目進行詳細瞭解，並做好充分準備。

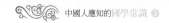

79

何謂號房？

號房，在科舉時代，一是指國子監內的學生宿舍。明王衡《鬱輪袍》第四折有：“諸生各歸號房，出個‘早朝即事’題，作律詩來者。”葉憲祖的《鸞鎞記・廷獻》也說：“如今就以馬為題，諸士各進號房去聽題。”都是指國子監內的學生宿舍。二是專指科舉考場中考生答卷的房舍。明清時期的科舉考試規定，參加考試的考生人各一小間，每間有編號，考試期間不得擅離自己的號房。如《糊塗世界》卷十一所說：“我時常聽說號子裏鬧鬼，我第一場就遇到這事，我不可不去看看。”

80

貢院是什麼樣的地方？

貢院是中國古代科舉考試時會試使用的考場，即開科取士的地方，又稱為考棚。貢院的設置，最早開始於唐朝。為什麼我國古代的考場叫“貢院”呢？在古代，凡是送給皇帝的物品都叫貢品，貢院就是通過考試選拔人才貢獻給皇帝或國家的意思。

北京的貢院建立於明朝永樂十三年(1415)，大門五間，稱為“龍門”，寓意鯉魚

北京貢院

跳龍門。中間三門上有橫匾，中題“天開文運”，東題“明經取士”，西題“爲國求賢”。貢院內沿中路主要有明遠樓、公堂、聚奎閣和會經堂等建築。東西兩旁則分佈著九千多間被稱之爲“號棚”的低矮考棚。在貢院的四角還建有瞭望樓。北京的貢院既是明、清時期全國會試的考場，也是順天府鄉試的地方。鄉試每三年一次，於農曆的八月九日、十二日、十五日舉行，連考三場，每場考試時間爲三天，共考九天。全國的會試科考也是每三年一次，在春天，故叫“春試”，又叫“春闈”，考試時間也是九天，於農曆的二月九日、十二日、十五日連考三場，每場時間三天。考試時的監考很嚴，考生進貢院大門時，要進行嚴格的搜身，以防考生身上藏有“挾帶”。所謂“挾帶”，即是把與考試相關的資料、答案等藏在身上。如有挾帶，則送刑部嚴辦。當考生進入考場的考棚後，就要鎖門，稱之爲“鎖院貢試”。因貢院的四周是用荊棘圍圈起來的，所以又叫“鎖棘貢試”。考生每人一間考棚、一盆炭火、一支蠟燭。試題發下，明遠樓上響起鼓聲，考生們就苦思冥想作起八股文來。

“鎖院貢試”最怕著火，貢院著火的事件也很多，如在明朝天順七年(1463)，春試的第一天夜晚，貢院考場發生了嚴重的火災，被大火燒死的考生有九十多人。明英宗很痛心，特恩賜死者每人一口棺材，將他們埋在朝陽門外，並立了一塊“天下英才之墓”石碑，民間稱之爲舉人塚。由於貢院屢屢失火，所以歷朝不斷改建。如清朝乾隆時期，又把貢院修葺一新，竣工時，乾隆皇帝還親臨視察，並高興地賦詩一首，詩中有“從今不薄讀書人”之句。

81

什麼是對策？

對策是漢代出現的察舉選官制度下的一種考試方法，又稱“策試”，也作“對冊”。漢文帝二年（前178），下詔舉賢良方正、能直言極諫者；十五年，再詔舉賢良能直諫者，漢文帝親自進行策試，當時參加對策考試的儒生達百餘人，由此確立了中國古代選拔任用官吏中的察舉對策制度。

所謂對策，就是把考試題寫在簡冊上，讓參加考試的考生作文答問。策問有君主“求言於吏民”之意，策題一般以政事、經義等設問；答策則相當於“應詔陳政”，發表政見。漢朝的對策之法一般屬於特科察舉，如晁錯、董仲舒、公孫弘等都是通過對策顯示才識而得到皇帝賞識和重用的。尤其是董仲舒的“天人三策”，更是對西漢中期以後的政治產生了重大影響。西晉時期，歲舉的秀才科也採用對策之法，規定：秀才對策必須五策皆通，才能授官。南朝劉宋時期對秀才的考格進行了進一步規定：五問全部合格爲上第，四問或三問合格者爲中第，兩問合格者爲下第，僅一問合格者定爲不及第。北朝的秀才之舉也是對五策。但整個南北朝時期，對策中“求言”、“陳政”的意義在逐漸淡漠，人們的關注點主要在其文辭的優劣了。策題與答策，一般都用嚴格的駢體文，典雅工巧。所以南朝梁沈約批評秀才對策已成“雕蟲小技”，與政治見解毫不相干。在隋朝設立的進士科中，考試時也採用對策方法。唐朝的進士考試中有時務對策五道，用以考察考生的政見和文辭，制舉中的各科目，也大都採取對策的考試方法。其後，對策這一考試方法，在中國古代考察任用官吏的實踐中始終發揮著十分重要的作用。

82

何謂別頭試？

別頭試又稱“別試”，是科舉考試中爲主考人員在工作過程中避親避嫌而特設的一種制度。古代的科舉考試，主要是根據考試成績決定是否錄取以及錄取後名次的先後，這就要求考試必須做到公開、公正、公平。爲了防止考試中徇私舞弊現象的發生，歷代都規定了各種不同的考試規則。從唐玄宗開始，就設立了對主持考試官員的子弟、親戚，另設考場、單獨考試的“別頭試”制度。其後，這一制度在唐朝時行時廢，至宋朝才成爲定制。明清時期，科舉制度進一步完善，爲杜絕主持考試的官員在科舉考試中爲親戚朋友徇私舞弊，在前代別頭試的基礎上進一步規定，主持考試官員的子孫及親戚，不許參加當科的考試。

83

什麼是公卷通榜？

公卷通榜，是隋、唐、五代及宋朝初年科舉考試選拔人才的一種制度。所謂“公卷通榜”乃是指的“公卷”與“通榜”兩個內容。

公卷，是指考生於考前將平日所作詩文送至朝廷中的碩學名儒手裏，經他們傳閱評判，在評審圈中打響知名度。這樣，考生在未考之時，就已有了一定的客觀地位，不必再經過考試，一經公衆推薦，即可任用。比如李白當官就不是考的。因爲允許“公薦”，所以自唐至宋初，科舉考試中一直盛行“行卷”之風，參加考試的士人紛紛在考試之前，將自己撰寫的詩文做成卷軸，投送至公卿大臣之門，以求取得他們的褒揚，抬高自己的身價。主考官也往往主要根據公卿大臣的推薦，決定錄取中的取捨和名次的高下，試卷本身所起的作用有時反而很小。如唐德宗貞元十八年（802），權德輿知貢舉，邀請陸傪“通榜帖”。韓愈一下子就向陸傪舉薦了十名舉人，權德輿在三榜中共錄取了其中的六人。唐文宗大和二年（828），禮部侍郎崔郾受命主持東都洛陽的舉人考試，朝廷公卿大臣紛紛推薦士人。其中，太學博士吳武陵以《阿房宮賦》舉薦杜牧，被預定爲第五名。有人說杜牧平時“不拘細行”。崔郾無奈地說：“已許吳君矣。牧雖屠沽，不能易也。”

通過“公薦”，雖然一些眞才實學之士也能科舉及第，卻也爲勢家子弟壟斷科舉大開方便之門。一般士人因無由交結權貴，無人推薦，則只能望榜興歎。所以，北宋建立不久，宋太祖就多次下詔廢除“公薦”。此後，“公薦”在法律上和實際上終於被廢除。

至於通榜，則是按照實際的輿論來排定選取知名之士，不靠考場上的臨時發揮。這裏有個有名的故事，說是主考杜黃裳請考生袁樞擬榜，袁自列第一，無人不服，傳成佳話。

另外，在唐朝及五代時期，參加考試的士人除了向公卿大臣投獻自己所寫的詩文等作品，即“行卷”以求“公薦”外，還要事先向主考官奉上自己所撰的詩文，稱爲“省卷”，也稱“公卷”，以供其瞭解自己平時所學專長。宋朝初年，在解試、省試中仍然盛行公卷。如蘇頌就曾說：“秋試先納公卷一副，古律詩、賦、文、論共五卷。”後來，有些考生所送的公卷，多假借他人文字，或用舊卷裝飾重行書寫，作弊之風日盛，於是，北宋慶曆元年(1041)八月，宋仁宗親自下詔廢除公卷，從此公卷正式退出歷史舞臺。

84

古代考中進士後是否可以直接做官？

唐代進士及第之後，只是取得了做官的資格，必須再通過吏部的嚴格考核，合格者才能入仕做官。從北宋太宗時期起，進士及第就可以馬上做官，第一甲一般被授予通判或知縣，其他授州縣的判、司、簿、尉等副職屬官。明清時期，狀元一般被授予翰林院修撰，榜眼、探花被授予翰林院編修。第二、第三甲優秀者，先被選爲翰林院庶起士，也就是先進入當時的官員見習學校學習，學習期滿後，最低的也可授予知縣，比宋代所授的官職更高。

85

明朝的南北榜之爭是怎麼回事？

洪武三十年(1397)丁丑科，二月會試，以翰林學士劉三吾、王府紀善(明代藩王府僚屬）白信蹈等為考試官，錄取宋琮等五十二名進士，經三月廷試後，以陳郊為第一名、尹昌隆為第二名、劉諤為第三名，稱之為春榜。因為錄取的全是南方人，北方學子無一人上榜，引起了北方學子的強烈不滿。會試落第的北方舉人便聯名上疏，狀告考官劉三吾、白信蹈等在錄取中偏袒南方人。明太祖朱元璋知道後，非常生氣，立即命侍讀張信、侍講戴彝、右贊善王俊華、司直郎張謙、司經局校書嚴叔載、正字董貫、王府長史黃章、紀善周衡和蕭揖，以及已經廷試取錄的陳郊、尹昌隆、劉諤等，在落第試卷中每人再各閱十卷，增錄北方舉人入仕。但經複閱後上呈的試卷大部分文理不佳，並有犯禁忌之語。對此，有人上告說劉三吾、白信蹈暗中指使張信等人故意以陋卷進呈。朱元璋大怒，五月，追定考官劉三吾為藍玉黨，以老戍邊；白信蹈、張信等被凌遲處死；陳郊、劉諤、宋琮等人遭遣戍，僅戴彝、尹昌隆免罪。六月，朱元璋親自策問、閱卷，錄取任伯安等六十一名於當年的六月進行廷試，定一、二、三名分別為韓克忠、王恕、焦勝，是為夏榜。因錄取的六十一人全是北方人，所以又稱北榜。此事件開明朝分南北取士之先例，至明仁宗洪熙元年（1425）遂成定制。會試均按地域分配名額，會試的試卷中加上“南”、“北”等字，按“南六十”、“北四十”的定例錄取進士。之後比例雖有調整，但按地域分配名額的制度一直沿用至清朝科舉被廢。

86

南闈和北闈是什麼意思？

經過明朝洪武年間殘酷的南北榜之爭，為了在更大範圍內更合理地籠絡天下的人才，明朝自仁宗洪熙元年（1425）起，在科舉考試中實行南、北卷分別取士的政策，錄取名額的分配大抵是南多北少。如清人阮葵生在《茶餘客話》中卷記載：“明洪熙元年，會試取士，不過百名，南卷取十之六，北卷取十之四。”也就是說，在當時的會試考試中，南方人和北方人分房取中，錄取名額，南人占十分之六，北人占十分之四。其中，北京的順天鄉試貢院，被稱為北闈；浙江、江西、福建、湖廣、廣東、應天、松江、蘇、常、鎮、徽、寧、池、太、淮、揚十六省府並廣德一州定為南卷，被稱爲南闈。至宣德、正統年間(1426～1449)，又曾分爲南、北、中三闈，每百人之中，南闈取五十五名，北闈取三十五名，中闈取十名。由於明朝的南闈考試主要在南京舉行，南京的應天鄉試貢院就被稱爲南闈。

清朝沿襲明朝的政策，在科舉考試中也實行南北分房取中的辦法，也將順天鄉試稱爲北闈，將江南鄉試稱爲南闈。如清人孔尚任在《桃花扇・聽稗》中就有："自去年壬午，南闈下第，便僑寓這莫愁湖畔。"這種南北卷分別取士的政策，主要是考慮到當時南北經濟、文化發展不平衡等因素制定的，具有其合理的成分。

87

何謂大比之年？

大比之年，指科舉時代舉行鄉試的年份。"鄉試"一詞源於《周禮》中"鄉里舉士"之語。科舉時代的鄉試，每三年舉行一次，因《周禮》中有"三年大比"之制，所以舊時也稱舉行鄉試之年爲"大比之年"。鄉試在秋季八月舉行，考試地點在省城貢院，貢院用荊棘編鋪於圍牆上，因此貢院有"棘闈"之稱，鄉試又稱爲"秋闈"。

88

同年是什麼意思？

科舉時代同榜錄取的秀才、舉人、進士互稱同年。"同年"之稱始於唐朝。唐朝同榜進士往往互相稱爲"同年"，唐李肇《唐國史補》卷下就有"(進士)俱捷謂之同年"的記載。元朝雖科舉考試時斷時續，但"同年"之稱卻深入人心，元朝少數民族文學家薩都剌《送鄭天趣進柑入京》詩中就有"同年若問儂消息，爲說愁來奈病何"之句。明清時期的鄉試、會試，同榜登科者一律互相稱"同年"。如《醒世恒言・張廷秀逃生救父》中就有"你我雖則隔省同年，今日天涯相聚，便如骨肉一般"的記載。清顧炎武《生員論中》有："同榜之士，謂之同年。"《老殘遊記續集遺稿》第二回：“宋次安還是我鄉榜同年呢！”

在清朝的科舉考試中，舉子雖然不是在同一年被選中，若其中式之年的甲子相同，也可以稱爲“同年”。清趙翼《陔余叢考·同年》中記載：“余庚午鄉舉，宛平黃叔琳開府系前庚午舉人，曾爲先後同年之會；大學士史鐵崖並及見先後進士同年，眞爲盛事。”清阮葵生《茶餘客話》卷二中也記載：“乾隆己未，趙秋穀與新貴遙認同年，沈歸愚詩云：‘後先己未亦同年。’”

89

何謂學究？

“學究”一詞最早作爲專用名稱，出現於唐代的科舉制度之中。唐代的科舉選士有進士、明經、明法、明算等科，其中明經這一科又分爲五經、三經、二經和學究一經數種。經，指的是儒家經典。五經是指《易》、《詩》、《書》、《禮》、《春秋》等五種儒家典籍。參加科舉考試的舉子可以參加考試五經的，就稱之爲“學究”。科舉考試上的“學究一經”，表示的是精通一部經書的意思。北宋神宗時，王安石主持變法，改革科舉考試制度，規定舉子參加進士考試經義論策，錄取分爲五等：第一、二等“賜進士及第”，第三等“賜進士出身”，第四等“賜同進士出身”，最後一等“賜同學究出身”，也是說的精通某種儒家典籍之義。後來，“學究”遂作爲對書生的美稱，在民間社會得到了廣泛使用。但後來，隨著詞意的變遷，“學究”一詞不知從什麼時候起，漸漸被賦予了貶意，人們開始把死讀書、食古不化的人稱爲“老學究”、“村學究”了。

中國人應知的

國學常識 3

The knowledge of Chinese

職官典制

90

古代的“三公”是什麼樣的官職？

在中國古代政府中，輔佐國君掌管軍政大權的最爲尊顯的三個官職，被稱爲“三公”。西周時期的“三公”是太師、太傅和太保。從秦朝開始，在皇帝之下，設丞相、太尉、御史大夫，構成“三公”，成爲了中央的行政中樞。三者中丞相爲最高行政長官，輔助皇帝處理政務，相當於現在的總理，與皇帝的關係也最爲密切，處於獨尊地位；太尉爲最高軍事長官，負責管理全國軍事事務，相當於現在的三軍總司令，但不常置；御史大夫則爲最高監察官，負責監察百官，相當於現在的副總理兼最高檢察院院長。到了西漢後期，“三公”分別改名爲大司徒、大司空、大司馬。東漢初期，仍設“三公”，並改大司馬爲太尉，改大司徒、大司空爲司徒、司空。此時，“三公”雖然各自開府置官屬，號稱宰相，但並無實權。至隋代，“三公”不再開府，僚佐也全部被撤銷，完全變成虛職。《唐六典》記載：“三公……自隋文帝罷三公府僚，皇朝因之，其或親王拜者，亦但存其名位耳。”唐宋以後，“三公”漸次演化成加官、贈官。三公制雖然一直存在到清朝，但其作爲顯貴官職是從秦朝沿用到隋朝建立具有實權的三省六部制前。可以說，三公制上承夏商周，下接隋唐宋元，在中國歷史上留下了濃重的一筆。

91

古代的“九卿”指的是哪九個官職？

在古代中央政府中，“三公”之下掌管具體政務的諸官被稱爲“九卿”。“九卿”是古代中央行政機構的重要組成部分，故而歷史上統稱其爲“三公九卿”制。班固《漢書》中所列九卿有：太常、郎中令、衛尉、太僕、廷尉、典客、宗正、治粟內史、少府。具體說來，太常爲九卿之首，掌管宗廟禮儀，屬官有負責天文曆法的太史令和負責傳授經學的博士官；郎中令負責皇宮宮殿內的警衛工作；衛尉主要負責皇宮宮門警衛，凡是官民上書以及皇帝所徵召的人員都歸他們負責；太僕掌管皇帝的車馬和兼管全國的馬政；廷尉爲全國最高司法官員；典客負責處理少數民族事務；宗正掌管皇族內部事務；治粟內史主管鹽鐵和國家財政，負責財政收支的統計工作；少府爲皇帝私府，掌管皇家錢財及皇室所需的物品等。實際上，“九卿”就相當於現在的九個部長。隋唐以前，“九卿”制度多同東漢之制，唐宋以後，九卿則多有省並。至明清時，九卿是指吏、戶、禮、兵、刑、工六部尚書和都察院左都御史、大理寺卿以及通政使司，與秦漢時期已完全不同。清朝末年除大理寺易名外，其餘一律撤銷，延續兩千多年的九卿制方告終結。

92

太子身邊的太子太保和太子少保是什麼官職？

太子太保，古代封建社會輔佐太子的職官之一，並與太子太師、太子太傅統稱爲“東宮三師”。其中，太子太師教文，太子太傅教武，而太子太保則負責保護太子安全。太子少師、太子少傅、太子少保是“東宮三師”的副職，統稱爲“東宮三少”，“少”即副的意思。“東宮三師”與“東宮三少”，在古代合稱“太子六傅”。《明史・職官志》記載：“太子太師、太子太傅、太子太保，並從一品，掌以道德輔導太子，而謹護翼之。太子少師、太子少傅、太子少保，並正二品，掌奉太子以觀三公之道德而教諭焉。”不過古代不少官員的太子太保、太子少保等頭銜只是一個榮譽稱號。尤其是隋唐之後，“太子六傅”已是名存職異，只作爲贈官加銜的名號，約等於現在的“軍銜”，並非實職。如宋代的岳飛、明代的于謙等因軍功，曾加封過“太子少保”的榮銜。有時甚至皇帝根本就沒有太子，某些官員也被封爲太子太保。如明談遷《國榷》卷八十八：“天啓七年八月十四日丁未，敘三殿功，王之采右都御史，袁可立太子太保。”清代自雍正起，實行秘密的建儲制度，不公開立太子，但官銜仍沿古代制度，給某些有功的大臣加上虛銜，以示恩寵，如丁寶楨、袁世凱、岑春煊等先後加“太子少保”之銜。

93

中國古代的宰相是什麼樣的官職？

中國古代的宰相是輔佐皇帝、統領群臣、總攬政務的最高行政長官。“宰”意思是主宰，“相”本爲相禮之人，字義有輔佐之意。西漢的丞相陳平對宰相的職責有過總結：“宰相者，上佐天子，理陰陽，順四時，下遂萬物之宜，外鎮撫四夷諸侯，內親附百姓，使卿大夫各得任其職也。”宰、相合稱，始見於《韓非子・顯學》“故明主之吏，宰相必起於州部”的記載。中國宰相制度一直變化無定，只有遼代以宰相爲正式官名，其他各代所指官名與職權繁多，通常和丞相大體是一個概念。秦朝時，宰相的正式官名爲丞相。有時分設左右，以右爲上，稱爲“右丞相”、“左丞相”。西漢後期及東漢時，尚書台長官漸有部分相權。魏晉南北朝時期，尚書台（省）長官漸成宰相，中書省、門下省長官也擁有部分相權；隋唐以尚書省、中書省、門下省三省長官皆爲宰相；宋朝在宰相之外，又設參知政事爲副相；明朝洪武十三年（1380），罷丞相、廢中書省，但後來內閣大學士漸變爲宰相，稱輔臣，居首者爲首輔；清沿明制，習慣上以內閣大學士爲宰相，後設軍機處，軍機大臣又被視爲宰相。中國歷代的宰相制度並不完全相同，甚至宰相的名稱、許可權、員額等，每個朝代都有變化。

94

中國古代御史的主要職責是什麼？

御史，中國封建王朝監察之官，大致相當於現在的監察院院長。先秦時期，天子、諸侯、大夫、邑宰皆置御史，如秦趙澠池之會時，各命御史“書其事”。張儀爲秦連横時，說趙王道：“弊邑秦王，使臣敢獻書於大王御史。”但此時的御史是負責記錄的史官，而不是監察官。約自秦始，御史成爲監察性質的官職，一直延續到清朝。秦始皇統一中國以後，設御史大夫爲御史之長，職位僅次於丞相，主管彈劾、糾察官員過失諸事，這進一步加強和完善了御史制度。漢承秦制，至漢成帝時稱御史大夫爲大司空，改御史府爲御史台。御史中丞承擔起御史大夫的職權，成爲御史台的長官。從此，在中國歷史上建立了專門的御史機構。西漢御史因職務不同，有侍御史、符璽御史、治書御史、監軍御史等。其中，侍御史掌彈劾糾察，治書御史察疑獄。唐代亦設侍御史、殿中侍御史和監察御史，均爲審訊案件、考察官吏的監察官。著名詩人韓愈就曾任監察御史一職。明代改御史台爲都察院，僅存監察御史，由其分道糾察州縣。縱觀歷史，中國古代的御史是主管彈劾、糾察官員過失等事的職官，他們是皇帝的近臣，作爲“天子耳目”，在提高封建統治效能、鞏固封建統治地位方面發揮過重要的作用。

95

“刺史”的“刺”是什麼意思？

中國古代封建國家的“刺史”是地方的行政長官。其中，“刺”是檢舉不法的意思，“史”是皇帝所使的意思。秦統一六國後，如何監督地方、保證中央穩定是個很重要的問題。於是秦始皇在地方行政上，“分天下以爲三十六郡，郡置守、尉、監”。監指的就是監御史，地位可以和郡守、郡尉並稱，其主要職責是“掌監郡”，即負責監察郡守等人的行政事務，正如《史記・蕭相國世家》裴駰《集解》引蘇林所說：“秦時無刺史，以御史監郡。”元封五年（前106），漢武帝在秦代監御史制度基礎上創建了刺史制度。漢武帝將全國分爲十三個州，每州設刺史一名。當時的刺史並不處理地方行政事務，主要是負責按“六條問事”督察郡守。簡言之，刺史的職責可以概括爲“省察治狀，黜陟能否，斷治冤獄”十二個字。可以說，此時的刺史相當於省級監察院院長一職。時至東漢，長安設司隸校尉部，外設十二州，每州設刺史一人。漢成帝時，改刺史爲州牧。東漢靈帝時，州牧位居太守之上，實際掌握了一州軍政大權，而成爲地方行政長官。自三國至隋唐，各州也多設刺史。宋代以後，地方長官不再稱刺史，而稱知州，刺史僅爲官稱，不是實職。元以後刺史之名廢，清代刺史僅是知州的別稱。

東漢“冀州刺史”印

96

古代的京兆尹是什麼樣的官？

京兆尹，就是首都地區的行政長官，職位相當於今日首都的市長。《爾雅·釋言》記載：“尹，正也。”尹即治理之意。西漢京兆尹由秦代掌管首都的內史一職演變而來。《漢書·百官公卿表》曰：“內史，周官，秦因之，掌治京師。景帝二年分置左內史、右內史。右內史武帝太初元年更名京兆尹。屬官有長安市、廚兩令丞，又都水、鐵官兩長丞。”秦以內史掌治京師，漢武帝時在首都分置左、右內史，至太初元年（前104）將右內史更名爲京兆尹，職掌相當於郡太守，因地處畿輔，故不稱郡，但可參與朝議，其辦公地點在長安城內。西漢前期，長安的治安不是很好，正如賈誼所言：“盜者剟寢戶之簾，搴兩廟之器，白晝大都之中剽吏而奪之金。”（《漢書・賈誼傳》）隨著長安人口的劇增，偷盜問題越來越嚴重。當時武帝的隨葬玉箱、玉杖，竟然有人在市中進行買賣，最後京兆尹張敞採取措施“一日捕得數百人”。此外，西漢首都盜竊、鬥毆等刑事事件也時有發生，據《太平御覽》卷八二七“市”條記載：“永平中，王尊爲京兆尹，拊循貧弱，不私豪強，長安宿豪大猾，東市賈萬城、西萬章、箭張禁、酒趙放，尊以正法按誅，皆伏其辜。”由此可知，京兆尹嚴厲打擊擾亂社會治安者，對維護首都的穩定起了積極作用。

97

都督是什麼官？

我們知道三國時期的孫策在平定江東後，周瑜任水軍都督。200年，孫策早逝，臨死前對孫權說“外事不決問周瑜”。208年，曹操南下，目標直指江東，孫權戰和未定。周瑜及時從鄱陽湖趕回，正確分析了曹操遠來的種種弊端，使孫權決定與曹操一戰。周瑜身爲水軍大都督，用火攻之計大破曹操，這就是有名的赤壁之戰。

那麼，周瑜所任大都督又是何職呢？據相關史書記載，大都督，曹魏所置，吳同魏制。位居一品，但不常置，屬加官，即加此官者，是代表天子統領重兵的高級軍事將領。漢末董卓之亂後，州郡擁兵割據稱雄，中央政府爲了籠絡他們，有以將軍兼督數州或都督某州的稱號。如獻帝建安二年（197）以袁紹爲大將軍，兼督冀、青、幽、並四州，這是最早見於史籍的持節都督。一般情況下，大都督在戰時設立，爲戰時最高軍事領導，戰後收回，如司馬懿、陸遜等。但周瑜比較例外，他一直擔任該職，直至210年周瑜在江陵進行軍事準備時死於巴陵。縱觀中國歷史，大都督均爲統領重兵的高級軍事統帥。晉多以權臣任大都督，總管數州的軍事與民政。南北朝雖沿置此職，但權位漸輕。至隋，已成爲散官，只是給大臣的一種榮譽性的加號，並不直接領兵。自明代起，廢大都督一職。

98

《木蘭辭》“木蘭不用尚書郎”中的“尚書”是什麼官名？

古樂府《木蘭辭》描述的是北魏人花孤之女木蘭從軍報國的故事。當時魏國受黑山賊侵擾，朝中徵兵，花孤在應徵之列。木蘭念及父親年老體衰，於是女扮男裝，替父從軍。木蘭武藝出衆，經過十年征戰，打敗強敵，最後生擒黑山賊首豹子皮。皇帝授予木蘭尚書郎官職，並許其探家三月，木蘭回到家中與親人團聚。

那麼，木蘭所任尚書到底是何官呢？具體而言，秦及漢初，尚書爲少府的屬官，是皇帝身邊的文書小臣，與尚冠、尚衣、尚食、尚浴、尚席合稱“六尚”，因其在殿中主管收發文書並保管圖籍，故稱尚書。漢武帝劉徹時，尚書主管文書，省閱奏章，傳達皇帝命令，地位逐漸重要。由於尚書在西漢已成爲政府機要部門，所以凡是掌握實權的大臣都領尚書事，如霍光以大將軍領尚書，王鳳以大司馬領尚書。光武帝劉秀鑒於西漢晚期的權臣專政，有意削弱相權，而實際權力則逐漸移於尚書台，正所謂：“雖置三公，事歸台閣。”時至北魏，尤其是孝文帝改革後，尚書制度成爲恒制。雖有門下、中書分權，又有虛銜化的傾向，但尚書省還是以宰輔之位而存。《魏書・廣陵王羽傳》：孝文帝對諸尚書說：“尚書之任，樞機是司，豈惟總括百揆，緝和人務而已，朕之得失，實在於斯。”可見尚書在北魏政府中的重要位置。

99

《水滸傳》中高俅所任的“太尉”是什麼官職?

宋朝臭名昭著的高俅高太尉初爲蘇軾小吏（書僮），後事樞密都承旨王詵(shēn)，因善蹴鞠，獲寵於宋徽宗，被任命爲殿帥府太尉。此後便有“高俅當太尉——一步登天”的歇後語。太尉實際上是中國古代掌管軍事的最高將領。太尉之名最早見於《呂氏春秋》。《漢書・百官公卿表》記載：“太尉，秦官，金印紫綬，掌武事。”秦朝的丞相、太尉、御史大夫並爲三公。由於軍隊的重要性，太尉實際上只是個虛職，全國的兵權都在皇帝手中，以致後來太尉之職曾一度空缺。從理論上講，太尉是軍隊的最高指揮官，與另外兩公平級。但事實上，行政、監察權力屬丞相和御史大夫，而軍事事務的指揮則由皇帝本人掌握。魏晉以後，太尉作爲三公之一，位居極品而實權甚少，並開始設府，置僚佐。但自隋開始，撤銷府第與僚佐，太尉一職也便成爲賞授功臣的贈官。至宋代的太尉，僅僅表示官員本身的身份和級別，類似今天的軍銜，並沒有實際職務，但其卻是北宋中前期三公之一，品級應該是正一品或從一品。

100

遼代的南、北面官是怎麼回事？

分佈於西遼河流域的契丹族於西元916年建立遼朝，其國土疆域西至阿爾泰山、北達克魯倫河、東至海、西抵白溝。當時契丹的版圖上生活著爲數不少的漢人和其他少數民族，各民族的社會經濟發展不盡相同。隨著遼朝統治區域的不斷擴大，爲適應不同的生產和生活方式，遼朝統治者總結歷代統治不同民族的政治經驗後，提出了“以國制治契丹，以漢制待漢人”的治國原則，並設計了南、北面兩套完整的官制系統。換言之，官分南、北兩套，實行“因俗而治”、“蕃漢分治”的原則。北面官是採用傳統的契丹部族官制，官吏一律用契丹族人，爲遼朝的最高權力機關。其主要職責是處理宮帳、部族、屬國等北方遊牧狩獵民族的事務，北樞密院是北面官中的最高機構，幾乎無事不統；南面官採用唐代中央官制，沿襲三省、六部、九寺、五監的官制系統，主要由漢人充任，職責爲處理漢人州縣租賦、軍馬等事務，南樞密院是南面官的最高機構。濫觴於遼太祖時期的南、北面官，不是二元政治，而是在專制主義中央集權下實行的胡漢分治，遼國皇帝通過南、北面各級官僚機構把政令貫徹到各部族和各州縣。

101

兵部侍郎的“侍郎”相當於現在的什麼職務？

明朝正統十四年（1449年），瓦剌統一蒙古各部後進犯明朝，逼近京城。皇太后和留守京城的朱祁鈺急召大臣商議，有人提出遷都金陵，以避災難，時任兵部左侍郎的于謙力排遷都之議，主張抗戰，他認爲京師乃天下之根本，一動則大勢去矣，應速調援兵，保衛京城。于謙所任兵部左侍郎在當時爲正二品。據史書記載，侍郎在漢朝時是郎官的一種，初爲宮廷的近侍。清趙翼《陔余叢考·侍郎郎中》記載：“蓋本執兵侍衛者。侍郎之官，至漢始有。”東漢以後，作爲尙書的屬官，初任爲郎中，滿一年爲尙書郎，滿三年爲侍郎。由於接近皇帝，地位逐漸重要。至東漢時，隨著尙書台的權力加大，侍郎日漸重要。諸葛亮《出師表》中言“侍中、侍郎郭攸之、費褘、董允等”，其中董允就是侍郎。隋唐開始，侍郎爲中書省、門下省、尙書省以及吏、戶、禮、兵、刑、工等三省六部長官的副職，輔佐尙書處理政務。唐朝著名詩人韓愈就曾先後任過刑部侍郎、兵部侍郎與吏部侍郎。1368年，明朝開國皇帝朱元璋於中央設吏、戶、禮、兵、刑、工六部，掌管國家政務。其中，每部設立一名侍郎，爲輔佐尙書主官之事務實際執行者，相當於現今各部委副部長職務。之後，清朝沿襲舊制，每部亦設左、右侍郎，均爲滿漢人各一。

102

清朝職官中的“行走”是什麼含義？

清代不設專官的機構或非專任的官職，被稱爲“行走”。例如，《清史稿·聖祖紀》記載：“他日試唐孫華詩佳，授禮部主事、翰林院行走。”清陳康祺《郎潛紀聞》卷二也記載有：“乾隆朝大臣入軍機者，亦曰軍機處行走。今則章京曰軍機處行走，大臣曰軍機大臣上行走，其初入者加學習二字。”清袁枚《隨園詩話》卷三：“承謙（嵇承謙）官侍讀，行走上書房。”這裏面的某官職“行走”就是入值辦事之意。清制，臨時調充某項職務而尚未給以正式官銜者，即稱在某處或某官上“行走”，無定員，如御前大臣上行走、軍機大臣上行走、南書房行走、總理各國事務衙門行走等等。某人被授以“行走”的官職，就是指該官員可以自由進出該官職的所屬部門及場所，往往會有特權資格，不受約束，並擁有一定的傳達上級命令的職責，絕非職權薄弱，通常是皇帝非常賞識並十分信任的官員。到北洋政府時期，行走的性質發生了一些變化，稱額外派充之官爲行走，如參事上行走、秘書上行走等，多爲閒散之職，亦無定員。

103

清代駐藏大臣的職責有哪些？

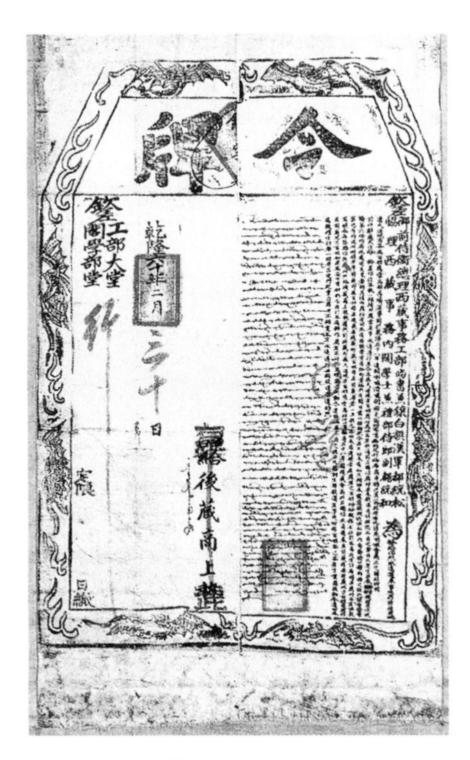

駐藏大臣的令牌

駐藏大臣，清朝中央政府派駐西藏地方的行政長官，其全稱是“欽差駐藏辦事大臣”，又稱“欽命總理西藏事務大臣”。設正、副各一員，副職稱“幫辦大臣”。清朝雍正五年（1727），西藏內部發生叛亂，藏王康濟鼐被殺。清政府爲安定西藏局勢，決定從雍正六年起，派副都統瑪拉和大學士僧格，赴藏爲駐藏大臣。自此以後，駐藏大臣代表中央政府會同達賴喇嘛監理西藏地方事務，諸如挑選西藏地方官吏、整頓西藏地方軍隊、管理財政收支情況以及宗教事務等等。此外，並專司監督有關達賴、班禪及其他大呼圖克圖（活佛）轉世的金瓶掣簽、拈定靈童、主持坐床典禮等事宜。自1727年始置至1912年清帝退位，駐藏大臣共83任，計

57人。這是清代在西藏地方充分行使主權的重要證據。縱觀有清一代駐藏大臣，駐藏前期（雍、乾時期），清王朝鼎盛強大，駐藏大臣中出類拔萃、政績卓然者比較多，如僧格、瑪拉、青保、苗壽、傅清、拉布敦、和寧、松筠等等。而駐藏中後期（嘉慶朝至清末），雖有文碩、張蔭棠、趙爾豐、聯豫等奮發有爲者，然誤國事者、庸庸碌碌者也有之。駐藏大臣之設立是自唐宋以來中央政府對西藏地方管理制度的重大發展，這一制度對加強祖國統一、鞏固邊防、促進民族團結均起過積極作用。

104

欽差大臣確有“先斬後奏”大權嗎？

在中國古代，欽差是由皇帝直接派出的辦理要事官員的統稱。明代開始，凡由皇帝親自派遣，出外辦理重大事情的官員都稱欽差。據明敖英《東穀贅言》記載：“國初設官分職咸有定額，往蒞職掌者領部檄焉，皆不頒敕，不稱欽差。其後因事繁難，添設職掌……各於其職銜上加‘欽差’二字。”如欽差總督軍門、欽差巡按御史、欽差總理糧儲提督軍務兼巡撫應天等處地方都察院右僉都御史等等。時至清朝，一般在官員職銜上加“欽差大臣”四字，如林則徐奉命禁煙時官職爲“欽差大臣兵部尚書都察院右都御史”，時人簡稱“欽差大臣”。清朝的“欽差大臣”制度一直實行到1912年。1911年武昌起義爆發後，袁世凱受命爲欽差大臣鎮壓革命。1912年2月12日清帝退位，欽差大臣制度也隨之壽終正寢了。

中國古代“欽差大臣”一般都有權力象徵物，如秦漢“欽差”持“節”、明代欽差奉“敕”、清代授“關防”等。另外，“欽差”權力漸大、職責漸重，對某些緊急重大問題的處理具有獨立自主權，往往能起關鍵的作用。這表現在直接辦理案件，處理難案冤案、舉善懲惡、澄清吏治。對不法官吏，可以撤銷職務，逮捕懲辦，嚴重的可以先斬後奏，對於防止官吏違法亂紀和貪污腐化，有一定作用。

105

鴻臚寺是什麼樣的機構？

在封建社會，禮樂等級非常嚴格，歷代政府都設有專掌殿庭司儀和典禮的機構，這就是“鴻臚寺”。“鴻臚”本爲大聲傳贊、引導儀節之意；“寺”爲官衙之意。實際上，鴻臚寺爲中國古代掌管禮儀並接待外國賓客之官衙。據史書記載，皇帝召見官員與“大朝”慶賀典禮，都由鴻臚寺預先傳知各衙門。典禮開始時，按排定班次行禮。凡舉行國宴，鴻臚寺要引導官員行禮。皇帝出入宮廷，由鴻臚寺傳百官迎送。遇皇帝出巡，鴻臚寺要率領地方官在皇帝經過之地“接駕”。各項典禮有失儀者，要參劾議罪。此外，舉行各種典禮時陳設桌案，也是由鴻臚寺辦理。若周邊少數民族首領或外國使者入朝，則負責朝貢宴請與迎送事務；朝廷高級官員或外州都督、刺史卒於京師者，鴻臚寺便掌其凶禮喪葬之具。鴻臚寺的長官，在秦代稱典客，漢代稱鴻臚卿。《漢書・百官公卿表》記載：“典客，秦官，掌諸歸義蠻夷，有丞。景帝中元六年更名大行令，武帝太初元年更名大鴻臚。”至北齊，始置鴻臚寺，後代沿置。南宋、金、元均不設，明清復置。《明史・職官志》記載：“鴻臚，掌朝會、賓客、吉凶儀禮之事。凡國家大典禮、郊廟、祭祀、朝會、宴饗、經筵、冊封、進曆、進春、傳制、奏捷，各供其事。外吏朝覲，諸蕃入貢，與夫百官使臣之復命、謝恩，若見若辭者，並鴻臚引奏。”清末光緒三十二年（1906），鴻臚寺職責併入禮部。

106

何謂三省六部制？

三省六部制是隋唐時期推行的一種中央官制。所謂“三省”是指中書省（隋稱內史省）、門下省、尚書省；“六部”是指尚書省下屬的吏部、戶部（隋朝時稱度支）、禮部、兵部、刑部（隋朝時稱都官）與工部。“三省六部”制最早是在隋朝出現的，發展到唐朝已很是完善。可以說，三省六部制是隋唐時期的重要中樞管理制度。“三省”爲中央最高中樞政務機構，尙書省掌管行政，長官是尙書令和左、右僕射；中書省掌管軍國政令，負責起草制詔策命，實爲決策機關，長官是中書令和中書侍郎；門下省掌管政令審核，進行審議封駁，政令不善者可以駁回，長官是侍中（隋稱納言）和門下侍郎。與秦漢三公制不同的是，“三省”長官均號爲宰相。“六部”是尙書省統轄下的六個部，各部分工明確：吏部掌管全國官吏的任免、考課、升降、調動等事務；戶部是掌管戶籍財經的機關；禮部管理全國學校事務和科舉考試及與外國藩屬之外交；兵部凡武衛官軍選授簡練，均爲其執掌；刑部掌法律刑獄；工部爲掌管營造工程事項的機關。每部設尙書爲最高長官，總管本部政務。確立於隋朝的三省六部製成爲後代封建國家中央政權的基本固定制度，一直延續到明清時期才最後終結。

107

樞密院是什麼樣的機構？

在中國古代，樞密院是執掌軍事大權的機構，其地位類似於當今的國防部。樞密使之名始見於唐代宗永泰年間(765～766)，創建之初由宦官董秀執掌。司馬光《資治通鑒》記載：“宦官董秀掌樞密。”胡三省注：“是後遂以中官爲樞密使。”唐代樞密使負責接受臣僚奏摺，並傳達皇帝意旨。五代時始設樞密院，並用士人任樞密使。宋初沿襲此制，仍設樞密院，作爲掌管全國軍事的最高權力機構，與中書、門下對持文武二柄，號爲東西二府。宋樞密院設十二房，分曹辦事，職在管理軍籍、武官之升遷調轉、軍事機密、邊防佈置及制定作戰計畫等。南宋開禧年間(1205～1207)起，由宰相兼任樞密使始成定制。元代的樞密院也是全國軍事行政機關，樞密使則皆由皇太子兼任。明代，朱元璋稱吳王時，沿元制設樞密院，後廢之。可以說，樞密院萌芽於唐朝中後期，經發展，鼎盛於五代，宋代時雖機構漸趨於完備而龐大，但權力已大大下降，至明朝廢，改設大都督府統軍。古代樞密院機構的設立與沿革，是中國封建社會中期加強中央集權進行機構改革的縮影。借鑒唐末以來藩鎮割據的歷史教訓，作爲加強皇權、分割宰相兵權的一項機構改革措施，樞密院的設立對有效防止將領擁兵自重，加強國家統一起了很大作用。

108

明朝司禮監是個什麼性質的機構？

司禮監，明代宦官機構之一。明代政府設有內府二十四個衙門機構，可具體分爲十二監、四司和八局。其中，明代的司禮監爲十二監之一，設有“掌印太監一員，秉筆、隨堂太監八員，或四五員……司禮監提督一員，秩在監官之上，於本衙門居住，職掌古今書籍、名畫、冊葉、手卷、筆、硯、墨、綾紗、絹布、紙剳，各有庫貯之”（呂宓《明宮史》）。司禮監不僅是二十四衙門中最具權威性的一個重要部門，而且也是宦官機構十二監中的“首席衙門”，職掌皇宮內禮儀、刑名、關防門禁，並掌理內外章奏。其實，司禮監在明初並沒有太大的權力，而且受到限制。朱元璋規定內侍禁止識字。洪武十七年(1384)還鑄造鐵牌，懸置宮門，明令“內臣不得干預政事，犯者斬”。然而，明中葉以後，政府設置了太監學堂，鼓勵太監識字，於是凡皇帝口述命令，例由秉筆太監用朱筆記錄，再交內閣撰擬詔諭並由六部校對頒發，即由司禮監秉筆太監代行“批紅”大權。這其實是皇帝利用宦官勢力牽制內閣，以確保皇權的利益不受損害和侵犯，並防止任何違背皇帝意圖的行爲出現。但自明武宗朝宦官劉瑾專權以後，司禮監遂專掌機密，批閱章奏，實權在內閣首輔之上。著名宦官王振、尚銘、馮保、劉瑾、魏忠賢等皆曾任司禮監之主管。此外，有史書記載，嘉靖十年(1531)，司禮監專事刻書出版的太監曾多達1275名，這實爲當時世界出版印刷業上的奇觀。

109

清初的南書房是什麼樣的機構？

南書房，舊址在北京故宮博物院乾清宮西南，是一排不太顯眼的房舍。原爲康熙帝讀書處，俗稱南齋。南書房設於康熙十六年（1677），光緒二十四年（1898）撤銷。南書房初爲文學侍從值班的地方，以備隨時應召侍讀、侍講、顧問、論經史、談詩文。繼而這些侍從便常常代皇帝撰擬詔令、諭旨，並參預機務。因接近皇帝，對於皇帝的決策，特別是大臣的升黜有一定影響力，故入値者雖位不顯而備受敬重。可以說，南書房完全成爲一個核心機要機構，隨時承旨出詔行令。康熙時代，南書房的政治地位極其重要，清吳振棫《養吉齋叢錄》曾述及南書房在中央政權中的重要位置：“章疏票擬，主之內閣，軍國機要，主之議政處，若特頒詔旨，由南書房翰林視草。”實際上，清朝南書房地位的提高是康熙帝削弱議政王大臣會議權力，鞏固皇權的重要步驟之一。康熙帝親政以後，皇帝的權力受到議政王大臣會議的限制，康熙帝爲了把國家大權牢牢地控制在自己手中，決定以南書房爲核心，逐步形成新的權力中心。自雍正皇帝創建軍機處後，軍機大事均歸軍機處辦理，南書房官員也就不再參預機務，地位有所下降，但南書房被長期保留。清朝末年，羅振玉、王國維等都曾在南書房“行走”過。

110

清初的議政王大臣會議有多大權力？

議政王大臣會議，清代初期重要政務的決策機構。崇德元年(1636)，皇太極正式稱帝，改國號爲清。入關後，議政王大臣會議也稱“國議”，權力很大，其成員由滿族宗室王公及八旗高級官員組成，是滿族旗人要員的議政機構，其主要職責是議處重大機要事務。“議政”是一種正式的職銜，必須經過皇帝的任命。同樣，在必要時，皇帝也可以撤銷某一貴族及大臣的議政資格。最初議政王大臣權力極大，譬如皇位繼承這樣的重大決策皆由議政王大臣會議決定。議政王大臣會議的決定皇帝不能更改，甚至議政王大臣有權罷免皇帝。像多爾袞、鼇拜這樣位高權重的大臣都是議政王大臣會議的骨幹。清王朝統一全國後，凡軍國重務，皆由議政王大臣會議決定。隨著國家的逐漸統一及封建君主專制制度的加強，象徵著貴族政治權力的議政王大臣會議制度必然與皇權產生矛盾。康熙時，設立南書房，至雍正，設立軍機處，成爲處理政事的決策機構，使權力日益集中於皇帝。議政王大臣會議雖然繼續存在，但所議之政，卻只限於皇帝出巡、少數民族事務及重大刑事案件等具體事務，無關乎軍國大事。至乾隆五十六年（1791），議政王大臣之名被取消，自此議政王大臣會議制度也完成了它的歷史使命。

111

明清御門聽政是怎麼進行的？

故宮太和門

所謂御門聽政，其實是皇帝處理政務的方式之一，也是皇帝勤於政務的重要體現。

明朝規定，奉天門（今故宮太和門）是明代皇帝“御門聽政”之處。明永樂十八年（1420）紫禁城建成，次年朱棣從南京遷都北京。但不久，紫禁城前三殿便遭火災燒毀。朱棣惟恐“違背天意”而不敢重修，只得將奉天門作爲皇帝早朝和聽政的重地。明英宗正統六年（1441）三大殿雖重建，但有的皇帝仍願在此門聽政。屆時，文武官員拂曉到皇宮外等候。午門鼓響，文武大臣列隊從左右掖門進入，並按品級分列於太和門前兩側。當皇帝御門升寶座之時，鳴響鞭，大臣們行一跪三叩禮後，九卿六部大臣依次奏事或敬呈奏摺，由皇帝作出有關決策。奏事畢，御史糾舉禮儀，鳴鞭，皇帝起駕回宮，百官退出。

從清朝康熙時起，“御門聽政”改在乾清門舉行。凡是每天各衙門遞進的本章，其中未經皇上批閱的，先轉送內閣，積累若干件，傳旨於某日御門辦事。聽政當天黎明，皇帝升座後，來奏事的官員列隊在門前廣場等候，官員按預先編好的次序，分部門順序登東階向皇上彙報。實際上，清朝“御門聽政”的地點並不僅僅局限於乾清門一處，後來乾清宮西暖閣、懋勤殿、養心殿、瀛台勤政殿等也都分別成爲“御門聽政”的場所。

112

“秘密建儲制度”是怎麼回事？

乾清宮“正大光明”匾額

秘密建儲制度是清朝統治者獨創的皇位繼承制度。皇帝是一國之君，所以皇位繼承人的選立在各朝都是非常重要的事情。清朝皇帝的傳位制度與前朝制度不同，既不實行漢族皇帝的傳統嫡長制，也不預立太子，而是實行一種秘密的建儲制度。太祖、太宗、世祖生前都未預立太子，直到康熙皇帝才開始預立太子，但最終釀成了皇族內部一場極其複雜和殘忍的奪權鬥爭。雍正帝即位後，他吸取了預立太子而導致骨肉相殘、局面混亂的教訓，建立了一種新的皇位世襲制度。具體來講，皇帝生前親筆書寫儲君諭旨一式兩份。一份封藏於匣中安放在乾清宮“正大光明”匾額之後，另一份則由皇帝保存。待老皇帝死後，大臣們將兩份諭旨取出對證無誤，新皇帝是何人方才揭曉。雍正帝就是用這種新的秘密建儲制度立後來成爲乾隆的皇四子愛新覺羅・弘曆爲太子。以後的嘉慶、道光也均以此法建儲。至咸豐時，因只有一子，故無須秘密建儲。同治、光緒均無子嗣，亦不需要立儲，秘密建儲制度遂告終結。秘密建儲制度解決了皇儲矛盾與儲位之爭問題，是中國皇位繼承方式的一次變革，避免了歷代皇子爲爭儲位、儲君與皇帝爭權，以致儲君驕縱、皇帝身心憔悴等弊端。

113

慈禧“聽政”爲什麼要“垂簾”？

慈禧太后垂簾聽政的養心殿

垂簾聽政，是皇后、皇太后以皇帝名義攝政的制度。“垂簾”是指太后或皇后臨朝聽政，殿上用簾子遮隔。“聽政”指太后臨朝管理國家政事。皇后、皇太后臨朝聽政，處理國家大事，但是根據皇宮的規定，朝中官員不得直接觀看和接觸皇后、皇太后，所以輔政的皇后、皇太后一般坐在皇帝理政廳側面的房間裏，在房間和廳堂之間掛一簾子，聽官員們與皇帝談論政務。於是，這種由母親幫助皇帝輔政的制度，歷史上叫做“垂簾聽政”。這種攝政制度的產生，多因嗣君年幼。唐朝時，著名的女皇武則天在稱帝前，也曾垂簾聽政。《舊唐書·高宗紀》記載：“自誅上官儀後，上每視朝，天后垂簾於御座後，政事大小，皆預聞之，內外稱爲二聖。”1861年，咸豐帝駕崩，載淳嗣位，因嗣君年幼，兩宮皇太后便以皇帝的名義發出上諭，正式垂簾聽政。當時，兩太后寶座在皇帝寶座之後，中間以八扇黃屏風隔開。至同治十二年(1873)，載淳成年後，兩宮皇太后撤簾歸政。但同治帝親政不及兩年，就因病而死。慈禧擇立同治帝年幼的叔伯兄弟載湉繼位，使兩宮皇太后二次垂簾。至1881年（光緒七年）慈安太后暴死，只剩慈禧一人垂簾聽政。戊戌變法失敗後，慈禧將光緒帝幽禁於中南海瀛台，直至她去世爲止。慈禧通過垂簾聽政，操縱同治、光緒皇帝，掌握清朝朝政長達四十八年之久。

114

清代的總理衙門是什麼樣的機構？

總理各國事務衙門

清政府爲辦理洋務及外交事務而特設的中央機構，稱之爲“總理各國事務衙門”，簡稱“總理衙門”。第二次鴉片戰爭後，清政府與英、法等國簽訂《天津條約》、《北京條約》後，對外交涉事務增多。1861年，恭親王奕訢等奏請在京師設立總理各國事務衙門，接管以往禮部和理藩院所執掌的對外事務。經咸豐帝批准，於同治元年（1862）二月成立。總理衙門由貴族或軍機大臣兼領，並仿軍機處體例，設有總理大臣、總理大臣上行走、總理大臣上學習行走、辦事大臣。

總理衙門最初主持外交與通商事務，後擴大到管理辦工廠、修鐵路、開礦山、辦學校、派留學生等，權力越來越大，舉凡外交及與外國有關的財政、軍事、教育、礦務、交通等，無不歸該衙門管轄，成爲清政府的重要決策機構。實際上，總理衙門主要是一個外交機構，其職掌主要是辦理中外交涉和通商事務，創立近代外交制度，派使團出訪，遣使節駐外，建立使領館等，客觀上推動了中國外交部門和外交制度的建立和完善，結束了中國有理藩無外交的閉關歷史。直到光緒二十七年（1901），據清政府與列強簽訂的喪權辱國的《辛丑合約》，總理衙門改爲外務部，位列六部之首。此時的外務部實際上已經成爲晚清政府最重要的決策機構之一。

115

古代很多官職為何有左右之分？

在古代中國，很多官職都有左、右之分。那麼，是“左”尊還是“右”尊呢？實際上，在中國歷史上，不同的時期和時代，存在著不同的規定。戰國、秦、漢時，均以“右”為尊。比如戰國時秦國的爵制就分為二十等（第二十等爵位最高），其中第十等是左庶長，第十一等是右庶長，第十二等是左更，第十四等是右更，第二十等是徹侯，這就可以看出當時是以“右”為尊。《史記・廉頗藺相如列傳》記載，藺相如完璧歸趙，在澠池會上立了功，“拜為上卿，位在廉頗之右”，廉頗大動肝火，“不忍為之下”。這都是戰國時期“右”比“左”高的典型例證。漢魏以後皇親貴族也稱為“右戚”，世家大族稱“右族”或“右姓”。從東漢至唐宋，我國又逐漸形成了左尊右卑的制度。這時期，左僕射高於右僕射，左丞相高於右丞相。至蒙古族建立元朝後，恢復舊制，規定以右為尊，當時的右丞相在左丞相之上。《元史・百官志》：“右丞相、左丞相各一員……統六官，率百司，居令之次，令缺，則總省事，佐天子，理萬機。”蒙古人尚右，故丞相中以右丞相為尊。到了朱元璋建立明朝後，又改以左為尊。此制為明、清兩代沿用了五百多年。

116

古代官員上任後也有試用期嗎？

在中國古代，官吏擔任新職，須經一年時間的試用期，試用期滿，稱職者方可“為眞”，即正式擔任該官職，不稱職者罷歸原職或撤職。《漢書・平帝紀》注引如淳曰：“諸官吏初除，皆試守一歲乃為眞，食全俸。”所謂“試守一歲”，用今天的話講，就是試用期為一年。這樣的試守制度可以追溯到春秋戰國時期。《戰國策・秦策五》記載：“文信侯出走，與司空馬之趙，趙以為守相。”文信侯呂不韋被罷免相國回到封地，他的黨羽司空馬逃往趙國，趙王於是讓他試用相國。秦朝統一六國以後，試守制度適用於所有官吏，無論三公九卿、郡國守相、縣令丞尉，從中央到地方的各級行政組織均要實行。《西漢會要》列舉了諸多試守之例，其中就包括御史大夫、衛尉、尚書令、京兆尹、太守、都尉及相關屬官。個別因皇帝寵信，不經試守，即拜為正式官員，便會受到指責。如東漢李固，就曾對皇帝提出尖銳批評："竊聞長水司馬武宣、開陽城門候羊迪等，無他功德，初拜便真，此雖小失，而漸壞舊章，先聖法度，所宜堅守，政教一跌，百年不復。"（《後漢書·李固傳》）中國古代封建國家的試守制度加強了對官吏實際能力的考核檢驗，使得官吏的選拔更為嚴肅慎重。對於新任官吏而言，"試守"制度又具有一種鞭策警誡作用，促使他們在試守期間盡可能地表現和施展自己的才能，努力爭取良好的政績。

117

古時帝王如何對官員進行政績考核？

中國古代封建政府每年都會對在職官吏的政績和功過進行考核，這是職官管理工作中最重要的環節。封建統治者意識到吏治的好壞直接關係到政權的安危，因此，他們總是盡可能地對全國官吏實行全面監控。除了建立垂直的監察體系外，還推行一套自上而下的嚴格的考核制度，即考課制度。考課不僅是政府對職官實施獎懲升降、分發俸祿的主要依據，也是激勵向上、整頓吏治的有效措施。考課分為考滿與考察二種。考滿是根據官員的任職成績決定晉升的制度。官員任職以後，定期進行考核。考核成績分為稱職、平常、不稱職三等。考核以後，由皇帝、吏部或有關機構根據評定決定其官職的升降。考察是定期對各級官吏任職情況進行檢查的一種考核制度。古代的考課制度自秦始皇頒佈《為吏之道》開始，歷經秦漢、唐宋、明清等朝代，逐漸形成了一套較為完整的官吏政績考課制度。秦漢時期考核方式是"上計"制度。所謂"計"就是"計書"，即統計冊，這種制度要求地方官年終將轄區內戶口、墾田、賦稅等情況的數位寫在木簡上，彙編成冊，上報朝廷，接受考核，皇帝則根據其政績優劣，論功行賞。到了唐代，就職官考課而制定了統一的內容、標準和相應的賞罰規定。自唐以後，在考課方式上逐步變繁為簡，但總的趨勢是愈來愈嚴密。

118

中國古代官員上下班時間是幾點呢？

古代官吏的工作時間並非現代歷史題材電視劇裏描寫的那麼簡單和舒適，他們也受著嚴格規章制度的限制。那麼，官員的上下班時間是幾點呢？實際上是與現代相似，也是晨聚昏散，但具體時辰則與農業社會中大多數人的作息習慣相適應。《詩經・齊風・雞鳴》中，妻子催丈夫起床："雞既鳴矣，朝既盈矣；東方明矣，朝既昌矣。"因知古人雞鳴即起準備上班的傳統。往後這個時段逐漸定型爲卯時(早晨五至七時)。在清代，凡在中央各機關供職的官員都要參加由君主親自主持的最高國務會議，除一、二品大員年高者，特賞可以騎馬或坐椅轎外，其餘人一律步行入宮；親王與部堂長官上朝，皆有專人打燈引至景運、隆宗二門；軍機大臣則有角燈導入內右門。清代《欽定六部處分則例》載有中央官員統一的下班時間，規定是春分後於申正(約下午四時)散值，秋分後於申初(約下午三時)散值（即下班）。從秦漢到明清，古代官員每日上下班的時間大抵如此。各級地方機關與中央相似。古代官吏要按時上下班，如有違反，必然會受到懲罰。《唐律疏議・職制五》有一條法令說，內外官員應上班而不到的，缺勤一天處笞二十小板，每再滿三天加一等，滿二十五天處杖打一百大板，滿三十五天判處徒刑一年。倘是軍事重鎮或邊境地區供職的"邊要之官"，還要罪加一等。

119

古代任命官員的迴避制度是怎麼回事？

回避制度是我國古代在任用官員時爲避免親友鄉里請托徇情而制定出的限制規範。戰國以前官吏職位是世襲的，而自從進入封建社會後，統治制度雖逐步完善，但封建官吏腐敗現象不斷產生，政府逐漸在任用官員時實行迴避制度，以減輕腐敗現象，整頓吏治。漢景帝開始在地域上對地方官吏的任用逐漸增加限制。東漢末期，政府提出了“三互法”，即地方官員不得在姻親之家所在地任職，兩州長官也不許互相到對方鄉里任職。以東漢史弼為例，他本應任山陽太守，但他妻子的娘家，恰好在山陽轄內，於是史弼上書自陳應迴避，調任為平原相。這可以說是中國歷史上第一個成文的對籍貫和親屬關係方面任用官員迴避的法規，也標誌著我國古代迴避制度的最終確立。經過魏晉南北朝的發展和唐宋元明時期的完善，到清代時，我國官員迴避制度被細化為親屬迴避、職務迴避、科舉迴避以及籍貫迴避四類。親屬迴避是指中央官員的子孫不得在首都地區任要職；職務迴避則是指中央官員的親屬不得擔任監察官；科舉迴避是指凡與考官有親故關係的考生，必須迴避；籍貫迴避是指官員不得本省為官。通過這樣的辦法，使官吏“舉目無親”，避免過多的社會關係。但官員遠赴他鄉，異地為官，對於任職地的風俗很難事先瞭解，也可能會出現語言不通的現象，治理必然困難。

120

我國古代官員休假與現在有何不同？

在現實生活中，官員與常人無異，私事請假在所難免，為使其私事不影響到公務，中國古代便制定了官員的休假制度。據史書記載，我國官吏的假日制度始自西漢。三國孟康《漢書注》曰：“古者名吏休假曰告……漢律，吏二千石有予告、賜告。予告者，在官有功最，法所當得也。賜告者，病滿三月當免。”告，即休假，這種假期一般說來都不固定。《漢書・鄭當時傳》記載：“孝景時為太子舍人，每五日休沐。”《初學記》解釋說：“休假亦曰休沐。漢律，吏五日得一休沐，言休息以洗沐也。”以上文獻記載都說明西漢官吏每五天就有一天休息，與現在的“五日工作制”有較多相似之處。唐永徽三年(652)，因國事頻擾，朝廷改“五日休沐”為“十日休沐”，即官員每十天休息一天。另外，古代官員如遇有急事不能回官署辦公時，也有“急假”。如晉代規定：“急假者一月五急，一年之中以六十日為限，千里內者疾病中延二十日。”除了這種常規性的像星期天一樣的假期之外，政府規定的還有節慶的假日。在西漢時期，在夏至或冬至的時候，官員也都休一天假。在唐代和宋代的春節和冬至日，每次都放七天假。據統計，在唐代一年中共有五十三個節慶假日，宋代有五十四個這樣的假日。

121

古代官員“告老還鄉”的年齡是多少歲？

電視劇《宰相劉羅鍋》中，清朝宰相劉墉歲至暮年請求告老還鄉，獲得批准後，便騎毛驢直奔山東老家。“告老還鄉”是指古代官吏以年老多病爲理由向皇帝請求辭去官職，回到家鄉，是古代官吏提前退休的一種制度。“告”是請求，“老還鄉”是年老回到家鄉。退休制度是我國古代官僚制度的一個重要組成部分，該制度雖然建於春秋戰國時期，但“退休”一詞始見於唐宋文籍，唐代散文家韓愈《復志賦序》中說道：“退休於居，作《復志賦》。”《宋史・韓贊傳》中有“退休十五年，謝絕人事，讀書賦詩以自娛”詞句。古代官吏退休需要一定的年齡條件，《禮記・曲禮》記載:“大夫七十而致事（退休）。”後來的唐、宋、元等朝代基本實行七十歲退休的規定，但到了明清兩朝則規定“文武官六十以上者，皆聽致仕（退休）”。但到達退休年齡之前也可以提前退休，如唐朝規定“老病不堪厘務者，與致仕”，意即若身染疾病或者受傷者，雖未到退休年齡也可以提前退休。可見，在我國古代，官吏“告老”辭去官職，提前退休也是允許的。古代官吏提前退休比較簡單，只要官吏提出申請，皇帝一般都會准許。明朝弘治四年(1491)，皇上就專門下詔:“自願告退官員，不分年歲，俱令致仕。”

122

中國古代的“官”與“吏”有區別嗎？

當我們提到“官”“吏”的時候，大多數人都以爲它們是一回事。然而，這兩者事實上並非一回事。“官”與“吏”在中國古代是有嚴格區別的。首先，從身份上講，官是正職，即長官；而吏則是辦事員。官由中央統一任命，因此也叫“朝廷命官”；吏則由自己的長官任命，身份其實是民。用現在語言來形容，官是“國家幹部”，吏只能算作官府中的“服役人員”，地位極低，待遇也極低。也就是說，雖然同樣在官府辦事，官與吏之間實際上等同於官和民的關係。其次，官掌握著吏的命運。吏是做事的，其任務是用自己的專業知識來爲自己的官服務。最後，官與吏的任職方式也不同。官爲任期制，正所謂“大小之官，悉由吏部”。吏部對官員每年一小考，兩年一大考，綜合官員任期內的政績來決定其升遷與否；而吏爲終身制，數十年在官府守職。之所以這樣安排，充分體現出了古代權力制衡的思想：官是流動的，因此不容易在一個地方形成他的權力網路；而地位較低、權力較小的吏是當地人，熟悉當地情況，這樣便有利於政策的貫徹執行。總之，我們通常所說的官吏實際上是“官”和“吏”兩種人，做“官”的和當“吏”的地位不可同日而語。

123

宦官就是太監嗎？

太監是我國古代專制制度的特有產物，通常是指被閹割後進入皇宮專供皇帝及其家族役使的人員。中國歷史上的太監在不同時期有不同的稱呼，如寺人、閹人、閹官、宦者、中官、內官、內臣、內侍、內監等。據記載，我國先秦和西漢時期的宦官並非全是閹人，然自東漢開始才全部用閹人。這是由於在皇宮內廷，自皇太后、太妃及宮女等，全爲女眷，所以絕不允許其他成年男性在宮內當差。唐高宗時，改殿中省爲中御府，以宦官充任太監。人們就把所有宦官都尊稱“太監”，太監也就成爲宦官的代名詞了。明朝設立十二監、四司、八局等“二十四衙門”，均由太監提領。清朝太監的等級

唐代宦官俑

更為嚴格，清朝宮廷內設有管理太監的機構稱“敬事房”，屬總管內務府管轄。康熙六十一年(1722)，明定敬事房設五品總管一名、五品太監三名、六品太監二名。清朝太監被正式授予官職始於此時。在漫長的中國封建社會歷史中，有些太監不僅過著高官顯爵的生活，而且還涉足於政治鬥爭中。漢、唐、明三朝的覆滅實際上就與太監的專橫暴虐不無關係。東漢的侯覽、張讓，唐代的仇士良、田令孜，明朝的王振、劉瑾、魏忠賢，以及清代末年的李蓮英，都是歷史上臭名昭著的宦官。

124

成語“加官晉爵”中的“爵”指的是什麼？

現代成語“加官晉爵”的意思是指君主晉升官員的官職和爵位。爵，即爵位，是封建國家為賞賜群臣而設置的，旨在區分等級以示榮寵的尊號制度。西周爵位有公爵、侯爵、伯爵、子爵、男爵五級，此時的爵位其實也是官稱。春秋以後，爵位逐漸成為收取封地租稅和享受政治待遇的依據，行政權則歸行政官所有。商鞅變法時規定以軍功授予爵位，這是一種新的封建等級制度，是按爵位的高低授予相應的政治經濟特權。爵位共分成二十級，最低一級是公士，以後依次為上造、簪裊、不更、大夫、官大夫、公大夫、公乘、五大夫、左庶長、右庶長、左更、中更、右更、少上造、大上造、駟車庶長、大庶長、關內侯，最高一級是徹侯，相當於諸侯。時至隋唐，爵位改分成九等，只有五品以上的官員才可以封爵。此後，歷代基本因循而又各有所創。一般情況下，這些擁有爵位者，在禮儀上享受相同品級官員的待遇。雖然這些人沒有職事，但卻可以作為官僚的一部分。封建統治者對於爵位的授予，大都是出於自己的偏愛，有時也因為遷就一時的權勢和時局，而濫加封授，使爵位增多，產生大量冗官冗職，形成種種弊端。

125

"散官"是官職嗎？

在中國古代歷史上，經常會有一些人雖然身爲官員但並無實際職務，這些官員被統稱爲"散官"。散官之制始於兩漢，指的是無印綬、不理事的官員。例如，兩漢時期的大夫、博士、謁者、郎官等，這些人或侍從左右，或傳達詔命。漢魏以來，中央政府仍設侍中、散騎常侍、光祿大夫、太中大夫、中散大夫等散官，並將之授予年老有病的舊臣或有一定勳勞的人，作爲領取俸祿和享受級別禮遇的依據，而無實際職掌。《隋書・百官志》則明確記載："無職務者爲散官。"至唐代，出現了文散官和武散官之分。其中，文散官自開府儀同三司至將士、郎，凡二十九階；武散官自驃騎大將軍至陪戎副尉，凡四十五階。這些將士、驃騎大將軍、郎等已不再是官職了，只是官員等級的代表符號，好像現代的軍銜。宋代散官亦指閒散不管事的官職，被稱爲寄祿官。明清之後散官名逐漸消失。在中國古代歷史上，每位官員幾乎都有散官之品級及職事官之官位。散官是按資歷升級的，而職事官則由皇帝任命，因此即使同一位官員，散官官階與職事官級別也有不相應的。如果散官官階高而所任之職事官官階低者稱爲"行"某某官；散官品級較低而所任職事官官階高者，稱爲"守"某某官；其大致相等者，則稱爲"兼"某某官。

126

什麼叫"未入流"？

未入流，在現在來說，可以解釋爲未能跟上潮流。但在中國古代，"未入流"是指官階不到從九品的職官。從魏晉開始，官分九品，例如相國爲第一品，尙書令則爲第三品。此後，各朝代對於官階的具體劃分常有差異。北魏時，開始在官品中分正、從。從第四品起，正、從品又各分上、下階，所以共有三十等；隋唐開始，自九品至一品官職，稱爲流內，不入九品的官職稱爲流外。京師官署吏員多以流外官充任，經過考核以後，可以遞升流內，稱之爲“入流”。《唐六典》記載：“(吏部)郎中一人，掌小選，凡未入仕而吏京司者，復分爲九品，通謂之行署。其應選之人，以其未入九流，故謂之流外銓，亦謂之小銓。”《新唐書・百官志》“吏部”條也記載：“凡流外九品，取其書、計、時務，其校試、銓注，與流內略同，謂之小選。”至明清時，官員品級則分爲九品，每品又分“正”、“從”兩級，所以共計十八級，從正一品的大學士到從九品的翰林院孔目、典史之類等都包括在內，均可以稱爲官，但從九品以下的則被稱爲“未入流”，正如《明史・職官志》所記載的：“凡文官之品九，品有正、從，爲級一十八。不及九品曰未入流。”

127

“外交使節”中的“節”是什麼意思？

外交使節，在現代漢語中是指一個國家派到另一個國家的正式代表，負責保護本國利益，代表本國政府與駐在國進行各種交涉、聯繫，並保護本國僑民。有常駐和臨時兩種。我國古時大臣辦理涉外事務，都要持“符節”作爲國君代表的信物。“使”字，有派遣、奉命的意思；而“節”是中國古代常用的信物，最初爲卿大夫聘於天子諸侯時所持符信，因用途不同而種類繁多。《周禮・地官・掌節》載：“凡邦國之使節：山國用虎節，土國用人節，澤國用龍節；皆金也，以英蕩輔之。”鄭玄注：“使節，使卿大夫聘於天子諸侯，行道所執之信也。”在中國古代，“使節”並不是對人的稱謂，而是一種官職的憑證。卿大夫聘於諸侯時，國君要授其任職憑證，這種憑證就叫“使節”，又叫“符信”；使臣受命出使他國時，國君也要給予他出使憑證，這種憑證也叫“使節”、“符節”。作任職憑證的“使節”大多用銅鑄成，竹子爲柄，上面綴些犛牛尾等裝飾品，並根據任職地區的不同，分別鑄成不同的動物圖像。在山區任職的，授其“虎節”；在平原地區任職的，授其“人節”；在湖澤地區任職的，授其“龍節”。正因爲古時的使臣持節作爲國家代表的信物，因此歷代都把“使”與“節”聯稱，就是近代持“國書”赴任的全權大使、特使，也被世人稱之爲外交使節。

128

在清朝爲什麼摘去頂戴花翎就意味著丟官呢？

清朝官員犯了法，皇帝一聲斷喝：“摘去頂戴花翎。”摘去頂戴花翎，就意味著丟官了。那麼，頂戴花翎是什麼東西呢？所謂頂戴，是指清朝官帽上的頂子、頂珠，官員品級不同，寶石的質地和顏色也不同。在頂珠下有翎管，質爲白玉或翡翠，用以安插翎枝。清翎枝分藍翎和花翎兩種。藍翎爲鶡羽所做，花翎爲孔雀羽所做，其作用是昭明等級、賞賜軍功。清順治朝，清政府對花翎的使用作出規定，大致爲：親王、郡王等不戴花翎；貝子戴三眼花翎；鎮國公等戴雙眼花翎；其餘滿員五品以上諸官戴單眼花翎。很顯然，三眼花翎等級最高。所謂“眼”指的是孔雀翎上的眼狀的圓，一個圓圈就算做一眼。由此可知，頂戴花翎是清朝居高位的王公貴族特有的冠飾。皇帝賜給臣下花翎也是非常審愼的，乾隆至清末被賜三眼花翎的大臣只有傅恒、福康安、和琳、長齡、禧恩、李鴻章、徐桐七人，這在當時是千古難逢的恩寵。然而，倘若官員違反律例，一般降職或革職留任的官員，仍可按其本任品級穿朝服，而被罰拔去花翎則是非同一般的嚴重處罰。太平天國運動爆發後，清廷財政捉襟見肘。許多嚮往戴花翎的人表示願出重金以換取花翎，清政府破例准許，並標價捐花翎者，七千兩白銀；藍翎者，四千兩白銀。

頂戴花翎

129

“皇帝”一詞是如何而來的？

皇帝，我國古代封建國家最高統治者的稱號。中國古代國家最高統治者最初稱“王”、“皇”或“帝”，例如“三皇”、“五帝”、周文王、周武王，春秋戰國時期的楚王、齊王、趙王、燕王等。此時皇、帝還分別爲兩個稱號，不同時用於一人身上。首次將二者合併，成爲國家最高統治者的稱號則始於秦始皇。西元前221年，秦王嬴政滅掉六國，平定天下，統一中國。秦王嬴政自認爲這是“德高三皇，功過五帝”的亙古未有功業，甚至連三皇五帝也比不上他。於是，秦王嬴政決定兼採“皇”與“帝”號，稱爲“皇帝”，自稱“始皇帝”，後世以數計，二世、三世直至萬世。此後，“皇帝”一詞正式成爲中國封建王朝最高統治者的專稱。在漫長的封建社會裏，歷代的皇帝，憑藉著無上的權威和森嚴的禁衛，居住在金碧輝煌的宮殿裏，過著一種帶有神秘色彩的生活，鮮爲世人所知。那麼，中國歷代皇帝到底有多少位？各說不一，如果只算常規的政權，從秦始皇開始算起，到1916年稱帝僅兩個月的袁世凱，加起來一共408位。如果加上少數民族建立的政權，還有一些政變所建立的短時期政權以及農民起義建立的政權，中國皇帝共有千餘位之衆。其中，壽命最長的是清愛新覺羅・弘曆，享年89歲；而壽命最短的帝王是東漢殤帝劉隆，2歲即亡。

130

爲什麼古代的皇帝自稱爲“朕”？

在有關古代帝王生活的電視劇中，皇帝開口就是“朕”，皇帝爲什麼要自稱爲“朕”呢？中國封建社會皇帝的稱呼是十分複雜的，除本名以外，還有尊號、年號、謚號、廟號等一些爲其他人所沒有的稱號。此外，皇帝的自稱和他稱也十分特別。《爾雅・釋詁》說：“朕，身也。”先秦時代，“朕”意爲我，不分尊卑貴賤，人人都可以自稱“朕”。如漢朝蔡邕《獨斷・卷上》：“朕，我也。古代尊卑共之，貴賤不嫌，則可同號之義也。”那麼“朕”這個詞什麼時候成爲皇帝專稱的呢？據《史記・秦始皇本紀》記載：秦嬴政統一天下後，規定“天子自稱曰朕”，以示皇權不可侵犯。根據漢許愼《說文解字》解釋，朕小篆“月”字旁原作“舟”字旁，指木造船兩塊木板間的間隙，以其極爲細小譬喻寡德以自謙，類似寡人之義。從此，一般人不能自稱“朕”了。這項規定一直沿用至清朝。不過，在皇太后聽政或是下詔時，皇太后也可以自稱爲“朕”，這是比較特殊的情況。《漢書・郊祀志》說：“皇太后詔有司曰：‘……未見皇孫，食不甘味，寢不安席，朕甚悼焉。’”同書《王莽傳》也記：“太后以爲至誠，乃下詔曰：‘王氏女，朕之外家，其勿采。’”1911年武昌起義的風暴最終摧垮了封建帝制，“朕”這個詞也就進入了歷史的博物館。

131

如何區別帝王的年號、諡號與廟號？

我們在閱讀古文的時候常常會遇到皇帝年號、諡號和廟號的問題，有時還常常將三者搞混。其實，三者之間的差別是很大的。年號是皇帝生前所用的紀年方法，是從漢武帝時開始的。也就是說，漢武帝以前的皇帝是沒有年號的。正如《資治通鑒・漢紀・武帝紀》注：“自古帝王未有年號，始起於此。”武帝即位後，年號爲“建元”，這一年就叫建元元年，之後爲建元二年，依此類推。漢武帝在位五十四年，用了建元、元光、元朔、元狩、元鼎、元封等十一個年號。清朝每個皇帝只用一個年號，故可以某年號稱呼某皇帝。與年號不同的是，諡號是皇帝死後授予的一種榮譽稱號。皇帝死後，繼位者與重臣根據《諡法解》擬定死去皇帝的諡號，如“揚善賦簡曰聖，威儀悉備曰欽，經緯天地曰文，亂而不損曰靈，殺戮無辜曰厲，短折不成曰殤，年中早夭曰悼”。歷史上的隋文帝、隋煬帝，其實說的都是皇帝的諡號。廟號則是皇室專用的，是指皇帝死後在宗廟享受祭祀時的代號，並以某祖、某宗爲名號。一般情況下，開國第一代皇帝稱爲祖，叫高祖；第二代以後稱宗。以唐代皇帝的廟號爲例：唐高祖李淵廟號爲“高祖神堯大聖光孝皇帝”；唐太宗李世民廟號爲“太宗文武大聖大廣孝皇帝”。廟號大多都是讚譽之詞。

132

漢代皇宮由什麼官員來護衛？

皇宮是皇帝和他的后妃、子女們居住的地方，同時也是封建王朝的中心。皇宮是否安全，關係到整個王朝的安定與否。史書記載，漢初郎中令、衛尉和中尉主要負責保障皇宮和皇帝的安全。《漢書・百官公卿表》記載：“衛尉，秦官，掌宮門衛屯兵……郎中令，秦官，掌宮殿掖門戶。”這說明，衛尉領衛士保護皇宮宮門；郎中令則率領部隊宿衛皇宮內宮殿。此外，“掌徼巡京師”的中尉有拱衛京城的職責。可見，漢初已形成了由中尉、衛尉和郎中令所屬力量構成的皇宮多層宿衛體系。至武帝朝，為進一步提高皇宮的安全保障係數，漢武帝於太初元年（前104）改中尉為執金吾，同時增設中壘、屯騎、越騎、步兵等八個帶兵校尉保衛京城。征和二年（前91）又增設城門校尉統領城門兵，日夜守衛長安十二城門。八校尉和城門校尉所率部隊在警備京師上首先為宿衛皇宮樹立起了週邊屏障。此後，武帝又於太初元年改郎中令為光祿勳，增設期門、羽林軍，以加強皇宮宮殿的護衛實力。經過西漢武帝改革後，皇宮宿衛體系自外而內分別由城門校尉、八校尉、衛尉、光祿勳所屬力量構成。時至東漢，皇宮宿衛體系自外而內主要也由四個層次組成，即城門校尉、北軍五校尉、執金吾宿衛皇宮週邊；衛尉宿衛皇宮宮門；光祿勳宿衛皇宮宮殿；宦官則護衛宮殿內部。它們之間既相互牽制又互相協作，共同構成東漢皇宮較為嚴密的多層護衛體系。

133

清朝時出入皇宮的證件是什麼樣子？

在清朝，出入皇宮禁地都需要出入證，這主要是因為清朝嘉慶十八年（1813）紫禁城發生了一起平民百姓混入皇宮行刺皇帝的事件。當時天理教林清在京南黃村組織武裝，後潛入城內。在入教太監的導引下，攻進皇宮，與清兵戰於紫禁城隆宗門外，但終因寡不敵眾而失敗。這次林清率軍攻進皇宮的行動，使清廷大為震驚。事後嘉慶皇帝哀歎說："從來未有事，竟出大清朝"，並開始整頓門禁制度，實行合符制和腰牌制。合符制是指紫禁城的城門每日黎明開啓，晚上關閉。無論白天、晚上，均有御林軍輪值嚴密防守。紫禁城閉鎖後，任何人禁止出入。但有時因緊急軍務要出入城門，就得持一種特別的出入證——合符。合符呈橢圓形，銅質，一剖爲二，構成陰陽兩扇。合符的內側分別鑄有陰文和陽文"聖旨"二字。使用時，陰文"合符"藏於守門官員處，陽文"合符"藏於大內。夜間若有人奉旨出宮，需持陽文合符，守門官員根據合符編號，取出陰文合符核對，兩者相合，方可放行。"腰牌"一般供差役人等使用，腰牌上書寫有姓名、年齡、所屬衙門、相貌特徵等個人資訊。可以說，"合符制"和"腰牌制"是施行於清代皇宮的門衛稽查制度，對於維護皇宮的治安起了重要作用。

134

中國的省級建置是從什麼時候開始的？

行省制是元朝統治者在行政區劃分和政治制度方面留給後世的一份重要遺產。"省"的本意爲宮禁，引申爲中樞機要、行政機構的名稱。元朝初創，其國家結構與地方行政組織多依宋、金制舊例，地方行政組織分路、府（州）、縣三級。隨著地域的擴大，爲加強對地方的管理，地方始設行中書省，簡稱"行省"，即除河北、山西、山東等直屬中書省、吐蕃地區屬宣政院外，在全國共設十一個行省，即嶺北、遼陽、河南、陝西、四川、甘肅、雲南、江浙、江西、湖廣、征東等行省。各行省的組織均仿效中書省，設丞相、平章政事、參知政事等行政機構名稱和官吏品秩，凡一省軍國大事無所不領，正如《元史・百官志》所記載："凡錢糧、兵甲、屯種、漕運、軍國重事，無不領之。"從此，地方政治制度進入劃省而治的階段。省作爲地方一級行政區劃的名稱，則一直沿用至今。元朝的這些行省，初步奠定了明清乃至今天省區的規模，對中國中央與地方統一的歷史產生了極爲深遠的影響。元朝行省轄區廣闊，權力集中，地方軍、政、財權無所不統。作爲草原遊牧民族建立的大一統王朝，元朝能夠對空前廣闊的疆域統治近百年，行省制度在其中所起作用是不容低估的。

135

縣作爲地方行政區劃是從什麼時候開始的？

縣，這是一個古老而又熟悉的概念。說它古老，是因爲縣制的建立至今已有兩千餘年歷史；說它熟悉，是因爲人們至今都還在用著它。據史書記載，我國春秋時期已有縣的設置。《左傳·莊公十八年》記載楚武王滅掉權國，將其改建爲縣，是爲設縣之始。此後，秦、晉、楚等國在新兼併的地方均設縣。春秋時期的縣與郡同級，縣一般都設在經濟發達地區；而郡則設在周邊較爲落後的屬地。進入戰國後，郡所轄的地區逐漸繁榮，人口增多，於是在郡的下面又分設了縣，從而逐漸形成了郡統縣的地方行政轄區格局。至商鞅變法，廢分封、行縣制。此時，縣已轉變爲地方政權而實行官僚制度。縣下有鄉、亭、里等作爲國家對居民進行控制的基層組織單位。至此，縣制開始形成。秦漢時期縣的長官爲縣令或縣長。《漢書》記載縣內滿萬戶居民，其長官稱縣令，不滿者則稱縣長。令、長的職責是掌管一縣的治安、刑訟及賦稅徭役等事。令、長之下設丞一名，以主文書、倉庫和監獄；又設縣尉一職，專管武事。縱觀歷史，我國的縣制經歷了春秋戰國、秦漢的初始時期，隋唐的發展時期，以及明清的完善定局。縣的隸屬關係也經常發生變化，但自商鞅推行縣制以來，不管其本身還是下屬的名稱、區劃、地位等如何變化，縣制始終保持不變。

136

漢代的西域都護府主要管理哪些地區？

新疆地區自古就是我國神聖不可分割的領土。早於神爵二年(前60)，西漢政府就在新疆地區設置了行政管轄機構，稱之爲“西域都護府”。因新疆地位特殊，故設

“都護”，實際上與郡級區劃相等。西域都護是新疆的最高行政長官，地位相當於內地掌管軍事的“郡都尉”，主要職責在於守境安土，協調西域各國間的矛盾和糾紛，制止外來民族的侵擾，維護新疆地方的社會秩序，確保絲綢之路的暢通。據考古發掘，“都護”的駐地設在烏壘城（今新疆巴音郭楞西北部的輪台縣）。烏壘城位置適中，由此往北可去龜茲、姑墨、疏勒等地；往南有道通鄯善、且末、于闐、莎車等諸國。西域都護下有戊己校尉、屯田校尉、伊循都尉、丞、司馬、軍侯、都吏等屬官。第一任都護由鄭吉充當，此後連續八十年從未間斷。王莽末年，最後一任都護是李崇。目前“李崇之印信”已在新疆沙雅縣出土，銅質方形，現珍藏於新疆維吾爾族自治區博物館內。西漢末年，王莽篡位，中原騷亂，匈奴乘機統治西域，西域都護府在新朝末年至東漢初年間廢置。漢和帝時，班超經營西域，遂以班超爲西域都護，至107年，因西域亂而不復置都護。漢西域都護府這種管轄方式，也爲我國後世王朝開創了先例，十六國後涼呂光在統一西域後，曾仿效漢代，設置西域大都護。唐代的“安西”、“北庭”二都護府，也都是借鑒於漢代的管理模式。

中國人應知的

國學常識 ③

The knowledge of Chinese

法律文化

法律文化

137

中國刑法起源於何時？

中國刑法的起源，向來說法不一。《路史後紀》載“三皇無爲之代，既有軍長焉，則有刑罰”，《史記·五帝本紀》注“太昊、伏羲……乃明刑政，修兵仗，以威儀”，《商君書·畫策》載“黃帝……內行刀鋸，外用甲兵”，《竹書紀年》載“帝舜三年，命皋陶造律”，《尙書·呂刑》載“伯夷降典，折民惟刑”，《左傳·昭公六年》記“夏有亂政，而作禹刑”，《尙書大傳·甫刑》也載“夏刑三千條”，又有“刑名從商”之論。

刑法始於夏商有殷商甲骨文佐證，民國時代即認爲“殷時有法律，已無可疑”，但始於三皇五帝的說法則在當時漫無稽考，不過近年來的地下挖掘及古墓中出土的大量文物可以證實在黃帝時代就有了刑法的痕跡。

138

爲什麼說“刑始於兵”？

“刑始於兵”，是說刑或刑律和軍事是同一性質的東西，起源於遠古的氏族戰爭。

古人也有“兵刑同一”的說法，如晉國范宣子說“夫戰，刑也”（《國語·晉語六》），周宣王威脅淮夷說“敢不用命，則即刑，撲伐”。刑與戰爭、征伐、撲伐等同起來，說明刑法起源於戰爭，恰合臧文仲所謂“大刑用甲兵”、“大者陳之原野”（《國語·魯語上》）。

“蠻夷滑夏”本是氏族部落間的戰爭，而舜卻命皋陶“作士”運用五刑對付蠻夷的軍事侵擾以及寇賊奸宄等犯罪（《尚書・堯典》），“刑以威四夷”（《左傳・僖公二十五年》）。

頻繁的戰爭中，部族首領在戰場上的專斷指揮權力成爲統治者專制權力的直接來源，指揮者發佈並實施的戰時軍紀也成爲首領直接處罰部族普通民衆的法律來源。而爲了防範戰俘反抗，對於戰俘進行斷肢、毀容等的殘害，則被稱爲“刑”，成爲後世刑罰以及刑法的直接來源。

商代和周代最高司法官是“司寇”，秦漢兩代則爲“廷尉”，而“兵作於內爲亂，於外爲寇”（《左傳・文公六年》），“聽獄必質諸朝廷，與衆共之，兵獄同制，故稱廷尉”（《漢書・百官公卿表》應劭注），其名稱或與外族劫掠有關，或與軍事官長有關，“軍事既解，將校各歸其部，而法吏獨不廢”（《太炎文錄》卷一《官制索隱》），也反映了“兵刑同一”的事實。

139

法家是法律家嗎？

法家是中國春秋戰國時期興起的一個主張“以法治國”（《韓非子・有度》）的學派，極端重視法律及其強制作用，對中國古代法學有深入研究，並提出了一整套推行“法治”的理論和方法，曾經是最活躍的學派。

春秋時期的變革家管仲、子產是法家的先驅，戰國初中期的李悝、商鞅、慎到、申不害是前期法家，戰國後期的韓非、尹文子是後期法家。前期法家關注法治實踐，否定傳統禮治，批判儒家學說，論證法治的合理性；後期法家提出以法爲本，法、勢、術結合以維護君主集權。

法家注重法律，所以對法律的討論比較多，但法家所講的“法”，法律只是其中的重要內容，而非全部，特別是後期法家，更注重講“勢”和“術”，認爲“抱法處勢則治，背法去勢則亂”，“君無術則弊於上，臣無法則亂於下”（《韓非子》）。

法家主張順應歷史發展，以法治國，無不是在說明如何取得國王的信任，如何把國家弄得安定富強，爲何治國第一必須重用法律，但沒有對一些實質的法律問題作深刻探討。法家的著作，是講權術的政治學，間或略帶一點法律哲學，但也爲法律奠定了基本的理論基礎。因而，法家實際是一群政治家，或者說是法律哲學家，而不是法律家。

法家的制度和規範有利於在亂世中統一人們的思想和言行，可以迅速穩定亂局，但是法家缺少人情的關懷，毫不掩飾地宣揚“霸道”，在清平之世常陷人於刑網，容易激化社會矛盾，所以秦亡後法家就衰落了。

140

中國古代最早的軍法是什麼？

在中國古代的許多典籍裏，有“刑始於兵”、“師出以律”的記載，“兵律”、“軍律”等軍法也有許多專篇。特別是到了唐代，出現了一套完整的包括“律”、“令”、“格”、“式”俱全的軍法，如《衛禁律》、《擅興律》、《捕亡律》、《官衛令》、《軍防令》、《兵部式》、《兵部格》等，詳細地規定了軍人的職守、賞罰。凡是違犯了“令”、“式”中的有關規定，就要按“律”、“格”進行懲處。

其實，中國夏朝就已經有了由車兵和步卒組成的軍隊，同時也出現了保證戰爭勝利的軍法。《尚書・甘誓》記載了夏與有扈氏在甘地（今陝西戶縣西南）大戰時夏王的誓師動員令：“王曰：嗟！六事之人，予誓告汝。有扈氏威侮五刑，怠棄三正，天用剿其命。今予惟恭行天之罰。左不攻於左，汝不恭命；右不攻於右，汝不恭命；御非其馬之正，汝不恭命。用命，賞於祖；弗用命，戮於社。予則孥戮汝。”《墨子・明鬼下》、《莊子・人世間》、《呂氏春秋・召類》、《說苑・政理》說這個王是“禹”，《逸周書・史記》、《呂氏春秋・先己》則說這個夏王是“啓”，不過，王究竟是誰似乎不必過分拘泥，古書中所載禹或者啓征伐有扈氏的誓師動員令——《甘誓》或《禹誓》內容大體是一致的，這也是迄今所見中國古代最早的軍法。

141

中國古代文獻中的“刑書”就是刑法典嗎？

從中國古代法的發展歷史來看，由於刑起於兵，兵刑同制，刑書實際上就是刑法典，是制定成文的刑法。不過，“刑書”並不是專指刑法典。如《左傳・昭公六年》所載“鄭人傳刑書”，杜預注云：“鑄刑書於鼎，以爲國之常法。”這裏的刑書指的是中國古代最早公佈的法典——“刑鼎”。

實際上，中國古代“刑”、“法”同義，“法，刑也”（《說文》），“刑，法也”（《爾雅・釋詁》），法律的含義並不局限在古老的刑法或刑罰，“法”早在戰國時期就取代了“刑”，“刑書”被保留並繼續使用而成爲所有法典的泛稱，刑法之外的一般法典也稱“刑書”。

明清時期，“刑書”還曾被作爲刑部尙書的簡稱，如清朝褚人獲的《堅瓠十集・兵刑侍郎諡》載：“景泰中，兵刑二部僚佐會坐，時於謙爲兵書，俞士悅爲刑書。”

142

漢朝時法家與儒家合流以何爲典型？

漢室崇尙儒家的經術，而儒家認爲經書的權威高於法令。儒家對孔子依據魯國史官所編寫的《春秋》尤其見重，孟子說“孔子作《春秋》而亂臣賊子懼”，司馬遷論及“上明三王之道，下辯人事之紀，別嫌疑，明是非，定猶豫……撥亂世反之正，莫近於《春秋》”，《春秋》被看成“禮義之大宗”——治國平天下最實用的工具，被當作“信之符”——判斷是非的標準。

在武帝時期，“膠東相董仲舒老病致仕，朝廷每有政議，數遣廷尉張湯親至陋巷，問其得失，於是作‘春秋決獄’二百三十二事，動以經對，言之詳矣”（《史記・儒林列傳》）。漢宣帝時，廷尉于定國“學《春秋》……其決疑平法，務在哀鰥寡，罪疑從輕”（《漢書・于定國傳》）。何敞“舉冤獄，以《春秋》義斷之，是以郡中無怨聲”（《漢書・何敞傳》）。雖然漢朝的法令發達，同時又以經義斷獄，尤其以儒家的經典《春秋》決斷疑難案件，儼然成爲風氣。後世稱之爲“《春秋》折獄”、“《春秋》斷獄”、“《春秋》決事”、“《春秋》決獄”、“《春秋》決事比”，實際上，這是漢代儒家憑藉皇權力量在法制領域的一場變革。“《春秋》折獄”開引經入律的先河，對中國古代法制的內容和刑法制度發生了深刻影響，尤其是確立了“親親尊尊”價值觀以及原心定罪、原情論罪、原情行刑等觀念。

“《春秋》折獄”開儒法合流的先河，使儒家經典的觸角伸向了司法領域並逐漸具有根本法的性質，以經注律成爲可能，爲律學的繁榮開闢了道路，同時通過“決事比”的方式滲入立法領域，實現儒學法家化，對中華法系的形成起了重要作用。

143

古代中國的法文化是“儒法合流”的法文化嗎？

法家思想是春秋戰國時期以及秦朝的主流法文化。法家主張“垂法而治”或“緣法而治”（《商君書・壹言》），“國無常強，無常弱。奉法者強，則國強；奉法者弱，則國弱”（《韓非子・有度》），強調法治而反對儒家的人治，即“不務德而務法”（《韓非子・顯學》）。《法經》、《秦律》都出自法家之手，是法家化的法律。不過，法家過分貶低德治和仁政的價值，使其理論最終走向了片面性。

漢興之後，認爲秦亡於用法之弊，漢武帝時極力表彰六經，罷黜百家，儒學被立爲官方意識形態。漢武帝雖標榜獨尊儒術，但實際上是儒法合流、儒學法家化。法家儘管已“中斷”，但其政治理論以及法家精神一直繼續不斷影響著後世，法典的篇章結構也爲後世法典所繼承，法家的“三綱”、“連坐”、“法自然”等學說均是歷代封建法典的指導思想。所以有法律儒家化“始於漢，成於唐”的說法。其實，漢宣帝曾經明白地說過：“漢家自有制度，本以王霸雜之，奈何純任儒教，用周政乎？”（《漢書・元武紀》）。自漢朝以後，古代中國的法文化主流是“外儒內法”、“陽儒陰法”，都是用儒家的理論解釋法律，實際上施用的依舊是法家的嚴刑峻法，只是披上了一層溫情脈脈的倫理面紗。

144

中國古代社會的司法官員是儒家化的官吏嗎？

儒家思想在漢朝時取得正統地位之後，儒家宣導的道德標準和行爲規範是舉薦官吏的主要依據，信奉儒學才能夠做官，而且歷朝皇帝強迫官吏們奉行儒家設計的行爲規範。中國古代司法和行政渾融不分，司法官員作爲官吏隊伍的一部分，也是被儒家化的。所以，總體上而言，中國古代的法典是法家化的法典，司法官員卻是儒家化的官吏。

立法的指導思想是法家，而司法官員辦案是以儒學爲指導思想，有法不依、有法亂依就是從法家化法典和儒家化司法的對立中產生的。因爲民本觀念，儒家化司法官辦案時，體恤民情，簡化訴訟程序，減輕百姓訟累；因爲重視人事倫理，儒家化司法官辦案時，打擊宗教勢力；因爲宗法觀念的影響，儒家化司法官辦案時，往往犧牲個人權利而追求和諧秩序；因爲泛道德主義的影響，儒家化司法官缺乏嚴格的罪刑法定意識和嚴格的訴訟程序意識。酷吏是與儒家行爲規範不甚相符的人群，不過，漢代的酷吏是忠於法律的，更接近於法家的行爲規範。

145

曹魏一代“肉刑四議”是怎麼回事兒？

中國舊律有刺面、截鼻、斷足、去勢等殘酷刑罰，直到漢朝時還有黥、劓、刖左右趾等肉刑。漢文帝時，淳于公坐法當刑，他的小女兒緹縈上書天子，說死者不可復生，刑者不可復屬，願意沒入官婢以贖父罪。漢文帝被其孝心所動，下令廢除肉刑，將黥面改作髡鉗，劓改作笞三百，刖左趾改作笞五百，刖右趾改作棄市，此舉歷代稱道。不過，刖右趾改作棄市實際把活罪改成死罪，把劓、刖左趾分別改作笞三百和笞五百，往往加笞未完而受刑者已死，僅有輕刑之名而未有輕刑之實。因而不斷有人提議恢復肉刑。漢獻帝初年，名儒崔寔、鄭玄、陳紀等都主張恢復肉刑，但當時朝廷未予理會。

曹操當政時，尚書令荀彧博訪百官想重申此議，因孔融反對而未竟。曹操作魏王后，令御史中丞陳群申恢復肉刑之論，相國鐘繇贊成，但因奉常王脩有不同意見，此議再致擱置。曹丕稱帝後二議肉刑，但詳議未定，適逢戰事，又未實現。明帝時，太傅鐘繇上疏三議恢復肉刑，司徒王朗極力反對，議者百餘人附議，以吳蜀未平爲由擱置。後來廢帝正始年間，夏侯玄、李勝等人又追議肉刑，四議亦不能決。

後來西晉武帝時的劉頌，東晉元帝時的衛展、王導、庾亮，安帝時的桓玄、蔡廓，也都主張過恢復肉刑，均未被採納。最後到宋神宗時，韓絳、曾布先後請恢復肉刑，也全都沒有結果，此次肉刑之議大概也是最後一次了。

146

爲什麼商朝時在公路上“揚灰”也要被處重刑？

商朝時有治“棄灰於公道（街）罪”的單行法律，即對在公道（街）上揚灰的人實施“棄灰之法”。

《韓非子・內儲說上》載有“殷之法，刑棄灰於街者”，還對爲何將棄灰者處重刑的原因作了解釋：“子貢以爲重，問之仲尼。仲尼曰：‘知治之道也。夫棄灰於街必掩人，掩人，人必怒，怒則鬥，鬥必三族相殘也。此殘三族之道，雖刑之可也。且夫重罰者，人之所惡也，而無棄灰，人之所易也，使人行之所易而無離所惡，此治之道也。’”原來“棄灰”可引起路人發怒，導致鬥毆，所以處以重刑。

戰國時還有一種說法，即“殷之法，棄灰於公道者，斷其手”，子貢問仲尼：“棄灰之罪輕，斷手之罰重，古人何太毅也？”仲尼說：“無棄灰，所易也；斷手，所惡也。行所易，不關所惡，古人以爲易，故行之。”

儘管二說中對“棄灰於公道（街）”的人實施的刑罰輕重有很大差距，但商朝出現此酷刑確爲史實。

147

唐代的律、令、格、式都是刑法嗎？

在唐代，“凡律以正刑定罪，令以設範立制，格以禁僞止邪，式以軌物程事”（《唐六典・刑部》“刑部郎中員外郎”條下注）。可以說，律、令、格、式乃是唐代主要法律形式，共同構成了唐代法律體系的基礎。

其中，唐律制定的目的及作用是“正刑定罪”，其十二篇、五百條規定的是犯罪與刑罰的問題，唐律是一個標準的刑法典而不是“諸法合體”的法典。違反令、格、式的行爲也是用刑罰的手段處罰的，“令者，尊卑貴賤之等數，國家之制度也；格者，百官有司之所常行之事也；式者，其所常守之法也。凡邦國之政，必從事於此三者，其有所違及人之爲惡而入於罪戾者，一斷以律”（《新唐書・刑法志》）。不過，唐令三十三篇、唐式三十三篇是以行政法規範爲主，同時包含民事、訴訟、軍事等多種部門法規範的綜合性法典，唐格是包括刑法、行政法、民法、訴訟法和軍事法等各種法律規範在內的綜合性法典，可見，令、格、式是“諸法合體”的。

唐代律與令、式基本上是以刑法規範還是非刑法規範來區分，而格則兼有刑法規範和非刑法規範。

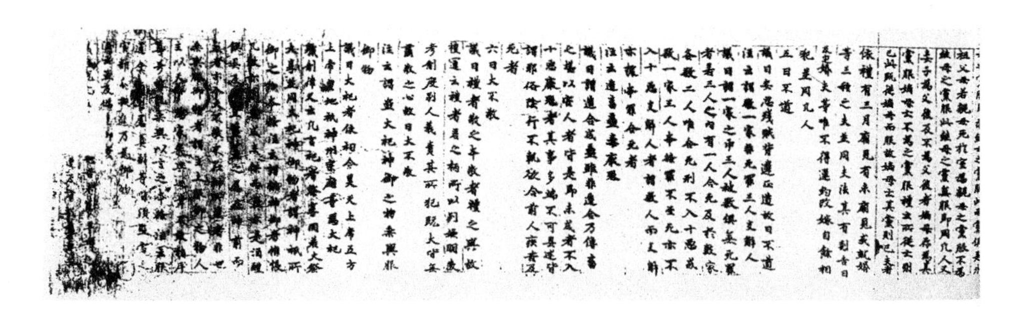

敦煌《唐律疏議》殘卷

148

爲什麼古代執行死刑講究“秋冬行刑”？

秋冬行刑，就是除了罪大惡極的罪犯決不待時外，死刑執行的期限放在立秋以後、冬至以前執行的制度。中國歷史上最早的記載，見於《左傳・襄公二十六年》所載“賞以春夏，刑以秋冬”。

這項制度是以西漢中期儒學大師董仲舒“陰陽五行”和“天人感應”理論爲依據的，因爲“陽爲德，陰爲刑。刑主殺而德主生”，“天有四時，王有四政，慶、賞、刑、罰與春、夏、秋、冬以類相應”，天意是“任德不任刑”、“先德而後刑”的（《漢書・董仲舒傳》）。春夏是萬物滋育生長的季節，這是宇宙永恆的自然秩序和法則（《禮記・月令》），司法應適應天道，順於四時。因而，在萬物生長之時不可執行死刑，刑殺宜在秋冬施行以順上天“肅殺”之意。實際上，秋冬行刑可以增加司法鎮壓的威懾力，把涉及死刑的重案放在農閒的秋冬季節也是有利於農業生產的。漢代秋冬行刑被載入律令而成爲制度，並且對後代的影響比較大。

唐宋時期從立春到秋分，除了犯惡逆以上及部曲、奴婢殺主之外，其他罪均不得奏決死刑。明清時期的“秋審”、“朝審”也源自於此，經朝審、秋審應處決的人犯，要在霜降後、冬至前才能正法。

不過，東漢的桓譚、王充等人都反對“秋冬行刑”之說，認爲自然界與人類社會無必然聯繫。

149

爲什麼古代在“十直日”不決死刑？

“十直日”，又叫“十齋日”，是佛教中有關每月中有十天禁止屠宰牲畜、釣魚及不准施刑的規定。

由於佛教對維護皇權有利，古代的統治者竭力維護佛教的教義，甚至把佛教中一些教規認可爲法律，有關“十直日”的規定就是其中的一個。唐高祖武德二年詔：“釋典微妙，淨業始於慈悲……自今以後，每年正月、五月、九月，及每年十齋日，並不得行刑；所在官司，宜禁屠殺。”（《全唐文》卷一《禁行刑屠殺詔》）唐律“立春後秋分前不決死刑”條規定“其所犯雖不待時，若於斷屠月及禁殺日而決者，各杖六十”。《唐律疏議·斷獄》羅列了禁殺日，爲每月中的“一日、八日、十四日、十五日、十八日、二十三日、二十四日、二十八日、二十九日、三十日”，這十日就是“十直日”。

此後的宋元明清律均有“十齋日”不得行刑的規定。

150

什麼是“三赦之法”？

“三赦”是古人對刑事責任能力的歸納，該說法源自儒家經典《周禮·秋官·司刺》，即“一赦曰幼弱，再赦曰老旄，三赦曰蠢愚”，就是對犯罪的小孩子、老年人以及天生癡呆與精神病人，應該予以赦免，不能進行處罰。

西漢惠帝時，對七十歲以上和不滿七歲犯罪應處刑的人，予以寬免，保全身體完好。漢宣帝時，規定除了犯誣告、殺傷人的罪行，對八十歲以上的老人犯罪一律不追究。漢成帝時，對不滿七歲的人犯殺人罪或其他死罪的，廷尉上請皇帝可以免死。東漢時，除有親手殺人罪以外，未滿八歲以及八十歲以上的人犯罪不予追究。魏晉以後基本沿襲這一原則。晉朝時，還規定了喪失全部視覺的雙眼盲、喪失聽覺及語言能力的又聾又啞以及喪失兩肢能力的“篤疾”者以及婦女犯罪，可以出錢財抵罪。

唐律則對責任年齡及能力問題做了細緻的規定，十六歲以上未滿七十歲的人對一切犯罪行爲承擔刑事責任；七十歲以上未滿八十歲，十一歲以上未滿十六歲的人，以及白癡、啞巴、侏儒、一手或一腿折、盲一目的廢疾者，僅在犯死罪及幾類重要的犯罪時處以刑罰，其他收贖；八十歲以上未滿九十歲，八歲以上未滿十一歲，以及雙目盲、兩肢廢、癲狂等篤疾者，犯謀反大逆、殺人等死罪可上請皇帝減輕處罰，犯強盜或竊盜以及殺人罪可以收贖，其他罪不承擔刑事責任；九十歲以上和未滿八歲的人，不論犯何罪，都不承擔刑事責任。

唐律的規定被長期沿用，歷經宋、元、明、清各個朝代，幾乎沒有做過修改。

151

什麼是“三宥之法”？

“三宥”的說法源自儒家經典《周禮・秋官・司刺》，即“一宥曰不識，二宥曰過失，三宥曰遺忘”，就是對於不瞭解法律、不意誤犯以及本應意識到卻疏忽遺忘而造成危害後果等三種行為，在量刑上予以寬宥，減輕其刑罰。

“三宥之法”是中國古代根據犯人心理決定犯罪輕重的最早的資料記載，該制度形成於商代或者夏代，成熟於周代。“不識”是行為人在行為時對於自己成為犯罪的行為、危害的對象或結果全不瞭解或瞭解不夠，應當減輕刑罰，這是最早的刑法上的事實認識錯誤。至漢代，將不識、遺忘、誤認物件概括為“誤”，即關於物件的認識或不認識，以及認識的情況不符實際。西晉初期，張斐總結西晉以前的歷史經驗，造出“意以為然謂之失”（《晉書・刑法志》）的概念。

西晉以後歷代刑律都沿用了這一刑法上的概念。唐、宋、明各朝都對“誤”進行了規定，並明確其法定刑輕於故意犯罪。《大清新刑律》對刑法上錯誤的概念進行了修訂，規定“不知法令，不得謂非故意；但因其情節，得減一等或二等”。

152

為什麼古時訟師被叫做“刀筆吏”？

“刀筆”是古時書寫簡牘的工具，筆用來記事，刀用來削誤。因為簡牘殺青，刮削需刀，在竹簡上寫字，有誤時要用刀刮去重寫，古人常常刀筆相隨，所以“刀筆”連稱。因為辦理文書、管理案牘的書吏也離不開刀筆，用筆和刀是書吏的專長，所以被稱作“刀筆吏”（《史記・張丞相列傳》）。即使普遍用紙的年代，這個代稱也依舊流傳。近數十年的考古發掘中，長沙左家公山戰國墓、信陽戰國墓、成都天迴山崖墓都有書刀出土。

後世也稱代書訟師爲“刀筆吏”，不過他們並不靠專門爲他人寫狀子及其他文書爲營生，他們不過是當時的“識字人”，還兼著其他的如代寫信函、代造帳冊等文字抄寫工作，因而更多是被喚作“刀筆先生”。不過，他們並不一定都熟悉法律，只是憑著見多識廣的經驗“助訟”，給當事人出一些打官司的主意。由於精於刀筆，代書訟師經常故意挑訟架詞從中漁利，有的訟師的狀詞甚至具有要脅官衙的作用，其筆如刀甚至能殺傷人，因而被民間諷刺爲“刀筆邪神”。

153

西周時的“三刺”是什麼制度？

西周時以“明德慎罰”爲指導思想，對疑難案件的審訊和執行死刑判決比較慎重，不能草率結案，要求“以三刺斷庶民獄訟之中。一曰訊群臣，二曰訊群吏，三曰訊萬民”（《周禮·秋官·小司寇》），即需要經過士以上群臣、府吏胥徒庶人在官的群吏以及民間有德行不仕的萬民訊決的特別程序，才能最後決定是殺還是寬宥。

清末沈家本和後來的陳顧遠、徐朝陽等學者認爲這實際上是“陪審制度”。不過，“當是罪定斷訖，乃向外朝始行三刺”（唐賈公彥疏注），案件是已經審判結束後才向群臣、群吏、萬民徵求意見，而非直接參與審判。

“三刺之法”反映了周代斷獄時保留了某些氏族公社的民主遺風，但與清末變法時附會的陪審制度是大不相同的。

154

明代的“打事件”是什麼？

《金瓶梅》在寫到提刑所的緝捕時，不止一次地使用“打事件”這個詞。

“打事件”是明代特務機構的習慣用語。明代擁有一個佈滿全國的特務機關網，共達十萬人，加上爪牙狗腿，有四十萬人以上。提督東廠下設掌刑千戶一人，理刑百戶一人，二者又稱“貼刑”。這些都是官，下面還有一大批工作人員。“每月旦，廠役數百人掣簽庭中，分瞰官府。其視中府會審大獄，北鎮撫司考訊重犯者曰聽記。他官府及各城門訪緝曰坐記。某官行某事，某城得某奸，胥吏疏白坐記者上之廠，曰打事件。”（《明史・刑法志》）“打事件”，就是偵查過程中眼線密報偵查主管機關的行爲，是宦官特務們秘密收集各種情報的書面報告。幹“打事件”的人，大都挑選“最輕黠獧巧”的人充任，這種人叫做番役，又叫“番子”或“幹事”。

東廠還雇傭大批流氓無賴即所謂“京師亡命”，作爲耳目去四處打探情報，他們收集情報後秘密報告在社會上進行偵緝活動的“檔頭”，檔頭視其情報價値付給報酬，即“買事件”。

明朝以後，由司法官派人充當耳目，或者在民間建立耳目收集犯罪情報，一直是偵查方法體系中一個重要組成部分。

155

大寫數字和朱元璋的反貪有何關係？

明太祖朱元璋像

朱元璋未稱帝時告誡部屬“立國之初，當先正紀綱”，稱帝後根據元朝“吏治縱弛”的教訓，制定《大明律》三十卷。

洪武十八年（1385），御史余敏、丁廷舉告發北平布政使司、按察使司官吏李彧、趙全德等人，夥同戶部侍郎郭桓貪污舞弊，吞盜官糧、官金。明初以十三布政司分治天下，經追查竟然有十二個布政使司與郭桓相勾結，六部左右侍郎中也有很多人牽連其中。此案株連被殺的人達數萬人，被貪官吞沒的國家糧銀折合成糧食，幾乎是當時全國徵收秋糧的總和。郭桓案中作案的手段主要是塗改帳冊上的數位。接受這個教訓，朱元璋叫人把原來容易塗改的一二三四五六七八九十百千，改成了壹貳叁肆伍陸柒捌玖拾陌阡。後人又把陌阡改寫成佰仟。

爲進一步懲治貪贓枉法，朱元璋使用剛猛治國、重典肅貪的手段，親自主持編寫了《大誥》、《大誥續編》、《大誥三編》、《大誥武臣》，彙集了許多被判刑的官吏的罪狀，以警示臣民，吏治得到澄清。洪武三十多年，官員“一時守令畏法，潔己愛民，以當上指，吏治煥然丕變矣”（《明史・循吏傳》）。

156

漢代的禁錮是一種什麼刑？

禁錮起源於周，春秋時繼續援用，至漢代成爲一種常用的資格刑，多適用於犯罪的管理。

西漢初年時，禁錮並非刑罰之名，而是貶抑限制商賈的律令。因犯罪受罰不得仕宦，到漢文帝時才有，《漢書・貢禹傳》載“孝文皇帝時，貴廉潔，賤貪污，賈人贅婿及吏坐贓者皆不得爲吏”，不過還不能確證“禁錮”已經成爲刑名。漢武帝時，“禁錮”與“毋得宦爲吏”雜用，禁錮並未成爲刑的專有名詞。東漢光武帝時，在“禁錮”之後不再附“不得爲吏”的解釋，似乎可以確定此時禁錮已經成爲刑罰之名了。

禁錮配合察舉、征辟制度同時施行，禁止某類人或有罪者見舉爲吏。如禁錮終身，是指剝奪了本人一生做官的政治權利；禁錮三世是指本人及本人的子孫都被終身剝奪了做官的資格；此外還有可以外延至其他親屬的禁錮類型。

東漢末有“黨錮”，乃禁止被劾黨人及其親屬、門生、故吏爲官吏。唐朝也有類似於禁錮的刑罰，稱之爲“永不齒錄”、“勿齒”、“不許仕”等。

157

“除免”是一種什麼處罰？

除免是唐律所規定，並在唐代行政、司法實踐中適用於官吏犯罪的三種從刑，是除名、免官、免所居官的簡稱。

除名即免除犯罪人所有的官職和爵位。早在先秦就有過除名的記載，但除名的名稱始於漢代，魏晉南北朝時期被廣泛用於對官員的處罰中。不過這時它還只是一種行政處分。唐代把除名正式規定於唐律之中，並使其具備了資格刑的性質。適用除名的犯罪包括：十惡犯、故意殺人犯、因謀反大逆而緣坐被處流刑以上者等。

所謂免官，即免去所有的官職，即職事官(包括散官、衛官)和勳官。漢代的免有以老病免者，有以災異策免者，有因罪免歸故里者，免官充徙者，有免爲庶人者。漢代因罪而免是一種臨時性行政處分。免正式入律，且分爲免官和免所居官兩種以及免官比徒，始於晉。完備的免官制度入於律是在唐朝。受免官處罰的罪犯包括：奸，盜，祖父母、父母犯死罪被囚禁之後尋歡作樂、自身娶妻者等。

所謂免所居官，即免除所居之現職官(職事官、散官、衛官)。受免所居官處罰的罪犯包括：祖父母、父母老疾無人侍奉而就任官職者，在服父母喪期間生子、娶妻、兄弟別籍異財等。

除免作爲從刑只能附加使用，不能單獨使用。除免可以比作徒刑。唐律第二十三條規定：“諸除名者，比徒三年；免官者，比徒二年；免所居官者，比徒一年。”官吏受除免處罰，只是在一定期限內不得爲官，並非永不敘用。唐律規定，被除名滿六年之後，依其資歷敘用；被免官滿三年之後，降二等敘用；被免所居官滿一年之後，降一等敘用。

158

古代的酷吏是貪官嗎？

一般來說，貪官和酷吏總是被連用，因爲酷吏濫用重刑、毫不體恤人情，照想應是貪贓枉法、無惡不作之輩。實際上，酷吏雖然用刑偏重，卻並不一定貪財好貨，相反，有的還很清廉。

《史記・酷吏列傳》中所說的酷吏，多是清正而狠毒的人物。比如郅都“爲人勇，有氣力，公廉，不發私書，問遺無所受，請寄無所聽。常自稱曰：‘己倍親而仕，身固當奉職死節官下，終不顧妻子矣。’”趙禹雖“用法益刻”，總要輕罪重判，但爲人也很清廉，“禹爲人廉倨，爲吏以來，舍毋食客。公卿相造請禹，禹終不報謝，務在絕知友賓客之請，孤立行一意而已”。最著名的酷吏廷尉張湯，更是有名的廉臣，“湯死，家產直不過五百金，皆所得奉賜，無他業”。古代看一個官吏是不是貪官，一個重要的標準就是看他家產業是不是增加，張湯家無他業，說明他是個清官，不過張湯只是揣摩皇帝心理依法從重從快，不通情理，所以是個酷吏。

159

中國司法的鼻祖是誰？

中國司法的鼻祖是皋陶，他約生於西元前21世紀，是我國歷史上第一位有姓名記載的法官。相傳皋陶是古代部落首領高陽氏顓頊之子，曾是東夷族的首領，舜時被任命爲掌獄訟司法之官“士師”。皋陶爲官極爲清正，從不濫殺無辜，史稱其“決獄明白，察於人情”（《白虎通・聖人》）。

《尚書》記載了皋陶的法治思想，他提出了一些刑事審判的基本原則。如：“與其殺不辜，寧失不經。”意思是刑事裁判難以決斷時，與其錯殺無辜的人，不如讓通常適用的法律在此種情形下不適用。這有點類似於現代的“疑罪從無”。又比如：“罰弗及嗣，賞延於世；宥過無大，刑過無小；罪疑惟輕，功疑惟重。”意思是對個人的處罰不應當延及子孫，而對個人的獎賞則應當世代相傳；寬恕犯過錯的人不會太過分，而對個人的刑罰即使再小也必須執行；罪行確定存在疑問時應當從輕，功勞確定存在疑問時應當從重。這與現代法治理念有某些相似之處。他還主張“明於五刑，以弼五教，期於予治，刑期於無刑”，主張以“法治”輔助“德治”，最終實現沒有犯罪的理想社會。

皋陶的事蹟頗具神話色彩，據古書記載，皋陶遇到疑難案件難以判斷時，常使用獬豸（獨角獸）來斷案，當獬豸用其獨角指向一方當事人，“觸不直者而去之”，被獨角觸中的人則被認為有罪，沒有觸中的人被認為無罪。

據說，在皋陶為司法官期間，無虐刑、無冤獄，天下太平。

皋陶像

160

中國古代監獄供奉的“獄神”有哪些人？

中華諸神名目繁多，各種神明品種齊全。古時，許多朝代的監獄都建有獄神廟供奉“獄神”，犯人在出獄、轉獄或行刑前都要拜辭“獄神”。獄中供奉“獄神”，是為了給那些求告無門、生死難卜的犯人們一些期待和慰藉。

早在漢代時，就有了在獄中祭祀皋陶的風俗（《後漢書·范滂傳》），一般認為獄神廟裏供奉的“獄神”就是這位中國最早的司法官，皋陶也一直是官方的獄神。中國歷史上曾經廣泛地流傳著原始社會末期“皋陶造獄”。史籍載“皋陶造獄，法律存”（《急就章》）、“獄，皋陶所造”（《廣韻》），他是獄訟司法方面的首創

蕭何像

者，因而成爲遠古聲名最著的刑獄之神。

不過，宋代以來，監獄供奉的獄神又多了一個蕭何，洪邁的《夷堅志》裏就記載了宜黃縣獄有廟奉事蕭相國的事。這與史載蕭何定律令、平刑獄的功績有關。有時蕭何廟也建在街巷或刑場的附近。此外，因爲“蕭何爲法，較若畫一；曹參代之，守而勿失”（《漢紀・惠帝紀》），曹參作爲“蕭何律”的忠實執行者，也被一些地方奉爲“獄神”。

在地方，還有地方性的獄神。如明代浙東紹興縣供奉有徐相公，浙江還有一個叫草野三郎的獄神。比較出名的是廣東一帶的獄神阿礚（nài）哥，在明末萬曆年間，廣東增城縣監獄一名獄卒阿礚爲人質樸，一年年終時他私放五十餘名重罪囚犯回家過除夕，後囚犯依約次日回監，阿礚在檢視確認犯人全部回監後趺坐而逝。獄卒欽佩其品行，犯人感激其恩德，以其肉身立像祭祀，後被上報按察御史批准爲縣獄之神（鈕琇《觚剩》、俞蛟《夢廠雜著》）。此外，還有一些地方因爲狐狸“通靈”，把狐仙供奉爲“獄神”。

161 杜周執法有標準嗎？

漢武帝時的杜周，先後做過廷尉史、廷尉、御史大夫，其執法嚴酷苛刻。杜周執法的時代，法網深密，大案要案多，株連案犯多，而且先定罪名後審問，不認罪畫押就酷刑伺候。各州府上報的都是反對皇帝的“不道”案件，杜周親審或審定案卷時，都是以漢武帝的意志爲判斷案件的依據，凡漢武帝不喜歡的人或是想從重處置的案件，均想法加重案情；而漢武帝想從寬處置的案件，則慢慢尋找案件破綻，指出疑點和冤情。有人指責杜周不按三尺法辦事，杜周卻鼓吹“法源自君主”的理論，說：“前主所是著爲律，後主所是疏爲令；當時爲是，何古之法乎？”（《漢書・杜周傳》）認爲法必須因時而變，必須合乎現實的狀況。

杜周深得漢武帝信任，凡是詔獄都是直接交給廷尉承辦，不再給侍御史、御史中丞之類的皇帝特使專案專辦，最後詔獄的案件範圍越來越大，杜周管理的廷尉監獄所拘二千石大吏不下百餘人，至於其他機關移送的案件“一歲至千章（件），章大者連逮證案數百，小者數十人；遠者數千里，近者數百里”（《史記・酷吏列傳》）。

西漢時曾經任命過三十任廷尉，平均任期才三年二個月，而杜周在廷尉任上足足十一年，這與其秉持“觀望天子意”（《史記・酷吏列傳》）的執法標準似乎是有很大關係的。

162

《北齊律》是封氏家族的成就嗎？

晉滅亡後，代之而起的南朝仍然沿襲魏晉律，在法典體系方面建樹不大。但北朝尤其是北齊政權，在當時著名法律世家封氏家族的積極參與下，在法典體系方面有了重大創新。齊代東魏之初即有意造齊律，但積年不成，到武成帝河清三年(564)，尙書令趙郡王睿等奏上《齊律》十二篇九百四十九條，史稱《北齊律》。《北齊律》全面總結了李悝《法經》以來歷代的立法經驗，在法典體例、篇章結構、律文內容等方面均有所創新，“法令明審，科條簡要”（《隋書・刑法志》），隋《開皇律》即以其爲藍本，繼而唐、宋、明、清莫不一脈相承。

封氏家族是河北渤海大姓，先祖累世爲西晉、前燕、後燕、北魏各代朝中大官，如封釋曾爲晉東夷校尉，其孫封放出任慕容暐的吏部尙書，曾孫封孚任慕容超的太尉，曾孫封懿出任慕容寶和北魏兩朝的重臣，此事在《北史》中有記載。以後，封氏家族中的封回、封隆之、封子繪、封軌、封偉伯和封述等，都是北齊朝中大臣。封氏家族不但世代在朝爲官，也是魏晉南北朝時期著名的法律世家，封氏有多人參與先朝修律，“祖宗家法具有淵源”（《九朝律考・北齊律考序》）。封隆之參與制定《麒麟格》，封子繪參與制定《北齊律》，封述是《北齊律》的實際主持者，一般認爲《北齊律》“實出於封述之手”（《九朝律考》）。《北齊律》的制定確實是下了一番功夫的，除了封氏家人參與外，還有崔昂、趙彥深、魏收、楊休之、馬敬德等數十位律學專家進行仔細推敲。

封氏家族不但積極參加國家的立法和司法工作，而且投身於當時的法律教育事業。在封氏家族的影響以及朝廷的重視下，《北齊律》爲“仕門之子弟，常講習之，齊人多曉法律”（《隋書・刑法志》）。從這個角度，說《北齊律》是封氏家族的貢獻，也並不爲過。

163

古代的判詞有固定的格式嗎？

在先秦以前，有無判文出現還不能確定。最早的判詞也不一定訴諸於文字，所以孔子稱讚子路“片言可以折獄”（《論語・顏淵篇第十二》）。早期的判詞，對語言有一定的要求，即簡單、信實、準確，也就是“五辭簡孚”。從“片言折獄”來看，口頭判案的語言也是相當簡約精煉的。西漢時期，爲了回應司法中所出現的難題，董仲舒撰寫《春秋決獄》作爲判案依據。《春秋決獄》所記判詞都是以“四段”的形式體現出來：先虛構出一個案情，進而進行法律分析，做出斷案的結果，陳述判案的法律依據和法理依據，結果和理由往往擺在一起。判詞的寫作規範和體例在漢代已具雛形。漢代判詞雖強調引用儒家經典，但語言仍延續前代簡賅信實的特點。

唐、宋時期的判詞無論形式還是內容都取得了較大的發展，數量之多、品質之好都是前代無法比擬的。唐代選拔人才重身、言、書、判四事，選人時常常是就州縣官方文書中疑義，要求應試者依據律令分析判斷，撰成文字。唐代的《龍筋鳳髓判》四卷都是案判文字，供選人取備的程式。案判多用駢文，文字優美，具有感染力，並有一定程式，一般由概述事由、依律令進行剖析、處置意見三部分組成。

現在能夠見到的判詞，有些被編纂爲專集，有些保存在文學作品中，有些散見於文集，還有一些保存在檔案材料之中。但唐代以前的判詞保留下來的極少，清人嚴可均所編輯的《全上古三代秦漢三國六朝文》一書中僅收三篇判詞，此外是《左傳》、《國語》等史書中的零星記載。唐代以後所保留的資料比較多，而且判詞內容十分豐富，形式也多種多樣，現存的主要分佈在唐、宋、明、清四代。這些判詞資料中，編纂爲專集的判詞如《折獄新語》等，最具代表性，流傳最廣，影響最深。

國學常識 3

中國人應知的

The knowledge of Chinese

哲學宗教

164

佛愛衆生嗎？

佛家的十二因緣與八苦裏面分別有“愛”、“愛別離苦”。前者是說我們會貪戀、會執著；後者則是一種“愛”了之後所產生的苦——與自己貪戀的人或事離別的痛苦。這裏的“愛”不單單指男女之間的情愛，還包括對事的癡心執著、偏取一端。

佛家認爲人有了“六根”（眼、耳、鼻、舌、身、意），以此六根領受六塵，很容易就對所接之境生出思量分別之心：合自己意的就歡喜，反之則煩惱厭惡。這種偏執的分別心其實就是“貪、嗔、癡”三毒的主要來源，也是沉淪六道的原因。

首先，作爲十二因緣之一的“愛”可以生出七情（喜、怒、哀、樂、愛、惡、欲）：喜，成就我所愛，心中自然歡喜異常；怒，奪我所愛，心自然要怒；哀，失我所愛，心難免傷悲；樂，得我所愛，心生愉悅；愛，對我有利的，心中就生起貪念——貪得無厭的妄念；惡，逆我所愛，心生厭惡；欲，順我所愛，心中就生貪欲。於是，也就有了“愛爲穢海，衆惡歸焉”（《人本欲生經》注）。可以說，“愛”是我們人之爲人的根本。可是，這種七情六欲的確是有分別心的產物，而佛家要斷的就是這種生來就有的偏執，生來就有的分別心。

其次，“愛”還可以生出“親愛”（友情）、“欲樂”（愛情）、“愛欲”（建立於性關係之上的情愛）、“渴愛”（過分執著以至於癡病的愛情）等四種。《牡丹亭》中的杜麗娘、《紅樓夢》中的林黛玉、還有《化蝶》中的梁山伯與祝英台，在超脫的佛家看來都是“渴愛”中的一種。

但是，佛如果不愛衆生的話，他何苦又要度衆生脫離苦海？既然是“愛”，那這是不是也是一種分別心？

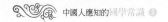

這種度衆生脫離苦海的做法的確有一種“分別心”在，即分出了“苦”與“樂”，“此岸”與“彼岸”。這種“大愛”，用佛家的話說就是“慈悲”，“慈悲”到極致就是“無緣大慈”，就是要毫無條件地給予全部人幸福，比如說“地獄不空，誓不成佛”的地藏王菩薩就有“無緣大慈”。

165

佛家怎樣看待對父母的“愛”？

佛家有《父母恩重難報經》，佛弟子中“神通第一”的目犍連也有救母的故事。可見，愛父母絕對必要，但要講究“愛”的方式：成就自己後反身度化衆生免除輪迴劫難，其中就包括自己的父母。當做到這一點，也就是上面所說的“慈悲”了。儒家也講“老吾老以及人之老，幼吾幼以及人之幼”，可它回報社會時的力度是向外遞減的——先是老吾老，然後推及人之老。這種“推及”，在佛家看來還是有分別心的“愛”——即貪愛。

166

佛家是怎麼看待同異的？

由“愛”生出的分別心是衆生陷於“貪、嗔、癡”三毒的重要原因。其實，“分別心”就是承認了“差別”，即“異”的存在。種種差別的存在也意味著差別的主體有著不同的“自相”（此事物區別於彼事物的地方，即同類相殊叫做差，異類相殊叫做別），乃至在價值上有著不同的地位。在佛家看來，所有的“自相”在地位上是平等的，沒有什麼價值上的高低取捨。

首先，所有的“自相”均是“緣起”，但終究“性空”。也就是說，世間種種差別相都是由衆生“業力”的不同而造成的。也可以說，差別是妄念的反映，即亦空亦有，不落兩邊，從而也並不是像“眞如”般的存在。

其次，差別相在根源處還有著三點畢同，就是《華嚴經》主張的“三無差別”——心、佛、衆生無差別。其中“心無差別”說的是凡聖不二，即衆生之性與佛之性無有差別，均有“十界”、“十如是”等法（“十界”有佛界、菩薩界、緣覺界、聲聞界、天界、人界、阿修羅界、餓鬼界、畜生界、地獄界；“十如是”有如是相、如是性、如是體、如是力、如是作、如是因、如是緣、如是果、如是報、如是本末究竟）；“佛無差別”說的是十方諸佛都是了悟“十界”、“十如是”等法而成正覺的。他們所了悟的也是衆生所迷的，即本心。一悟一迷雖有差別，但其體均是一心；“衆生無差別”則更是把界限推延出人的範圍，到了九界（除了佛界）的一切衆生。

當然，根據中道觀，“三無差別”並不是否認“差別”在現象上的存在，只是說明：除了差別，還存在另外一種可能，即不去執著於衆多不眞的差別，去掉未經審驗的分別心。

167

佛家僧衆能吃肉嗎？

佛門不是講究不殺生嗎，怎麼還能吃肉？佛家僧衆中也有吃肉的，怎麼回事呢？

我們先來瞭解一下佛家僧衆的角色地位。一般說來，第一步是沙彌（七歲到二十歲，這也是爲什麼經常說“小沙彌”、“小和尚”，就是因爲未成年），即具備個人志願、家庭同意、身無債務、五官端正等條件的求戒者向寺院說明志向，請得一位比丘來當老師（“依止師”），並且受“沙彌戒”，即“十戒”（不殺生、不偷盜、不淫欲、不妄語、不飲酒、不香花嚴身、不歌舞視聽、不坐臥高廣大床、不非時食、不蓄金銀財寶）；第二步是比丘，小沙彌在二十歲成年時根據修行的成果由十位大德長老爲其授“具足戒”，晉級成爲比丘，這時才算正式入了佛門；第三步就是軌范師，由修行五年通曉戒律的比丘晉級而成。此時也意味著可以脫離自己沙彌時期的老師獨自修行了；第四步是親教師，即修行五年的軌范師可晉級至此；第五步是上座，就是修行十年的親教師可晉級的了；第六步是耆宿長老，由修行三十年的上座晉級而成。

小乘佛教就認爲沙彌和比丘都可以食肉，當然肉也僅僅是“三淨肉”——眼不見殺（沒有看見動物被殺）、耳不聞殺（沒有聽見它們死時的慘叫）、不爲我而殺（不是因爲我而被殺的，比如說自死的。而別人殺雞宰羊爲了招待你就不行了）。可食用“三淨肉”的原因有多種說法：病人可食，即有病的僧侶需要營養；權宜之計，即佛門初信者過度到素食的折中之法，或者是環境不容許的緣故，比如說比丘托缽乞食時沒有素食施捨；還有一種解釋，認爲“三淨肉”不是肉，只是釋迦牟尼法力所幻化的。

那爲什麼現在中國的出家人都主張素食呢？一方面是因爲梁武帝時期，他讀《楞伽經》後，被佛菩薩不忍吃衆生肉的慈悲所感動，就自己斷除肉食，佛門中人自然大加稱讚和回應；另一方面，中國漢地歷史上流行的佛教宗派主要是大乘佛教教派，而大乘佛經，諸如《楞伽》、《楞嚴》、《梵網》、《涅槃》等經都要求素食。外國佛家信徒則不一定素食，原因也在於此。

168

慈悲心腸的佛家人怎麼會“天上天下，唯我獨尊”呢？

釋迦牟尼自其母摩耶夫人之右脅下出生墜地後，獨行七步，遍觀四方，舉手言：“天上天下，唯我獨尊。”

我們先來看一下釋迦牟尼出生時印度的民情風俗。當時，印度九十六種外道都說自己是大聖人、天人師，自己所說的法門最尊。釋迦牟尼當然不樂意了，你們明明是外道，還敢這麼吆喝？於是，釋迦牟尼剛出生就表現得強勢剛毅，爲的就是絕邪歸正、救度三界衆生至涅槃彼岸。

當然，這裏的“我”，不解爲生死輪迴中的“妄我”，而是指無所不在、徹底自在的“大我”、“眞我”，亦即《涅槃經》所說的“常樂我淨”之“我”。這個“我”同“佛性”、“眞常”的意義是近似的。也就是說，“唯我獨尊”實際上是在說“唯佛獨尊”。

後世套用佛典中“唯我獨尊”一語，轉而形容一個人自尊自大，含有責其驕妄之意；有時也用以推崇某人於某方面之成就無人能及，而加以贊許。

169

“命根”是什麼？

《俱舍論》曰：“命根者何？頌曰：命根體即壽，能持暖及識。論曰：命體即壽。故對法言，云何命根？謂三界壽。此復未了，何法名壽？謂有別法能持暖識說名爲壽。故世尊言：壽暖及與識，三法捨身時，所捨身僵僕，如木無思覺。故有別法，能持暖識，相續住因說名爲壽。若爾，此壽何法能持？即暖及識還持此壽。”

“命根”最早是佛教辭彙，分爲兩個字——“命”和“根”。這兩個字說的是一個東西，只不過側重點不同：“命”即“壽命”，“根”即“根本”。具體說來，佛家認爲，人活一世無非有三個要素：壽、暖、識。其中“壽”指的是“壽命”，即“命”。又因爲“壽”能維持“暖”（體溫）與“識”（認識）的存在，又稱爲“根”。所以，“命根”說的是人的壽命很重要，是“根”。

只不過這“根”在佛家看來有些虛妄。爲什麼呢？簡單地說，人的“命”是過去世的業力所生的，即因緣聚合的產物，絕不實在。佛經中有一句很有名的話：“無我相、無人相、無衆生相、無壽者相”，說的就是“命”不實在。既然作爲體的“命”都是虛妄的了，那麼作爲它的功用的“根”自然也是要看破的，因爲“根”的存在只是爲方便故所設立的假名，是俗諦的假有。

後來的俗語中則稱極其重視的人或物爲命根子。

170

什麼是“羊鹿牛車”？

“羊鹿牛車”出自《法華經》：“如彼諸子，爲求羊車（鹿車、牛車），出於火宅。”

以前我們說過大乘與小乘之別，其中一點就是修習小乘所度之人有限；大乘卻是大開方便之門，衆生皆可得度。

“乘”的意思就是運輸車，大乘、小乘之大小說的是運輸車的載人量不同。具體說來，小乘又包括聲聞乘（直接聽聞佛陀教說，思惟修證“苦、集、滅、道”四聖諦而覺悟）、緣覺乘（沒有聽聞佛陀教說，獨自觀察十二因緣等法理而覺悟），聲聞乘和緣覺乘又可合稱爲“二乘”；大乘指的就是菩薩乘（修六度之行，圓滿二利，而到佛果），三者又合稱“三乘”。如果再細緻一點的話，聲聞乘、緣覺乘和菩薩乘分別可稱爲小乘、中乘、大乘。

之所以區分小、中、大，最主要的原因就是三者運載衆生超脫三界（欲界、色界、無色界）到達彼岸的能力不同。用形象一點的比喻來說明這種不同的話就是羊車、鹿車、牛車。三者相較，羊車走時不回顧後群，喻聲聞之人只顧自度，不管他人；鹿車走時倒是能回顧後群，即喻指緣覺之人稍稍有了度他之心；牛車行走時能任勞任怨，安耐一切勞苦，喻指菩薩之人不求自出，但求與衆生同得超脫。

此外，佛家類似的比喻還有蘆葦草席過江、獨木船過江、大船過江等。

171

何謂佛家的“家賊”？

《雜阿含經》曰：“內有六賊，隨逐伺汝，得便當殺，汝當防護……內六賊者，譬六愛欲。”

《涅槃經》曰：“六大賊者，即外六塵。菩薩摩訶薩觀此六塵如六大賊。何以故？能劫一切諸善法故。”

佛家有“六根不淨”、“六塵”等說法，意思就是“眼、耳、鼻、舌、身、意”這六根接觸到外境的“六塵”（色、聲、香、味、觸、法）才能形成認識。

“家賊”說的是“六根”（即“內六賊”）。因爲與人身密不可分，所以可以稱爲“家”或者“內”；又因爲“六根”常難清淨，所以又可稱爲“賊”，即蒙蔽、竊取人的自心自性，使人陷於“六塵”（外六賊）而不能超脫。

172

爲什麼做一天和尚就要撞一天鐘？

“做一天和尚撞一天鐘”現在是用來形容人的消極怠工。實際上，它本來的意思是完全相反的，即做一天的和尚，就要兢兢業業地撞好一天的鐘。

我們首先要明白寺院裏敲鐘的制度：凡是遇到法會、集衆、三餐、寢睡和僧人寂滅等，都要敲鐘號令、報時以及警覺；而且不同場合敲的鐘還是不一樣的，有大鐘、堂鐘和殿鐘之分。敲鐘的時候還需要一定的技巧，雖說不至於要敲得像演奏樂器那般嚴格，但最起碼不能亂敲一氣吧。如果像《西遊記》裏孫悟空那般玩笑似的敲，是會惹得衆怨沸騰的。

北京覺生寺永樂大鐘

《敕修百丈清規・法器章》說：“大鐘，叢林召令資始也。曉擊則破長夜，警睡眠；暮擊則覺昏衢，疏冥昧。”可見撞鐘的重要作用是警覺僧衆，消除昏惰，精進修持。也就是說，寺院裏的鐘聲是將物理的聲響儀式化，最後達到敲進人心裏去的效果：讓僧衆警覺自己的懈怠之行，從而精進佛法的修行。這也是“晨鐘暮鼓”的功用。

173

何謂“金剛不壞之身”？

《寶積經》曰：“如來身者，即是金剛之身，不壞之身，堅固之身。”

《理趣釋》曰：“常以大慈甲冑而自莊嚴，獲得如金剛不壞法身。”

何謂“金剛不壞之身”？是外家功夫練得一身“銅皮鐵骨”？或者是內外功兼修臻至化境？

雖然金庸小說中經常說武功已臻化境的某某和尚或高人是金剛不壞之身，但在佛家看來，金剛不壞之身固然堅固不滅如金剛，但也只有佛身（諸佛菩薩的法身）當得起如此之稱謂。也就是說，金剛不壞之身說的是佛法精進圓滿、證得佛果的人。

174

“老婆禪”是什麼意思？

除卻“當頭棒喝”、“呵佛罵祖”之類的典故，佛教還有另外一種說教方式，即苦口婆心的“老婆禪”！

“老婆”二字說的是講法的人親切叮嚀，猶如老婆婆一般。這種講法有其好處，斷然用不上棒喝這類手段。臨濟喝、德山棒也都是用在人苦悟佛法而不得其門的關節點上。而對於水準還達不到“苦悟”地步的僧眾，棒喝自然不能用，即便用了也起不了效果。

但對僧眾說法時一味用“老婆禪”就難免失之於囉嗦和麻煩，沒有當機立斷之感。《臨濟錄》說：“普化以手指曰：河陽新婦子，木塔老婆禪，臨濟小廝兒，卻具一隻眼”，就是嘲諷“老婆禪”在傳法過程中的勞而無功。因爲在臨濟這類“當機立斷”、“單刀直入”、“單槍匹馬”的禪師看來，“拖泥帶水”（糾纏文字）、“指東話西”般的說教和過分關切，是有礙於求法者自己開悟的。因爲修行最終的那一步終究是要“以心傳心”、“不立文字”的，也就是講究慧根的。要不然佛祖怎麼會拈花微笑而不講法？

175

“諦聽”指什麼？

地藏王菩薩經案下伏的一個神獸名叫“諦聽”。此獸之所以“神”，有三點原因：一是長相別致：虎頭、犀角、犬耳、龍身、獅尾、麒麟足；二是本領了得：“若伏在地下，一霎時，便可將四大部洲山川社稷、洞天福地之間，羸蟲、鱗蟲、毛蟲、羽蟲、昆蟲，天仙、地仙、神仙、人仙、鬼仙，顧鑒善惡，察聽賢愚”，照妖鏡都分不出來的眞假兩個美猴王到了它這裏就搞定了；三是智商不低，大局意識強：雖然分出來了眞假美猴王，但是顧忌到地府沒人扛得住兩猴王打鬧的後果，就裝傻說自己沒分出來。

佛在講經時也經常用“諦聽”二字，但不是指地藏王菩薩的坐騎。其實，佛講經時經常說的“諦聽諦聽，善思維之”、“汝應諦聽，今當示汝”（《楞嚴經》卷二），意思就是“好好聽，好好記，下課了好好想想”。

176

和尚的“迴光返照”是什麼意思？

“迴光返照”最初的意思並不是要死的徵兆。相反，它描述的是自明心性後智慧朗照的景象。其中“光”指智光或心光，“返照”即契如理之心。禪宗語錄中多見此語。如：《鎮州臨濟慧照禪師語錄》：“你言下便自迴光返照，更不別求，知身心與祖佛不別，當下無事，方名得法……據我見處，實無許多般道理，要用便用，不用便休。”《宗鏡錄》：“若舍己徇塵，是名違背。能迴光返照，隨順眞如，境智冥合，是眞供養。”

177

“彈指一揮間”是多長時間？

毛澤東曾經有詩云：“三十八年過去，彈指一揮間。”“彈指”表示極短的時間。短到什麼程度呢？7.2秒！也就是說38年就像這7.2秒一樣迅速。

“彈指”一詞來源於佛教，“彈指”就是撚彈手指作聲的動作。這原本是印度的一種風俗，用以表示歡喜、讚歎、警告、許諾、覺悟、招喚、敬禮、祝咒等。

《法華經・如來神力品》：“釋迦牟尼佛及寶樹下諸佛現神力時，滿百千歲，然後還攝舌相。一時謦欬，俱共彈指。”智顗注：“彈指者，隨喜也。”“隨喜”的意思就是“若見、若聞、若覺、若知他所作福，皆隨而歡喜”，即上面所說的彈指義。

178

“一剎那”是多長時間？

如果“彈指”的時間還有點長，那還有更短的。《僧祇律》曰：“一剎那者爲一念，二十念爲一瞬，二十瞬爲一彈指，二十彈指爲一羅預，二十羅預爲一須臾，一日一夜有三十須臾。”

換算一下，“一彈指”爲7.2秒，則“一瞬”爲0.36秒，“一剎那”爲0.018秒。

《牡丹亭》中有一句“霎那間，碎綠摧紅”，“霎那間”就只是0.018秒這麼迅速，難怪杜麗娘要感慨春華飛逝。

179

“我不入地獄誰入地獄”是什麼精神？

這是大慈大悲的犧牲精神，也是“灰頭土面”的精神。

這不是在調侃，而且即便是，也是佛家調侃自家人的。

《碧岩錄》四十三則之頌評曰：“曹洞下有出世不出世，有垂手不垂手。若不出世，則目視雲霄。若出世，便灰頭土面。目視雲霄，即是萬仞峰頭。灰頭土面，即是垂手邊事。有時萬仞峰頭即是灰頭土面。”

在佛家看來，“灰頭土面”就是大犧牲精神！紅塵滾滾，自然比不得佛門清淨，可那些大修行者悟道後仍要在衆生的污穢中講傳佛法，因此才會弄得自己“灰頭土面”。比如地藏王菩薩放著佛陀不幹，就當菩薩了。

180

沐浴和抖擻是什麼意思？

“沐浴”就是“淖發洗身”，而屈原《漁父》中更有“新沐者必彈冠，新浴者必振衣，安能以身之察祭，受物之汶汶者？”那什麼是“彈冠”、“振衣”呢？就是擦一下帽子，抖擻一下衣服。爲什麼這麼做呢？就是爲了不受物之汶汶。這樣看來“沐浴”不但有淨身意，還有淨心意。正是因此，沐浴才能和齋戒放在一起。

《法苑珠林》卷一〇一：“西雲頭陀，此雲抖擻，能行此法，即能抖擻煩惱，去離貪著，如衣抖擻，能去灰塵。”

可“抖擻”是什麼意思？抖擻也是由此譬喻得名的，喻意爲淨心。“抖擻精神”就是收拾一下心情，重新來過。“我勸天公重抖擻，不拘一格降人才”，即是用此意。

181

佛家也是見風使舵、隨機應變的人嗎？

上面已經說到，“菩提”是一種當下（即隨機變化）卻又實在不滅的智慧。既然是當下的，就要緊跟時機。這也是爲什麼有那麼多禪機、棒喝、頓悟之事的發生，歸根到底就是在打破時間的日常綿延，讓人當下開悟。

《五燈會元》中就提到：“看風使帆，正是隨波逐浪。截斷衆流，未免依前滲漏。”所以，“見風轉舵”、“看風使帆”、“隨機應變”在佛家是極自然之事，不然怎麼讓那看似隨機和飄渺的菩提智慧凝聚下來，讓人悟到呢？

但後來“見風使舵”多被用作貶義，指沒有原則，意思完全變了。

182

什麼是修行人的“味同嚼蠟”？

說某文章“味同嚼蠟”是指這文章寡淡無味，沒有生趣。

出家人“味同嚼蠟”是說修行高深時，塵緣已斷，再回首紅塵往事，覺得往事“味同嚼蠟”。《楞嚴經》卷八：“我無欲心，應汝行事。於橫陳時，味同嚼蠟。”

183

“實際”是指什麼？

“實際”來源於佛教，意思是“眞實到極點”。它也是“眞如法性”的別名。

《大乘義章》卷一：“實際者，理體不虛，目之爲實；實之畔齊，故稱爲際。”

《大智度論》卷三十二：“實際者，以法性爲實，證故爲際。如阿羅漢，名爲住於實際……善入法性，是爲實際……實際即涅槃。”

在佛家看來什麼是“眞實到了極點”？無論是使人墮落的世俗世界的聲色情欲，還是對聲色情欲進行抵抗的種種努力，無論是有還是無，無論是眞還是妄，其實都只是引起固執的分別，都是無常因果鏈條中終究生滅的暫現，都沒有永恆的超越性。

佛性、法界中的緣起性空、涅槃之義倒是眞實無虛的。拿其中的佛性來說：“佛”不是經驗世界中可以確立的，他非法非非法、非色非非色、非有非無、非如來非不如來；“佛性”也不是現象界中可以存在的，他不在三界中，超出時空外，即是超越現象世界的永恆性和絕對性。但這種超越又並非一種獨立的現象，而是一種隱藏在背後的眞實。

184

“現身說法”是怎麼回事？

“現身說法”就是“拿自己的親身經歷說事兒”嗎？事實上，“現身說法”原本的意思是“顯身說法”，而且顯的還是化身！《楞嚴經》曰：“我於彼前，皆現其身，而爲說法，令其成就。”這樣一來，就不是什麼人都可以“現身說法”的，甚至高僧也不行，因爲化身只有佛和菩薩才有。

到了現在，“現身說法”被用濫了，實際上只是“獻身說法”。

185

得道高僧還在不在因果報應之中？

高僧已得道，早超脫了吧？還報應什麼？

先來聽禪宗的一個故事：

百丈禪師每日上堂，常有一老人聽法並隨衆散去。有一日他卻站著不去，師乃問：“立者何人？”老人云：“我於五百年前曾住此山，有學人問：大修行人還落因果否？我說不落因果。結果墮在野狐身。今請和尚代一轉語。”

師云：“汝但問。”

老人便問：“大修行人還落因果否？”

師云：“不昧因果。”

老人於言下大悟，告辭師云：“我已免脫野狐身，住在山後，乞師依亡僧禮燒送。”

次日百丈禪師令衆僧到後山找亡僧，衆人不解，師帶衆人在山後大磐石上找到一隻已死的黑毛大狐狸，齋後按送亡僧禮火化。

所以修行是證因果，而非脫因果。一般說來，佛教宣揚因果報應，即人應當行善，然後由“善”因結出“善”果。但是放在般若思想的關照下，有因有果的邏輯難免會陷入生生流轉的無常，它不可能是眞正的永恆，連所謂的污染與清靜、世俗與神聖、墮落與超越、此岸與彼岸，都是一種不絕對的分別。只要人有這種區分，就還是一種執著，而“第一義空”的佛性境界中，是沒有分別與差異的。

話說到這裏，在形式邏輯上似乎是矛盾的，即佛家講因果，又必須破因果。但在佛理上，這恰是一種“中道”和“般若”的體現。

後來，“野狐禪”也就意指修行入了旁門，進了左道。

186

佛家的“翻案”是什麼？

慧能的“仁者心動”以及“本來無一物，何處惹塵埃”是禪宗公案，也是“翻案”的典範。

“見山只是山，見水只是水”是案；“見山不是山，見水不是水”是“翻案”；“見山仍是山，見水仍是水”更是“翻案”。

“翻案”就是對一種固執的“破”，當然你也可以叫做“空”。錢鍾書《談藝錄》有言：“禪宗破壁斬關，宜其善翻案。”

常人“風動幡動”，慧能以“心動”反之！神秀“時時勤拂拭，勿使惹塵埃”，慧能以“本來無一物，何處惹塵埃”反之！翻案至極處，自然成“反案”，進而可以使“反按”，即不拘於一切的按語成法。

在儒家來說，“翻案”就是不住地反身而成。

據《壇經·機緣品》記載，臥輪禪師有一首偈子：“臥輪有伎倆，能斷百思想；對境心不起，菩提日日長。”六祖慧能舉重若輕，回敬一偈：“慧能沒伎倆，不斷百思想；對境心數起，菩提作麼長。”這首“翻案”偈作得精彩，“翻”出了南宗頓教的“本來面目”。

187

“五體投地”是什麼意思？

五體投地不單單是指佩服的意思，更多的是指一種禮拜。

五體投地要求：正立合十，屈膝屈肘至地，翻掌，頂禮。也就是說，雙膝、雙肘和額頭都要碰地。

佛教禮拜

唐玄奘《大唐西域記・三國》曰：“致敬之式，其儀九等：一、發言慰問；二、俯首示敬；三、舉手高揖；四、合掌平拱；五、屈膝；六、長跪；七、手膝踞地；八、五輪俱屈；九、五體投地。”

188

“洗心”和“革面”是什麼意思？

“洗心”說的是洗滌心胸，去除惡念或雜念。《易經・繫辭上》：“聖人以此洗心，退藏於密（聖人以‘此’來滌除內心雜念，排除外來物念的影響，最終與萬物、百姓無違而有爲）。”其中的“此”是指明白《易》中諸卦之神、諸卦之德，即“蓍（占卜用的蓍草）之德圓（蓍草莖杆是圓的，象徵運轉不定）而神（神妙莫測），卦之德方（德行方正不欺）以知，爻之義易（易數）以貢（顯現）”。

後來宋明理學多用此語，易數大家邵雍就說：“無思無爲者，神妙致一之地也。聖人以此洗心，退藏於密。”（《皇極經世》）

“革面”有兩種意思：一是改變臉色或態度，指逢迎媚上，比如《周易·革》：“君子豹變，小人革面。”說的是君子處於“革”卦會如幼豹長大褪毛後變得疏朗煥散，文采蔚然，小人處之則變其顏面容色以順上；二是徹底地悔改，比如《抱樸子·用刑》：“洗心而革面者，必若清波之滌輕塵。”

189

佛家的“道具”有哪些？

電影和話劇中都少不了道具，佛家也有道具。佛家的道具是用來幫助人“資身進道”、“增長善法”的器物。具體都有哪些器物呢？

清代翠雕佛珠

《敕修百丈清規》所列道具有：三衣（正裝衣、入衆衣、內衣）、坐具、便衫、裙、直綴、缽、錫杖、拄杖、拂子、數珠、淨瓶、濾水囊、戒刀。

道具和法器的概念是有區別的。道具一般是指僧人個人日常所用之物，而法器，又稱佛器、佛具，是指在法事活動中所用之物，即指鐘、板、木魚、椎、磬、鐃鈸、鼓等物。

190

三藏法師是指什麼人？

“三藏”分別是指經藏（講的是定學）、律藏（講的是戒學）、論藏（講的是慧學）。經藏，即佛所說之經典，它們上契諸佛之理，下契衆生之機；律藏，即佛所制定之律儀，能治衆生之惡，調伏衆生之心性；論藏，亦稱法藏，對佛典經義加以論議，化精簡爲詳明，以決擇諸法性相。

佛教的經、律、論在古代是分得很清楚的，只通經藏的叫做經師，只通律藏的叫做律師，只通論藏的叫做論師，只有三藏都通達，才能稱爲“三藏法師”。

三藏的數量是如此巨大，內容又如此繁複，全部精通談何容易？中國古代的三藏法師數量並不是很多，著名的有南北朝時的鳩摩羅什，唐代的玄奘、義淨等。其中玄奘的知名度最大，以至於一說到“唐僧”或“三藏法師”，人們第一個想到的就是他。

191

佛門僧人的“單位”怎麼塡？

對外人來說，僧人們可以塡什麼什麼寺院，比如說河南嵩山少林寺。

在佛門，每個僧人也都有著自己的固定“單位”，而且即便是同在一個寺廟裏的不同僧人都有著自己不同的“單位”。怎麼回事呢？在寺院裏，僧人的“單位”就好比我們在學校的課桌座位。因爲禪堂上地方很大，寺院僧人又多，就給每個人分配了一個固定坐席用來坐禪，並貼上僧人的名號，對號入座。

192

佛像是如何產生的？

犍陀羅式佛像

佛教產生於西元前6世紀到西元前5世紀的古代印度，其創始人爲佛陀釋迦牟尼。佛陀本爲迦毗羅衛國的太子，後因苦行覺悟，創造了佛教思想。釋迦牟尼在八十歲時涅槃，弟子們將其焚化後所得的舍利分往八處立覆缽形塔供奉，這種覆缽形塔被稱作“窣堵波”（一種早期的塔）。

隨後孔雀王朝的阿育王大興佛教，建造八萬四千塔以供奉佛陀舍利。在這些早期的塔上出現了大量的佛教題材雕刻。但此時佛教尚處於不立像崇拜時期，雕刻中的佛陀通常用菩提樹、手印、佛輪、傘蓋來代替。例如由阿育王下令修建桑奇大塔上表現佛陀頓悟的畫面中，佛陀並沒有出現，而是在菩提樹下放有一張空座，藉以代表佛陀在菩提樹下得道。

西元前327年希臘亞歷山大大帝佔領了中亞阿姆河流域後，曾一度攻打到印度河流域。隨後亞歷山大帝國崩潰，塞琉古將軍繼承了亞歷山大帝國亞洲部分的領土，並把希臘文化帶到此地。從此中亞到印度西北部進入了希臘化時代。希臘人善於雕塑，並且爲各種神明塑像，如：宙斯、雅典娜、波塞冬等，在今日看來都是歎爲觀止的藝術品。在希臘化時代中，以犍陀羅（今巴基斯坦白沙瓦）爲中心的印度西北部地區開始出現以希臘手法塑造的佛陀形象。佛陀的頭髮是希臘人的波浪式捲髮，而不是印度式的螺發；面部也表現出希臘人的特徵；佛陀身上所穿的也是厚重的希臘式羊毛質地披肩。雖然犍陀羅佛像帶有明顯的希臘特徵，但是它的出現標誌著佛像的誕生，並對印度本土、中亞以及東亞地區的佛教造像產生了深遠影響。

193

佛教造像是何時傳入中國內地的？

隨著佛教在印度、中亞等地的傳播，佛教造像藝術也在各處流行開來。在中亞和我國新疆地區伊斯蘭教傳入以前，佛教曾是這裏的最主要信仰之一。在許多已經消逝的綠洲國家的遺址中，都發現有大量的佛教寺院遺跡並出土了一批帶有西域人種特徵的佛教造像。可以看出佛教藝術在當地的本土化。

黑釉樓閣佛像陶魂瓶

佛教造像傳入我國中原地區應是漢代張騫通西域以後的事情。史書中記載有漢武帝打敗匈奴，獲得祭天金人一事。《史記・匈奴列傳》：“其明年春，漢使驃騎將軍去病將萬騎出隴西，過焉支山千餘裏，擊匈奴，得胡首虜萬八千餘級，破得休屠王祭天金人。”後代學者多認爲這個金人就是一尊佛像。在敦煌莫高窟第323窟中就有漢武帝甘泉宮禮拜休屠金人的壁畫，作爲宣傳佛教史跡之用。

佛教造像在我國的廣泛傳播可以追溯到東漢後期，但此時的一般民衆並不太理解佛教的教義，甚至將佛看作是神仙世界中的一員。從東漢開始出現的魂瓶、搖錢樹等文物上往往塑造著許多神怪形象，犍陀羅式的佛陀形象竟也夾雜其中。

到東晉十六國時期，在河西走廊建立的諸涼政權紛紛興造石窟寺，並塑造出帶有一定西域風格的佛像。敦煌莫高窟、永靖炳靈寺石窟、天水麥積山石窟都開創於這一時期。

直到南北朝時期，特別是北魏政權在洛陽開鑿龍門石窟時，中原的佛教造像最終形成了自己獨立的風格，實現了在中國的本土化。

194

菩薩原本就是女性嗎？

中唐時期的菩薩像

今日我們見到的菩薩像幾乎全部是柔眉善目、面容慈祥的女性形象。但是在很多佛教經典中菩薩多被記錄爲男性出身。例如：文殊菩薩是舍衛國婆羅門大長者之子，因爲其德智高深，又被尊稱爲“文殊利師法王子”。又如觀世音菩薩曾被描寫爲“勇猛丈夫”，在印度時，觀世音爲身材魁梧的男性形象。其實菩薩是佛教中“以智上求無上菩提，以悲下化衆生，修諸波羅蜜行，於未來成就佛果之修行者”。釋迦牟尼在成佛之前也以菩薩爲號。

在我國北朝前期出現的菩薩像多爲體態魁梧、面容剛毅的男性形象。到北魏中期時，佛教造像轉變爲“秀骨清像”的風格，菩薩像表現得身體修長、面目清秀，往往臉部還略帶微笑，給人一種恬靜溫柔的感覺。進入唐代，特別是盛唐時，菩薩像越來越富於女性氣質，不論是壁畫還是雕塑，菩薩的身姿呈現“S”形的一波三折，而且皮膚白皙，細眉柔目，再加上身上所戴瓔珞、臂釧等裝飾品，已與女性形象無二。但人們為了不違背佛經中菩薩為男性的記載，還要特意在菩薩臉上畫上兩撇小鬍子。正如道宣所言："造像梵相，宋齊間皆唇厚、鼻隆、目長、頤豐，挺然丈夫之相。自唐以來，筆工皆端嚴柔弱似伎女之流，故今人誇宮娃如菩薩也。"

後來菩薩像甚至連鬍子也省去，直接變為了女性。還不斷出現一些偽經，用來述說菩薩的前身就是女性。

菩薩性別的轉變溯其根本，其實是人們希望在佛教中尋求心理安慰時，莊嚴的佛祖給人以畏懼之感，而女性化的菩薩更容易使人親近。

195

彌勒就是常見的大肚彌勒佛嗎？

我們今天去寺廟內參觀，常會在天王殿內見到一尊大肚彌勒的塑像。這幾乎成了明清以來佛教寺院的定式。大肚彌勒佛像常常塑造得坦胸露懷，大腹便便，滿面笑容，並且手中還持有布袋和念珠。

清代犀角雕彌勒佛

其實彌勒原本是佛教中的一位菩薩，佛經載其出生於印度的婆羅門家庭，後追隨佛陀，成為了釋迦的弟子。但彌勒先釋迦而死，並往生兜率天，以菩薩身為天人說法。釋迦牟尼曾預言，未來彌勒將再次下生人間，並在龍華樹下得道成佛。因此彌勒又有未來佛的身份。在宋代以前的佛教造像中，彌勒有菩薩像和佛像兩種，但均與我們看到的大肚彌勒像相去甚遠。

我們今天常見的彌勒形象起源於宋代。相傳五代時期，浙江奉化一帶出現了一位居無定所、體型矮胖、衣著不整的和尚契此，手中常用竹竿擔著一個布袋，並把化緣後吃剩的食品放入袋中。這個和尚還能言吉凶禍福、預知風雨，並有種種神異的行爲。一天契此坐在奉化岳林寺的一塊岩石上說道：“彌勒眞彌勒，分身千百億；時時示時人，時人自不識。”說完安然入寂。此後，又有人在很多地方見到背負布袋的和尚，世人皆以爲是彌勒的化身，江浙等地也開始流行起大肚布袋和尚的畫像。到後來，這種布袋和尚像逐漸取代了原來彌勒作爲菩薩和佛的樣子，成爲了今日家喻戶曉的“大肚彌勒佛”。

196

借花獻佛的是誰？

借花獻佛的不是別人，正是釋迦牟尼佛的前身，那時他叫“善惠”。

話說善惠是一個虔誠且頗具神通的信徒。有一天，他雲遊到蓮花城時，聽說燃燈古佛要來講經說法。虔誠的善惠自然是要去聆聽的，當時奉養佛的鮮花都被國王預定一空，但總不能空手去吧？於是善惠滿城找花，後來他找到了花，但是也答應了一個很令人驚奇的承諾。

也許是緣分，在一個水井旁邊，善惠找到了一株七莖蓮花，可這花已經有主了，主人是一個穿青衣的漂亮女子。青衣女子見年輕的善惠求花心切、虔誠供佛，便答應了善惠借花的請求，但也提出了自己的兩個請求：一是只借給善惠五莖蓮花，剩下的兩莖蓮花還是自己的，因爲女兒身不方便擠進人群之中向燃燈古佛奉上鮮花，故托善惠轉交自己的兩莖蓮花給燃燈古佛；二是要善惠答應“未得聖道以前，生生世世結爲夫妻”。善惠答應了她的過分要求。後來見到燃燈古佛的善惠被古佛授記了，“謂其於無量劫後，必可成佛，號爲釋迦牟尼”，而那名青衣女子就是悉達多太子成佛前的妻子耶輸陀羅之前身。

197

達摩爲什麼要面壁九年？

嵩山少林寺有一處景觀是“達摩面壁洞”，據說當年達摩曾在這裏面壁九年。《五燈會元》記載：“達摩寓止嵩山少林寺，面壁而坐，終日默然，人無測之，謂之壁觀婆羅門。”九年間，達摩一言不發，乃至出洞時竟在對面的石頭上留下了一個自己面壁時的形象，衣裳褶紋，隱約可見，宛如一幅淡色的水墨書像。人們把這塊石頭稱爲“達摩面壁影石”。

達摩面壁（宋旭 繪）

達摩面壁是爲了思過嗎？準確地說，達摩的“面壁”是“坐禪”，是“禪定”，即想通過這樣的方式令己心專注於某一對象，而進入不散亂之狀態。面壁可以是思過，但更多的是觀想和凝煉智慧，用達摩的話說就是“外止諸緣，內心無喘；心如牆壁，可以入道”。

“面壁”成爲一種用來“思過”的懲戒形式則是後來人的發明了。

198

慧能爲什麼說“菩提本無樹”？

六祖慧能有一首很有名的偈子：“菩提本無樹，明鏡亦非台。本來無一物，何處惹塵埃？”

慧能肉身像

“菩提”說的是斷絕世間煩惱，擺脫輪迴，成就涅槃正果的智慧。這種智慧其實就是一種覺悟，是佛、緣覺、聲聞修各自果報時得到的。爲什麼說各自呢？因爲得到的覺悟——即菩提是不同的。簡單地說，佛是靠自身的修行覺悟一切的，故稱得上諸佛菩提、阿耨多羅三藐三菩提（無上菩提）；緣覺是自己從思維中得到的覺悟，故稱爲獨覺菩提（已經比佛低了，只能自覺而不能覺他）、辟支佛菩提；聲聞就是最次一等了，因爲僅僅是靠聽聞證得的覺悟，故不再稱有“佛”的字眼，僅僅是聲聞菩提。此外，還有依佛的三身（化身、報身、法身）劃分的“三菩提”——化佛菩提（又稱方便菩提，以自在之善巧化用爲道）、報佛菩提（又作實智菩提、清淨菩提，以稱理之智慧爲道）、法佛菩提（又作眞性菩提、實相菩提、無上菩提，以實相之理爲道）。

既然“菩提”是佛家的一種智慧，說“菩提樹”就是在說“智慧樹”了。爲什麼有這種樹呢？因爲釋迦牟尼是在這樣一棵樹下證得圓滿智慧、得以超脫的，爲了紀念佛陀這段大智慧的超脫，才把樹命名爲“菩提樹”。

先有“菩提”，後有“菩提樹”，所以可以說“菩提本無樹”。

但顯然，不識字的慧能不會用史實考據來駁神秀“身如菩提樹”的偈子，他說的可能是指“菩提”作爲大智慧是極爲當下的卻又實在不滅，怎麼能被變滅無常的肉身來固定和作比呢？

199

神通廣大的孫悟空都有什麼神通？

《西遊記》中孫悟空對戰如來佛祖時，誇耀自己的本領：一個筋斗十萬八千里，七十二變。後來他見如來指頭上有“孫悟空到此一遊”，就暗自嘀咕：“莫非他會什麼未卜先知之術？”

其實孫悟空最引以爲傲的筋斗雲和七十二變，在如來看來頂多就是一個半吊子的神足通。據《大智度論》卷五、卷二十八所載，神足通有三種：一爲隨心所欲地飛行任何地方；二爲隨意變化相狀；三爲隨意轉變外界對境。孫悟空就能做到前兩者。

佛家還有五項神通孫悟空都不會，這五項神通是天眼通、天耳通、他心通、宿命通，以及最厲害的漏盡通。“天眼通”能看透世間所有遠近、苦樂、粗細；“天耳通”能悉聞世間一切音聲；“他心通”能悉知他人心中所想各種善惡等事；“宿命通”能悉知自他過去世等各種生存狀態；“漏盡通”能斷盡煩惱，脫離迷界生死之悟力（只能爲佛陀修的）。

《西遊記》“眞假孫悟空”中六耳獼猴具“神足通”、“天眼通”“天耳通”、“他心通”，他的神通比孫悟空半吊子的“神足通”強多了。要不是如來佛精於六大神通，六耳獼猴能被孫悟空打死嗎？不但不會身死，還能把孫悟空搞得身敗名裂。

由此可見，“神通廣大”不是那麼簡單就能達到的！而且佛家也講“才德兼備”，在他們看來，神通必須用來“普度衆生”。否則，就是邪因，將受惡果。所以孫悟空被壓，六耳獼猴被滅。

200

儒、佛兩家的“求人不如求己”分別是什麼意思？

儒家的“求人不如求己”大家都很熟悉，說的是“君子求諸己，小人求諸人”，就是說君子無論是修身還是修心都一力自持，不把屬於自己的責任推給別人；小人卻恰好相反。其中"自己的責任"首先包括實現自己的"天命"，即實現"天命之謂性"，實現"天將降大任於斯人"；其次才是現在所謂的在行爲處事中嚴於律己，寬以待人。後者是前者的自然擴充。

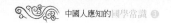

那麼佛家的"求人不如求己"呢？這和宋代詞人蘇東坡大有關係。

蘇東坡和好友佛印了無禪師一起遊玩時，見到一尊觀世音像。佛印禪師當然是立即上前合掌禮拜。此時蘇東坡卻突發奇想地問了一句："觀世音自然是受得起我們朝敬的，可爲什麼他的手裏也拿著一串念珠？難不成也要自念其號？"佛珠又稱"數珠"，是佛教僧衆誦經時用以計算誦經次數的串珠。也就是說，觀世音菩薩拿著佛珠，自然也要讀經和自頌其名號。但觀世音已經超脫，還念誦自己的名號幹什麼？蘇軾的這一問是隨興而起地打機鋒，故意爲難佛印。佛印則隨口答曰："求人不如求己。"什麼意思呢？就是念觀音，求觀音，不如自己做個觀世音。引申開去，觀世音拿著佛珠，也是在念茲在茲地提醒自己和衆生一定要成就自己的"天命"（用儒家的話來說）、認清"本心自性"，最終證得佛菩薩的果位。

201

"絕地天通"是指什麼？

傳說中的黃帝時代，民神雜糅，也就是說人和神兩者可以直接交流：神可以自由地上天下地，人也能夠通過天梯（昆侖山）往來於天地之間。這樣一來才會有黃帝和蚩尤大戰時各種神通的顯現，頗似《封神演義》中的各路神仙鬥法。後來黃帝取得了最終的勝利。

顓頊時，他重新整頓天地人神之間的秩序，令天、人不能相通。這樣一來神通不再普遍地顯於世間，只有掌管相應事宜的官員才可以溝通天地。具體說來就是，顓頊命令自己的孫子"重"（南正重）雙手托天，奮力上舉；令另外一個孫子"黎"（火正黎）兩手按地，盡力下壓。兩相作用，天地之間的距離越來越大，神和人不經"重"和"黎"的允許也不能私相往來。

顓頊“絕地天通”之後，解釋世界的話語權重新回歸到人間政權。私人與神之間神秘性的溝通以及溝通背後所蘊含的權力成爲過眼雲煙，再也不復存在。

202

“河圖”有哪些玄機？

《易經・繫辭上》有“河出圖，洛出書，聖人則之”，說的就是伏羲得河圖、大禹得洛書。即黃河中浮出龍馬，背負“河圖”獻給伏羲，伏羲依此演成八卦，成爲後來《周易》的來源；洛河中浮出神龜，背負“洛書”獻給大禹，大禹依此治水成功，後劃天下爲九州；又依此定九章大法，治理社會，流傳下來收入《尚書》中，名《洪範》。

河圖用十個黑白圓點表示陰陽（單數爲白點爲陽，雙數爲黑點爲陰）、五行、四象（四象之中，每象各統領七個星宿，共二十八宿），其圖爲四方形。如下：

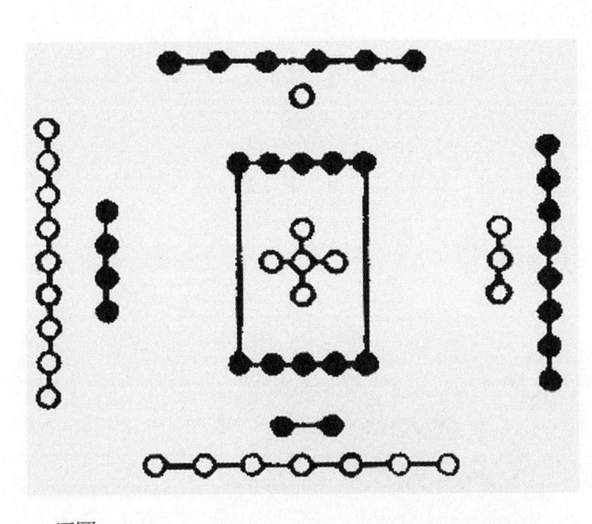

河圖

北方：一個白點在內，六個黑點在外，表示玄武星象，五行爲水，五臟爲腎。即我們通常所說的“天一生水，地六成之”，四季屬冬。

東方：三個白點在內，八個黑點在外，表示青龍星象，五行爲木，五臟爲肝，四季爲春。

南方：二個黑點在內，七個白點在外，表示朱雀星象，五行爲火，五臟爲心，四季屬夏。

西方：四個黑點在內，九個白點在外，表示白虎星象，五行爲金，五臟爲肺，四季屬秋。

中央：五個白點在內，十個黑點在外，表示時空奇點，五行爲土，五臟爲脾，土生萬物流於四季。

其中四象，按古人坐北朝南的方位爲正位就是：前朱雀，後玄武，左青龍，右白虎。古代的風水象形就來源於此。

6	1	8
7	5	3
2	9	4

河圖中共有1~10十個數字，其中1、3、5、7、9爲陽，2、4、6、8、10爲陰。陰陽相加總數爲55（其中“天數二十有五，地數三十”）。這就是“天地之數五十有五，此所以成變化而行鬼神也”（《繫辭上》）。天地之數減去小衍之數，即五行之數5，得到大衍之數50，即“大衍之數五十，其用四十有九”（《繫辭上》）。此外，有關河圖數位部分的玄機還有天干交合之數、六甲納音之數、二十八星宿、黃道十二宮等一系列說法。

按照坐北朝南、天道左旋的說法，就會有水生木、木生火、火生土、土生金、金生水的相生之理，“右旋”則爲逆死之道。若將河圖方形化爲圓形，木火爲陽，金水爲陰，陰土陽土各爲黑白魚眼，就是“太極圖”了。

203

“洛書”有哪些玄機？

洛書的結構是戴九履一，左三右七，二四爲肩，六八爲足，以五居中，五方白圈皆陽數，四隅黑點爲陰數。洛書和術數、九宮均有聯繫。

4 巽宮	9 離宮	2 坤宮
3 震宮	5 中宮	7 兌宮
8 艮宮	1 坎宮	6 乾宮

其中六八爲底，七三爲腰，二四爲肩，一九中穿，五爲中間，那麼術數的玄機就在於橫豎斜三種方向各自相加，和均爲15。除此之外，玄機還在於即便位數變化仍然可以成立。我們以左列的4、3、8與右列的2、7、6爲例加以說明。當我們把數遞變爲兩位數相加時，左右兩列數字之和依然相等，即43+38+84=27+76+62。從下向上遞變依然成立，即

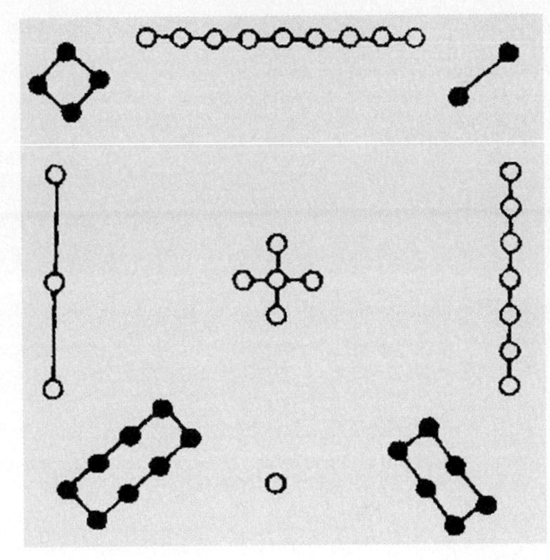
洛書

83+34+48=67+72+26。

遞變爲三位數依然相等，即438+384+843=276+762+627。從下向上遞數依然成立，即834+348+483=672+726+267。

再這樣遞變下去爲四位數、五位數、六位數……一百位數、一千位數依然成立。神奇之處還不在這裏，更爲神奇的是不管是一位數，還是兩位數、三位數的平方相加和依然可以左右相等。比如兩位數即$43^2+38^2+84^2=27^2+76^2+62^2$。

三位數、四位數的平方和依然可以成立……一百位數、一千位數也可以成立。

此外，河圖和洛書均關乎古人對天象的理解，這種理解滲透了他們關於宇宙的觀念。而在中國古代，天象和宇宙意爲價值的終極來源——天道。根據“人法地、地法天、天法道”的邏輯反推回去，就意味著對人事的構建，也就是說河圖洛書蘊含著人間秩序的合理性根據。這也是後來天人合一，乃至天人感應的理論來源。

204

天、地、人三者是什麼關係？

古代把天、地、人稱爲“三才”（又稱“三材”）。三者之間有什麼關係呢？答曰：“三才異務，相待而成。”

怎麼“異務”呢？《易經・說卦》：“立天之道曰陰與陽，立地之道曰柔與剛，立人之道曰仁與義。”怎麼“相待”呢？有兩個方面，一個是“人法地，地法天，天法道，道法自然”（《老子》）。儘管儒、道兩家的“人”有著不同的內涵，作爲“人”最終依據的“天”或者“道”也有所不同，但它們都認爲人有形而上學的依據——天或者道。另外一方面就是“能盡物之性，則可以贊天地之化育，可以贊天地之化育，則可以與天地參矣”（《中庸》），也就是說，人將自己的“人道”發揮至極處，便可補自然天地之不足，即“人能弘道，非道弘人”（《論語》）。這兩個方面合起來就是“天人合一”。

當然，這種“天人合一”理論到後來又有發展，比如說董仲舒的“天人感應”和宋明理學的“天人本無二，不必言合”，“天地人只一道也”，“在天為命，在人為性，論其所主為心，其實只是一個道”（《二程遺書》）。

人可以補天地之不足、可以“弘道”，那能不能勝天呢？其實人定勝天的觀念淵源很早，《逸周書・文傳》就有“兵強勝人，人強勝天”。後來荀子說“制天命而用之”，法家也有類似主張，無非都是在把人參贊天地化育的一方面推到極端。但即便是現在，人們還是偏向於認為人是脆弱和有限的，需要對天或道保持一種敬畏感。

205

儒家的“十六字心傳”說的是什麼？

儒家的“十六字心傳”是指《尚書・大禹謨》中的“人心惟危，道心惟微；惟精惟一，允執厥中”。

這“十六字”源於堯舜禹禪讓的故事。堯傳舜，舜傳禹都有考驗期、交接期。在交接時，上一任對下一任自然是要說些託付之言的。這莊重和神聖的託付之言就是“十六字”。後來這種諄諄之言更是成了取天下的一個法寶或者標誌，禹傳湯，湯傳文、武、周公，文、武、周公又傳給孔子，孔子傳孟軻。這時就出現問題了，禹傳湯，文、武、周公傳孔子，孔子傳孟軻這三種怎麼傳？因為他們相互之間壓根就沒見過面。這就用得上“心傳”了，即天降大任於斯人般的精神領悟與傳承。這種傳承一旦有了天命做保證，又怎麼不能隔時空地“以心傳心”呢？

“十六字心傳”重要或者高明之處何在，竟由眾聖千古相傳？其中“人心惟危”講的是人心不可靠，隨時面臨傾覆危險。人心“或在聲色，或在貨利，或在名高，一切勝心、妒心、慳心、吝心、人我心、是非心”，不一而足（李顒《二曲集》）。

在儒家看來，“人心”其實是和“道心”別無二致，並可以擴充至“道心”的，即“天命之謂性，率性之謂道”。之所以區分出人心、道心是在進行價值上的引導，即“心一也，未雜於人，謂之道心；雜於人僞，謂之人心。人心之得其正者即道心，道心失其正者即人心，初非有二心也”。

那麼惟危的人心怎麼去修行呢？在儒家是“如臨深淵，如履薄冰”，“一日三省吾身”。通過這樣的謹慎惶恐，最終達到從容中道，即“允執厥中”。

在儒家看來，從謹慎到從容，從“惟危”到“惟微”有一個變化，就是人心體道心。儒家的“神”（“大而化之之謂聖，聖而不可知之之謂神”），即“道心惟微”，微妙到“不可思議”。

“惟精惟一”按王陽明的說法是領悟微妙的道心需要精益求精、專一其心，即“博學、審問、愼思、明辨、篤行”。

中國人應知的

國學常識 3

The knowledge of Chinese

語言文學

206

“追”“逐”本義各是什麼？

“追”字甲骨文字形作“𠂤”，上邊的構件楷定為“𠂤”，“𠂤”是“師”的甲骨文字形，下邊的構件象腳形，整個字的構意象師在前而人追逐之。“追”字主要用於戰陣，被追者是軍隊，是人。“逐”字甲骨文字形作“[illegible]”，象豕在前而後有逐之者，也有作“[illegible]”（從兔）“[illegible]”（從鹿）的，還有的字形從犬，所以，“逐”字構意象禽獸在前而人逐之，本專用於狩獵。後來，二者混同，並組成合成詞“追逐”。

207

“宰”“相”本義各是什麼？

“宰”字甲骨文作“[illegible]”，從宀從辛，辛為宰割之器。古代先民以宗族為單位祭祀先祖，以牛羊豬等作為祭品，祭祀之後，要將用來祭祀的犧牲分給本宗族的成員，以此表示接受先祖的福佑。因此，整個字形構意象於屋下操辛以切割牛羊等祭祀品。誰來主刀切分祭祀品呢？當然是本宗族內有一定威望的人，是宗族內輔助族長處理政務的管理者，這就是宰。因此，國君之下輔助國君處理政務的最高官職被稱作“宰”。根據《說文》，“相”字本義是“省視”，做盲人的眼睛，輔助盲人走路的人也稱為“相”。戰國以後，國君之下輔助國君處理政務的最高官職被稱作“宰相”。關於宰相職責，西漢的丞相陳平有過總結：“宰相者，上佐天子，理陰陽，順四時，下遂萬物之宜，外鎮撫四夷諸侯，內親附百姓，使卿大夫各得任其職也。”

208

“疾”“病”本義各是什麼？

“疾”字甲骨文字形作“”，象一箭頭射向人腋下之形，會創病之義。中箭受傷，創病來得非常迅疾，因此“疾”又有迅疾、迅猛之義。“病”字甲骨文字形作“”，象疾病之人肢體拳攣臥於床上之形，表示人生病之義。從字形上看，“疾”側重於外傷，相對容易治癒，因此，也用來指較輕微的病；而“病”則專指重病。如扁鵲見蔡桓公時，開始說“君之‘疾’在腠理”“君之‘疾’在肌膚”“君之‘疾’在腸胃”，等到蔡桓公的病已經無法救治時，才說“君之‘病’在骨髓”，“疾”“病”兩詞的意義差別非常明顯。後來“疾”“病”組成雙音合成詞“疾病”，泛指一切的大病小病。

209

“饑”“餓”“饉”本義各是什麼？

現代漢字“饑”對應著兩個繁體字，一是饑餓的“飢”，一是“饑饉”的“饑”，漢字簡化時，“飢”“饑”合併簡化爲“饑”，爲了區別，我們分別稱它們爲“饑$_1$”“饑$_2$”。“饑$_1$”和“餓”都表示腹內缺食。但“饑$_1$””是一般的肚子空，程度輕；“餓”是長時間未能吃飯，甚至有死亡的危險，程度重。如《韓非子·飾邪》：“家有常業，雖飢不餓。”是說即使吃不飽，但也不至於餓死。《淮南子·說山訓》：“寧一月飢，無一旬餓。”因爲一個月吃不飽還能挺過去，一旬不吃飯，只怕性命難保。現代漢語中“饑餓”作爲雙音合成詞，詞義外延比較大，包括“饑”和“餓”的各種情況。“饑$_2$”和“饉”都是年成不好的意思，具體說來，五穀不熟叫作“饑$_2$”，蔬菜不熟叫做“饉”。現代漢語中“饑饉”作爲雙音合成詞，詞義外延比較大，與“饑荒”意義相近，包括“饑$_2$”和“饉”的各種情況。

210

“皮”“革”本義各是什麼？

《說文》將“皮”的本義說解爲“剝取獸革者謂之皮”，也就是沒有去掉毛的獸皮，相當於現代人們所說的裘皮或者說皮草；“革”的本義說解爲“獸皮治去其毛”，即現代人們所說的眞皮。到了現代，“皮”“革”的意義都發生了變化，“皮”的意義相當於古代漢語中的“革”，而“革”的意義一般專指人造革。

211

“叟”的本義是什麼？

“叟”字甲骨文作“”，取象於人在室內看守火種之形。在人類尚未學會人工取火時期，氏族內部要由一個經驗豐富的長者看守火種，因此，造字時用看守火種的意象表現義爲“長老”的語詞“叟”。從“叟”的甲骨文字形可以看出，“叟”的重要職責是看守火種。

212

“懷孕”的土語爲什麼又叫“懷身子”？

“身”字甲骨文作“”，從人而隆其腹，象人有身孕之形。“身”的最初意義就是身孕，後來引申指身體。因此，現在很多地方的土語把懷孕又叫做“懷身子”。

213

“棄”字形體與遠古棄子習俗

“棄”字甲骨文作“”，就象一幅棄子風俗圖，整個字形取象於雙手將簸箕中的小孩子丟棄之狀。據文獻記載，周始祖後稷、周幽王后褒姒、徐偃王、高句麗王朱明、齊頃公無野、楚令尹子文、吳王勳、宋芮司徒女、烏孫王昆莫、沙陀突厥先祖朱耶赤心等都有出生後被遺棄的經歷。後世對於後稷被棄的原因也多有探討，江藩認爲“謂姜嫄無人道生子，恐人之議己，以爲上帝所生，棄之以顯其神異，然後收養，以解衆惑”；劉盼遂在《天問校箋》中指出，因爲古代夫婦制度未定，“妻生首子時，則夫往往疑其挾他種而來，妒嫉實甚，故有殺首子之風”。這種現象發生於母系社會“只知其母不知其父”的群婚形式向父權社會過渡的人類社會大變革時代。

214

“孟”字形體與遠古食首子習俗

“孟”字商代金文作“”，爲一小孩在食器中之形，其中的小孩可不是在洗澡，而是要成爲別人的食物。這是遠古時期殺食首子風俗的反映。根據文獻記載，遠古時期確實有過殺食首子的現象。如《漢書・元後傳》有“羌胡尚殺首子，以蕩腸正世”；《墨子・魯問》有“楚之南有啖人之國者橋，其國之長子生則鮮（解）而食之，謂之宜弟”；《墨子・節葬》有“昔者越之東有輆沐之國者，其長子生，則解而食之，謂之宜弟”等。古人爲什麼要將所生第一個孩子殺死而且還要吃掉呢？這是因爲，我國古代有祭祀鬼神的習俗，先民爲了平安地保有、食用自己的收穫，並在來年繼續得到新的收穫，要將第一批收穫獻給鬼神，獻首子當然也是爲了以後能得到新的孩子，並使他們能夠安全地生長，也就是“宜弟”。而且人們認爲吃獻祭過的食物能夠得到賜福，所以祭祀後有“歸胙”“歸福”之事，即將那獻祭過的酒肉送給有關的人吃。所以，古人不僅要殺首子，還要食首子。“孟”字本義是“長也”，也就是“首子”的意思，造字時就採用這種殺食首子的習俗表現其意義。

215

古人如何“坐”？

我們從電視劇或電影中經常看到日本人和韓國人的坐姿：雙膝著地，將臀部靠在雙腳的後跟上。這種坐姿正是中國古代人的坐姿，這可由甲骨文字形得到證明：“即”字甲骨文作“”，“饗”字甲骨文作“”，分別取象一個人和兩個人坐在食物之前準備進食之形，從字形可以看出，其中人的坐姿正與現今日本、韓國人的坐姿相同。知道了古人的坐姿，就不難理解《鴻門宴》中項羽看到突然闖進來的樊噲是怎樣“按劍而跽”。“跽”是一種跪姿，與“坐”的區別是將上身挺直而臀部離開腳後跟。可見，項羽的“跽”是一種下意識的動作，並非因害怕而連忙下跪。

216

人的頭頂部爲什麼又稱“天靈蓋”？

“天”字商代金文作“”，甲骨文作“”，象正面站立的人形而突出其頭部，本義就是頭。傳說中與天帝抗爭的英雄“刑天”的名字就源於他被砍掉了“天”即“頭”。因此，人頭上的某些部位被冠以“天”名，如“天庭”“天靈蓋”。顯然，“天靈蓋”就是指人頭最頂部，像個蓋子蓋住頭部的部位。後來“天”又進一步引申專指“頭頂”，《說文》將“天”字本義說解爲“顛也”，“顛”就是頭頂的意思。又引申指人頭頂上的“天空”。而現代漢語中“天空”已經成了“天”的最基本的意義。

217

什麼叫“睡”“覺”？

“睡”字《說文》說解爲“坐寐也”，也就是坐著睡覺或坐著打瞌睡，人坐著睡覺時閉眼的特點是眼皮下垂，因此字形從目從垂會意；古漢語中表示躺著睡覺的詞是“寐”，《說文》將“寐”說解爲“臥也”。可見，古漢語中有關“睡覺”的詞語分得非常細緻。“覺”的本義就是睡醒。“睡覺”組成雙音合成詞後，成爲偏義複詞，“覺”字不再具有表義功能；同時，“睡”的意義範圍擴大，包括“睡”“寐”等各種形式。

218

什麼是“逃之夭夭”？

一般認爲，“逃之夭夭”出自《詩經・周南・桃夭》“桃之夭夭，灼灼其華”，後因“桃”、“逃”同音，故以“逃之夭夭”作詼諧語，形容逃跑得無影無蹤。其實，甲骨文“夭”作“𠂆”，是一個前後擺動兩手的人形，像人奔跑的樣子。因此，“夭夭”本來就是對“逃”之姿勢的形象表現。

219

皇帝死亡爲什麼說成“駕崩”？

根據《說文》，“駕”的本義是“馬在軛中”，即使牲畜拉車的意思。後引申指車輛，又借用爲敬辭，指對方，也特指帝王。“崩”的本義是山體崩塌，古代常用來比喻國君死，表明他們的死亡猶如山陵崩塌，不同尋常。

220

古代長度單位與人體有什麼關係？

許慎在《說文解字》“尺”下云：“周制，寸、尺、咫、尋、常、仞諸度量，皆以人之體爲法。”

“寸”字小篆字形作“”，從又從一，“又”是手形，“一”是指事符號，以指示寸口的部位。《說文》說解爲“寸，十分也。人手卻一寸動脈謂之寸口”，意思是人手退一寸處的脈搏叫寸口，也就是從寸口到手腕的距離爲一寸。

《說文》將“尺”字說解爲“尺，十寸也。人手卻十分動脈爲寸口，十寸爲尺”。又有“布指知寸，布手知尺”的說法，從這裏可以知道，古代的一寸大約相當於一個手指的寬度，一尺大約相當於張開手掌後，從拇指到中指指端之間的長度。

“咫”字《說文》說解爲“中婦人手長八寸，謂之咫。周尺也”。意思是一咫的長度大約相當於中等身材的婦女的手掌長度。

“尋”字甲骨文字形作“”或“”，象平伸雙手度物之狀。“尋”作爲一種長度單位，其長度相當於一個人平伸雙臂時，從一個手的中指尖到另一個手的中指尖的距離。這個長度大約相當於人的身高，一般人的身高爲七八尺，因此，一尋的長度，有的認爲是七尺，有的認爲是八尺。

“常”作爲一種長度單位，根據舊注“八尺爲尋，倍尋爲常”的說法，可以得知，一常大約相當於一丈六尺。

“仞”是一種測量高度或深度的單位。考其語源，“仞”之言人也，來源於以人高爲度。人高因人而異，大致合古制七尺至八尺，因此，關於“仞”的長度舊說不一。可見，古代長度單位大都以人體作爲標準，即“近取諸身”的規定方法。

221

“娶妻”最初爲什麼作“取妻”？

“娶妻”在先秦文獻中，有時也作“取妻”。“取”字小篆字形作“[illegible]”，《說文》說解爲“捕取也。從又從耳。《周禮》：‘獲者取左耳。’《司馬法》曰：‘載獻聝。’聝者，耳也”。“妻”字甲骨文作“[illegible]”，象以手擄掠長髮女子之形，是父系社會初期，女子不情願嫁到男家時，男子擄掠婦女以爲配偶之俗的反映。所以，“取妻”本來是擄掠婦女做配偶的意思。隨著父權制日益鞏固，婦從夫居成爲公衆普遍接受的習俗，搶掠婚現象早已從人們的現實生活中消失，語詞“妻”與“擄掠女子”之間失去聯繫，其基本意義變爲男子的配偶。這樣，“取”字也不再適合記錄該詞語，於是在“取”下增加表義構件“女”重造“娶”字記錄該意義。

222

什麼樣的人可以稱爲“聖人”？

“聖”甲骨文作“[illegible]”，從人突出耳朵，旁邊有一個口，表示有所聽聞之義。“聖”字造意爲聽覺官能敏銳，本義就是“通”，因此《說文》將“聖”說解爲“通也。從耳呈聲”。人們以爲聖者聞聲知情，通於天地，調暢萬物，所以又引申指賢聖之義。《白虎通義・聖人》：“聖人者何？聖者，通也，道也，聲也。道無所不通，明無所不照，聞聲知情，與天地合德，日月合明，四時合序，鬼神合吉凶。”可見，“聖”的基本意義是“才能突出，無所不通”。《論語・子罕》：“太宰問於子貢曰：‘夫子聖者與？何其多能也？’”太宰判斷孔子爲“聖者”的根據是孔子“多能”；在《執竿入城》這則笑話中，那位自作聰明的老人說：“吾非聖人，但所見多耳。”也是把見多識廣與“聖人”相聯繫。這說明“聖”的主要內涵和判斷標準是“才能突出，無所不通”。在此基礎上，“聖”又引申有“精通一事，對某門學問、技藝有特高成就的人”的意義，如“畫聖”“棋聖”“詩聖”等。隨著人們對孔子的推崇，“聖人”的含義逐漸發生轉移，由側重對人們知識能力方面的評價變爲側重對人的道德方面的評價，而指知行完備、至善之人，也就是所謂“才德全盡謂之聖人”。

223

現代楷書中“臟”“胃”“肝”“脾”等字從“月”的原因是什麼？

“月”字甲骨文字形作“”“”，象月牙之形，本義就是月亮，到小篆字形演變爲“”；“肉”字甲骨文字形作“”“”，象肉塊之形，本義就是肉，到小篆字形演變爲“”。由於“肉”“月”字形相近，作爲偏旁的“肉”在隸變時與“月”混同，如“臂”“膀”“肱”“骨”“腿”“腳”“臟”“胃”“肝”“脾”等字中，“月”是“肉”的變形，表示這些字的意義與“肉”有關聯；而“朗”“明”“朦”“朧”等字中，“月”就是“月”，表示這些字的意義與“月亮”有關聯。此外“服”字中“月”是“舟”的變形。可見，現代楷書中同是從“月”的字，由於“月”的來源不同，其意義類屬也就不同。

224

從“災”字型體看古人心目中可怕的災難有哪些？

在古人心目中，可怕的災難是什麼？從古文字形體可以看出一些端倪。甲骨文中“災”字異體繁多，有的字形側重於表示水災，有的字形側重於表示火災，有的字形側重於表示兵災。

表示水災的字，甲骨文早期字形作“”，象洪水橫流，氾濫成災之狀，中晚期作“”，象川流壅塞成災。到小篆還有這種專用來表示水災的字形“”，《說文》說解爲“害也。從一雝川”。

表示火災的字，甲骨文字形有“”“”，象房子著火之形，還有的作“”，爲從火才聲的音義合成字，這兩種字形到小篆分別演變爲“”“”，《說文》說解爲“天火曰烖”。

表示兵災的字，甲骨文字形作“”，從戈才聲，顯然這種災難是“戈”即戰爭帶來的。後來，又有用表示洪水和天火的構件組合而成“災”字。

總之，從古文字形體可以看出，自古以來，人類就不僅把洪水、天火等自然現象看作災難，也把戰爭這種人爲的殺戮現象看作災難。

225

“年”爲什麼又稱“歲”“祀”？

夏商周三代的紀年名稱各不相同，“夏曰歲，商曰祀，周曰年”。“歲”字，《說文》說解爲“木星也。越曆二十八宿，宣遍陰陽，十二月一次”，也就是說夏代以木星在天空中的運行情況作爲紀年的依據。這說明夏代十分重視對天文現象的觀測和研究，夏曆至今仍在使用，正可以說明夏代天文研究的水準。“祀”字，《說文》說解爲“祭無已也”，意思就是永久祭祀。商代非常重視祭祀，祭祀種類繁多，什麼時間祭祀什麼神靈都有一定的規定，完成一個週期的各種祭祀，整整是一年，因此就用表示一個祭祀週期的時間“祀”來紀年。“年”字甲骨文作“”，象人負禾之狀，表示豐年收穫之意。到了周代，農業生產在社會生活中的地位越來越重要，普通穀類在黃河流域大概一年一熟，所以周代就以穀物的收穫週期作爲紀年依據，把禾穀成熟一次稱爲一年，而年字始含有歲、祀之意。

226

“即”“既”如何區別？

“即”字甲骨文作“”，象一人面對食物而坐，表示要就食之形。人坐在食物前面，說明人已經靠近食物，因此，“即”有“走近、靠近”之義，“即位”中的“即”就是這個意思；人坐在食物前表示將要吃，因此，“即”有“將要”之義，“即將”中的“即”就是“將要”的意思；此外現代漢語中關聯詞語“即使”表示一種假設，這種假設情況並未發生，因此，也用“即”字。

“既”字甲骨文作“[illegible]”，象一人面對食物而坐，但已將頭向後扭去。面對食物而坐，卻將頭向後扭去，說明該人已吃完，因此，“既”字有“完畢、完成”之義，又引申有“已經”之義。現代漢語中，“既得利益”“既成事實”“既往不咎”中的“既”都是“已經”之義。

227

“廟”“觀”“寺”“庵”的區別是什麼？

“廟”，《說文》說解爲“尊先祖貌也”，本是供奉祭祀祖先的地方，漢以後，“廟”所奉祀的對象是神。“觀”本指台觀（高大的建築物）的意思，後來用來指稱道教的廟宇，奉祀的對象是仙。“寺”本指官署，東漢以後指稱佛教的廟宇，奉祀的對象是佛。庵本是圓形草屋，引申爲佛教的小的廟宇，一般是尼姑居住。

228

“油”“脂”“膏”“腴”的本義各是什麼？

“油”本來是河流的名稱，後來專指液態的植物油或比較稀釋鬆軟的動物油；而“脂”專指有角動物牛羊的相對凝固堅硬的油，如“膚如凝脂”絕不可說“膚如凝油”。後來，“油”的詞義外延擴大，泛指動植物體內所含的脂肪或礦產的碳氫化合物的混合液體。“膏”的本義是“肥也”，也指肥肉；後來也指油脂，現代漢語中，“膏”一般指很稠的糊狀物。“腴”的本義是腹下肥肉。現代漢語中，“膏腴”形成雙音合成詞，往往用來形容土地，意思是肥沃。

229

“狩”字古文字形體與遠古狩獵方式有何關聯？

“狩”字甲骨文作“ ”，左邊的構件是有丫杈的木棒，爲遠古先民狩獵作戰的武器；右邊的構件爲犬，說明犬在當時已被馴化幫助狩獵。顯然，“狩”字甲骨文構意表現了遠古先民的一種狩獵方式，即用獵犬和木棒爲狩獵工具。後來，隨著生產力的提高和人類技術的進步，狩獵工具也變得更加專業和先進，木棒不再是主要的狩獵工具。同時，取象於有丫杈的木棒形構件在字形演變過程中完全喪失了最初構意，因此，用音義合成的方法爲該語詞重新造“狩”字。

230

“男”人的職責是什麼？

“力”字甲骨文作“ ”，裘錫圭先生認爲，是由原始農業中挖掘植物或點種用的尖頭木棒發展而來的一種挖土工具，字形中的短畫象踏腳的橫木。根據甲骨文構形系統，“男”字作“ ”，表示用“力”這種農具耕田。由於古代農耕主要由男子承擔，因此，選擇這個構意表示“男子”義。後來，“力”這種農具被結構更複雜、效率更高的“耒”代替。隨著“ ”這種農具歷史使命的結束，“力”的引申義“力量”“力氣”成爲其常用義，而其本義漸漸淡出人們的視野。因此，許慎根據小篆字形對“男”的構意重新做出說解：把“男”分別說解爲“丈夫也。從田從力。言男用力於田也”。

231

“婦”人的職責是什麼？

“帚”字甲骨文作“ ”，根據該字在卜辭中的意義，“帚”當時的身份是能夠與祖先神直接溝通的巫覡。“帚”的造字取像是外形與麈尾和掃帚十分相似的“托魂樹”。在先民看來，巫師能夠與鬼神相通，接送鬼神所用的工具就是托魂樹，這樣，托魂樹成爲巫師身份的象徵。民俗中，巫師通常由婦女來擔任，即使偶有擔任巫師的男性，也必須裝扮成婦女形象，如東北亞和勘察加地區的男薩滿主持宗教儀式時，常裝扮成婦女模樣，平時也有喜仿婦人說話和舉動的。類似的男巫扮成女妝的情況在《太平廣記・許至雍》《中國風俗史・湖南衡州的巫俗》中都有詳細記載。由於“巫術亦常是婦女的特權”，因此“帚”逐漸演變爲已婚女子的通稱，並增加“女”旁補充構意。

232

“武”字的精髓是什麼？

“武”字甲骨文字形作“ ”，從止從戈，“止”象腳形，是用來行走的，“戈”即武器，整個字形表示帶著武器征伐示威。後來，“止”字引申有停止的意思，而且成爲“止”的最常用義項，於是春秋戰國時期的楚莊王對“武”字構意進行了重新說解：“夫武，定功戢兵。故止戈爲武。”楚莊王的這個解釋正與儒家思想相合，所以許慎拿來解釋小篆字形，這種說解一直以來成爲“武”的精髓。

233

古人心目中的“僕隸”是什麼樣的？

“僕”的甲骨文字形作“ ”，象身服尾飾、手捧糞箕以執賤役之人；“隸”的甲骨文字形作“ ”，象尾飾被手抓住之形。“僕”“隸”的甲骨文字形都突出了尾飾，說明尾飾在某個歷史時期成爲“僕”“隸”的特徵。這是因爲中原地區已進入農業爲主的社會以後，某些以狩獵爲主要生產方式的邊遠少數民族地區，他們的服飾習慣與華夏民族有較大差別，有的民族習慣戴有尾飾，這些裝扮尾飾的少數民族士兵在戰爭中成爲俘虜之後，變爲奴隸，因此，造字者就以戴有尾飾作爲“僕”“隸”的造字取象。

234

從“神”字最早字形看古人心目中什麼最“神”？

“神”字金文最早作“ ”，象電耀屈折激射之形，即象閃電之形。由於古代的人們對於電這種自然現象感到神秘，認爲這是由神所主宰，或者是神的化身，因此，借用閃電之形表示“神”義。後來，“申”又被假借作干支用字，於是“神”字又增加義符“示”。

235

“不孝”與“不肖”意義有什麼不同？

《說文》：“肖，骨肉相似也。從肉，小聲。不似其先，故曰不肖也。”可見，“肖”的本義是子不似父。《孟子・萬章上》：“丹朱之不肖，舜之子亦不肖。”引申爲不才，不正派。《商君書・晝策》：“不明主在上，所舉必不肖。”後來稱不孝之子爲不肖。“孝”字小篆字形作“ ”，《說文》說解爲“善事父母者。從老省，從子。子承老也”，意思就是現代所說的孝順，“不孝”就是不孝敬父母。

236

“媳婦”的意義古今有什麼變遷？

“息”字從自從心，“自”的本義是鼻子，心臟與鼻子都是呼吸器官，因此《說文》把“息”說解爲“喘也”，“息”的本義是喘息、呼吸，引申有生長、繁殖的意思。又進一步引申有“子息”的意思，“賤息”的“息”就是兒子的意思。“媳婦”本來作“息婦”，不難理解，“息婦”的字面意思就是兒子媳婦。後來，“息婦”不僅用來指兒子媳婦，也用來指自己的妻子，這樣，“息”的“子息”意義逐漸弱化，於是“息”字受到後面“婦”字的影響，也增加“女”作“媳”。

237

“泣”“哭”“嚎”“啼”的意義有何區別？

“泣”“哭”“嚎”“啼”都表示哭泣，但哭法兒不同。有淚無聲叫“泣”，“泣”即無聲地哭，流淚。如《戰國策·趙策四》：“媼之送燕后也，持其踵，爲之泣，念悲其遠也。”女兒嫁給燕王，是喜事，但遠嫁難見，不免傷心，作爲太后，又不能當衆大哭，故只有默默流淚。有淚且有聲的叫“哭”。《禮記·檀弓下》：“孔子過太山側，有婦人哭於墓者而哀，夫子式而聽之。”婦人因公公、丈夫、兒子先後死於虎，極痛苦，大哭不已，以至讓過路的孔子聽到了。哭而有言叫嚎，也作“號”，即哭中帶著號呼和訴說。痛哭謂之啼，即“啼”就是放聲大哭，發出的悲痛的聲音比哭更大。

238

什麼是“都”“城”“市”？

“都”字小篆字形作“ ”，《說文》說解爲“有先君之舊宗廟曰都。從邑者聲。《周禮》：距國五百里爲都”。“邑”甲骨文字形作“ ”，表示人群聚居的地方，在漢字隸變時，“邑”構件演變爲右“阝”，因此現代漢字中從右“阝”的字大多仍表示人群聚居的地方。“有先君之舊宗廟曰都”是說擁有先君宗廟的城邑，也就是地位比較重要的城邑，才能叫做“都”；“國”是國都，“距國五百里爲都”，是說“都”一般建在距離國都五百里的地方。“城”字小篆字形作“ ”，從土，本來指土築的城牆，常與“池”（護城河）相對，城牆內是人群聚集的地方，因此，“城”引申有“城市”義。“市”字本義是“買賣所之也”，也就是做買賣時要去的地方，是交易場所，即集市、市場，後來引申有“城市”之義。現代漢語中，這幾個字相互組合成不同的詞語，“都城”“都市”“城市”等，其中“都”“城”“市”作爲語素，其意義已發生變化。

239

“丈夫”“丈人”的意義古今有什麼變化？

“丈”字，《說文》說解爲“十尺也”；“夫”字，《說文》說解爲“丈夫也。從大，一以象簪也。周制以八寸爲尺，十尺爲丈。人長八尺，故曰丈夫。”許慎認爲，“夫”字取象於戴簪子的正面人形，本義是表示成年男子；周制八寸爲一尺，成年男子身高約八尺，正合周制之十尺即一丈，所以成年男子叫丈夫。可見，“丈夫”的本來意義是成年男子的通稱，現代漢語中，“丈夫”的詞義範圍縮小，一般指已婚女子的配偶。同樣，“丈人”本來是老年男子的尊稱，後來詞義發生轉移，成爲“岳父”的別稱。

240

什麼是“國”與“家”？

“國”字甲骨文作“[illegible]”，“口”象都邑之形，從戈以守國之義也。因此，“國”有“國都”之義，“去國懷鄉”中“國”指的就是“國都”而不是“國家”。後來，“國”又用來指稱王、侯的封地，《說文》“國”的小篆字形“[illegible]”說解爲“邦也。從口從戈，以守一。一，地也”。現代漢語中“國”的基本意義是“國家”。“家”字甲骨文作“[illegible]”，從宀從[illegible]，“[illegible]”象牡豕之形，即豭，表示生命延續的地方，即“家”；“嫁”“稼”也都與生命延續有關，與“家”具有同源關係。也有的甲骨文字形作“[illegible]”，從宀從豕。小篆統一作“[illegible]”，《說文》說解爲“居也”，意思是居住的地方，也就是“家”。在先秦文獻中，“家”還用來指稱大夫的封地。現代漢語中“國家”作爲一個雙音合成詞，意義主要是“國”，“家”在該詞中只是一個陪襯，不表示意義。

241

“視死如歸”的“歸”是什麼意思？

一般詞典都把“視死如歸”的“歸”說解爲“回家”，把“視死如歸”說解爲“把死看得像回家一樣平常，形容不怕犧牲生命”。其實，遠古時期，人們將“死亡”看作是人生旅途中的一段返樸歸眞的“回歸”過程，鬼是人死後靈魂的最終歸宿，《爾雅・釋訓》：“歸，鬼之爲言歸也。”郝懿行《爾雅義疏》：“生，寄也；死，歸也。”《禮運注》：“鬼者，精魂所歸。”《說文・鬼》：“人所歸爲鬼。”因此，後世諱稱死亡爲“歸”，如道家稱之爲“歸室”“歸天”，佛家稱之爲“歸西”。“歸”的甲骨文字形“[illegible]”，非常生動地表現了“歸”的本義“精魂回到歸處”：右邊的構件爲“帚”，是“托魂樹”的象形，代表精魂；左邊的構件爲“𠂤”，“𠂤”是山阜的意思，以商族爲代表的東夷先民認爲人死後靈魂歸山，山岳是祖先神靈居住的地方，是商先民心目中的靈魂歸處。那麼，由象徵精魂的“帚”和象徵靈魂歸處的“𠂤”組成的“[illegible]”字，其造意表示精魂回到歸處。顯然，“歸”是肉體的死亡，不是生命的結束，而是另一種生命形式的開始；“歸”是一扇門，通向更豐盛、美好的境界。因此，“視死如歸”中“歸”用其本義來說解更能體現一個人面對死亡的坦然和超脫。

242

“彩虹”的“虹”字爲什麼從蟲？

“虹”是雨後天空中出現的一種彩色圓弧，是大氣中的小水珠經日光照射發生折射和反射作用而形成的，是一種物理現象。然而，記錄這種現象的文字“虹”卻以“蟲”爲表義構件，這是爲什麼呢？原來，古人對“虹”這種自然現象不能理解，認爲它是天上的一種類似龍的動物，甲骨文“虹”字作“[illegible]”，非常形象地表現了古人心目中“虹”這種動物的外形特點——象兩端有首的巨龍。後來，爲了書寫方便，用音義合成方法爲它重新造了一個從蟲工聲的“虹”，《說文》說解爲“螮蝀也。狀似蟲”，仍能體現古人對“虹”這種自然現象的認識。

243

“臭”字爲什麼從“自”？

“臭”在現代漢語中是一個比較常用的詞，意義是“氣味難聞的”。顯然，“臭”的音義與“自己”的“自”在讀音和意義方面都風馬牛不相及。那麼，“臭”字爲什麼從“自”呢？這還得從“自”的古字形和本義說起：“自”甲骨文字形作“”，象人的鼻子之形，本義就是鼻子，後來被借用記錄自己之“自”，只能爲記錄其本義的語詞重造“鼻”字，顯然，“鼻”字上邊的“自”構件仍然具有表義功能。“臭”的本義也不是“氣味難聞的”，而是動詞“嗅”，以嗅覺靈敏著稱的是“犬”，獵犬經常作爲狩獵的輔助工具，因此，甲骨文用“自”“犬”兩個構件組成的合體字“”來表現動詞“嗅”。後來“臭”由動詞義又引申爲“嗅”到的“氣味”，成爲名詞，如“其臭如蘭”中的“臭”就不是“難聞”的氣味；再後來，“臭”的意義進一步變化，專指難聞的氣味。

244

“斧”“析”“折”爲什麼都從“斤”？

“斤”在現代漢語中是市制重量單位，“斧”“析”“折”等許多漢字都從“斤”，顯然這些字的音義都與“斤”的現代音義毫無聯繫，那麼這些字爲什麼從斤呢？這要從“斤”的甲骨文字形和本義說起：“斤”字甲骨文作“”，象曲柄斧之形，是一種用來砍斫樹木的斧子。顯然，“斧”字用“斤”表示其意義，而用“父”作示音構件；“折”字甲骨文作“”，象用斤斷草之形，後來“斷草形”相連，“折”字作“”，左邊的斷草形又進一步變爲形近的“手”形，“折”字作“”，成爲從手從斤的合成字；“析”字甲骨文字形作“”，從木從斤，表示以斤分木，即破木之義。同樣，“斬”“斫”“斷”“新”等字的本義都與斧頭有關係，其中的“斤”都是表義構件。

245

爲什麼“顱”“頸”“頰”“顆”等字都從“頁”？

“頁”在現代漢語中主要做量詞，“顱”“頸”“頰”“顆”等字都從“頁”，顯然這些字的音義都與“頁”的現代音義毫無聯繫，那麼這些字爲什麼從頁呢？這要從“頁”的甲骨文字形和本義說起：“頁”字甲骨文作“[illegible]”“[illegible]”，象人並突出其頭首之形，小篆字形作“[illegible]”，《說文》說解爲“頭也”，可見，“頁”的本義就是人頭，因此，與人頭意義相關的字往往以“頁”作爲表義構件。如“顱”“頰”“頷”“額”“題”（本義是額頭）等表示人頭上部位名稱的字都從“頁”；“頸”“項”“領”（意思是整個脖子）等表示與人頭緊密相連的脖子不同部位的名稱也從“頁”；“顆”（小頭）“碩”（大頭）等表示頭的特點的字從“頁”；“頗”“頓”等表示頭的動作的字也從“頁”。

246

左“阝”與右“阝”有區別嗎?

漢字系統中，“阝”是十分常見的構字部件，“阝”有時在左邊，有時在右邊，因此，被稱爲左“阝”與右“阝”，那麼，左“阝”與右“阝”有區別嗎?我們先看一下從左“阝”的部分漢字的古文字形體。“[illegible]”是“降”的甲骨文字形，“[illegible]”是“陟”的甲骨文字形，分別象兩足沿山阜下降和上升之形，“墜”字甲骨文字形作“[illegible]”，象人從阜上顛墜之形。顯然，這些左“阝”都是由象山阜之形的“[illegible]”或“[illegible]”演變而來，這樣，就不難理解“險”“陡”“陵”“阿”（山的凹曲處）等表示山的特點和部位名稱的字爲什麼從左“阝”了，也不難理解“階”“除”“陛”等表示各種臺階名稱的字爲什麼從左“阝”了。

我們再看一下從右“阝”的部分漢字的古文字形體。“[illegible]”是“邦”的小篆字形，

“”是“郡”的小篆字形，“”是“都”的小篆字形，“”是“鄉”的小篆字形，“”是“鄙”（本義是邊境小城鎮）的小篆字形，顯然，這些右“阝”都是由“邑”演變而來，“邑”甲骨文字形作“”，小篆字形作“”，表示人群聚居的地方，因此，很多來自地名的姓氏也從右“阝”，如“鄧”“郝”“鄭”等。可見，左“阝”與右“阝”來源不同，意義指向差別很大，切不可混淆。

247

古漢語中，“步”“走”“奔”“趨”的意義有何區別？

古漢語中，“步”“走”“奔”“趨”都是表示行走或奔跑相關的意義，它們之間有什麼不同呢？“步”字甲骨文作“”，象前進時左右足一前一後形，本義就是行走。“走”字甲骨文作“”，上面的“”，是一個前後擺動兩手的人形，像人奔跑的樣子，下麵的“”，象腳之形，提示上面的行爲與腳有關，整個字形凸顯奔跑的意義。“奔”字金文作“”，上邊象人奔跑的樣子，下邊是三個象腳之形的“止”構件，用三個“止”更突出跑得快。可見，“奔”比“走”速度更快。而“趨”的意義既不同於“步”，又不同於“走”“奔”，它是一種小步快走的行走方式。過去人們在拜見尊長之時，面對等在前面的尊長，如果只是慢步走過去，則顯得怠慢無禮；如果大步奔跑過去，則顯得莽撞，可能使尊長受到驚嚇，因此，就產生了一種既表現尊重對方又不莽撞的行走方式“趨”。

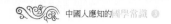

248

什麼是“美”？

從“美”的造字取象可以看出先民心目中“美”是什麼樣的。納西族的東巴文用一朵花的形象來表示“美”，說明該民族以花爲美。漢民族目前發現最早的“美”字，是甲骨文字形“[illegible]”，下從“大”，“大”是正立的人形，上象頭戴獸角毛羽之類的裝飾物。甲骨文爲什麼以帶頭飾的正面人形表示“美”？這是因爲，早期社會，人們爲了獵取野獸，往往披皮戴角，裝扮成野獸的樣子，以便接近野獸而射擊之，這就是遠古時期一種十分常用的狩獵方法——化裝誘捕狩獵。原始巫術和舞蹈是對日常勞動生產活動的再現，再現狩獵活動的巫術和舞蹈中，巫師和舞者常常模仿獵者形象——頭戴獸角毛羽，這種道具逐漸被先民看作是美觀的，於是發展爲一種服飾。不難看出，甲骨文“美”字突出的是頭飾之美，服飾之美。進入農業社會後，狩獵活動在先民生產中退居次要地位，反映狩獵活動的巫術和舞蹈逐漸遠離人們的生活；同時，隨著字形的不斷發展演變，“美”字到小篆變成由“羊”和“大”組成的合體字。因此許慎根據東漢時期的社會歷史文化特點，將“美”解釋爲“甘也。從羊從大，羊在六畜主給膳也”。顯然，許慎認爲“美”的造字依據是羊大則味道肥美，因此用“羊大味美”解釋小篆“美”字。

249

“帝”怎樣由祭祀對象變爲人間最高統治者？

甲骨文“帝”作“[illegible]”，取象於縮酒降神時所用的束茅，本義就是祭祀對象。從卜辭用例看，“帝”最初僅指自然界的神靈，同人無任何親戚關係，武丁以後，商王的先祖開始被稱爲“帝”。從文獻用例看，傳說中的“五帝”是對華夏民族做出傑出貢獻的先祖的稱謂。可見，“帝”最初不是“王天下之號”。根據《史記·秦始皇本紀》，秦滅六國之後，嬴政召集丞相王綰、御史大夫馮劫、廷尉李斯等人開始“議帝號”。衆臣商議，嬴政在滅六國之前，被稱爲“秦王”，現在嬴政滅掉六國，遠遠不只是一國之王，他統治的區域遠遠大於秦國，那麼，這位居於七國之尊的嬴政，究竟應該有一個什麼樣的“尊號”？應該具有多大的權力？中國古有天皇、地皇、泰皇，爲“三皇”，泰皇爲最高、最尊、最貴，所以有大臣建議嬴政稱“泰皇”。但是也有人認爲：古有五帝，即黃帝、顓頊、帝嚳、唐堯、虞舜，而嬴政的功績爲“五帝所不及”。嬴政最後取“三皇”之“皇”、“五帝”之“帝”，合爲“皇帝”。嬴政是第一個皇帝，所以稱始皇帝。從此“帝”成爲“王天下之號”。

250

被杜甫稱爲“飲中八仙”的都有誰？

杜甫曾寫有《飲中八仙歌》，詩中表達了作者對八個人物的崇敬、欽慕。其中寫道：賀知章醉態“可掬”——“知章騎馬似乘船，眼花落井水底眠”，醉後騎馬，欲墜未墜之態。

唐三彩賣酒胡商

詩中描寫的其他人分別爲：汝陽王李璡——是皇室貴冑，李隆基呼之爲“花奴”的侄兒——路見麴車就滿口流涎，只任眞性，無視禮法。

李適之，曾爲天寶元年左丞相，罷相後，爲詩曰：“避賢初罷相，樂聖且銜杯。”“日費萬錢”，飲如長鯨吸川，可謂豪飲；心中不平，而曰“銜杯避賢”，也是頭等胸襟。

崔宗之，襲封齊國公，瀟灑風流，如玉樹臨風，而滿腹牢愁，借酒發揮，舉杯向天，白眼閱世。

蘇晉幼慧，以文章知名當世，曾得慧澄和尚的繡彌勒佛像一面，非常愛賞，說：“是佛好飲米汁（酒），正與吾性合，吾願事之，他佛不愛也。”因而雖長齋拜佛，卻往往無視佛法，破戒飲酒，故飲酒不礙其拜佛之誠，拜佛不礙其飲酒之眞。人生得此眞誠二字，不唯杜甫愛之，人皆愛之。

詩中關於李白的描寫，早已爲衆口傳頌：“李白斗酒詩百篇，長安市上酒家眠。天子呼來不上船，自稱臣是酒中仙。”寫李白意氣飛揚，淩厲萬古，極力頌揚其精神世界之高。

張旭，是一個非常可愛的酒人。《舊唐書》記載：“吳郡張旭善草書，好酒。每醉後，號呼狂走，索筆揮灑，變化無窮，若有神助。”《國史補》記載：“旭飲酒輒草書，揮筆而大叫，以頭搵水墨中而書之。醒後自視，以爲神異。”寫字而呼號大叫且不論，以發蘸墨而作書，實駭聽聞。他不僅飲酒作字如有神助，而且醒後又自以爲神，眞是癡得天眞可愛；在王公前，放肆而無所忌憚，知是有眞才者。有眞才方能天眞可愛，有眞才方能脫略公卿。可想見當其脫帽露頂，酒後揮毫之時，神思飛逸，旁若無人之才人風致。

焦遂，於醉後始能出語驚人，才學得酒力而益彰，此與張旭同。焦遂口吃，對人幾不能出一言，只醉後始語言如射珠，才華四溢。

杜甫爲蒼生愛才，唯才人可飲酒，因才力得酒力而益彰。因愛其品德才學，始覺其醉態之可愛，作者意在風神品格，亦“醉翁之意不在酒也”

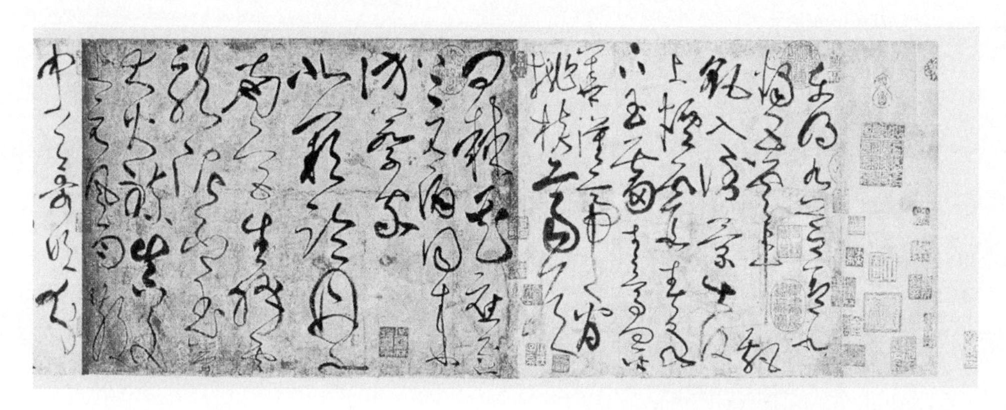

張旭草書《古詩四帖》

251

李白的妻子和兒女都有誰？

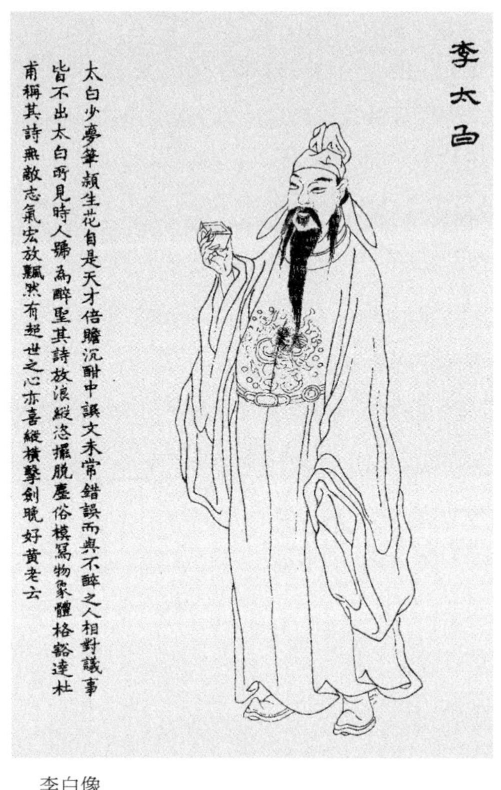

李太白
太白少夢筆頭生花自是天才倍贍沉酣中譔文未常錯誤而與不醉之人相對議事
皆不出太白所見時人號為醉聖其詩放浪縱恣擺脫塵俗模寫物象體格豁達杜
甫稱其詩無敵志氣宏放飄然有超世之心亦喜縱橫擊劍晚好黃老云

李白像

李白一生有四次婚姻。開元十五年在安陸與許氏結婚，生有一女一男，女名平陽，男名伯禽（頗離）。許氏早逝，又與劉氏結合，時間約在開元二十七、八年，劉氏恐非正娶，不久離去，李白攜子女移家東魯。天寶元年與“魯一婦女”結合，生一男名天然，天寶四、五年離異，天然隨母。後李白又與宗氏結婚，寓家宋城，有資料上說宗氏生了個女兒，更多資料上說沒有。一般認爲李白有兩兒一女。當然還有人說李伯禽和李頗離是兩個人，所以李白有三個兒子，證據有魏顥作的《李翰林集序》，但是其實“頗離”是突厥語狼的意思，漢名叫“伯禽”。李白妻兒在他的詩中有反映，如《寄東魯二稚子》詩：

吳地桑葉綠，吳蠶已三眠。我家寄東魯，誰種龜陰田。春事已不及，江行復茫然。南風吹歸心，飛墮酒樓前。樓東一株桃，枝葉拂青煙。此樹我所種，別來向三年。桃今與樓齊，我行尚未旋。嬌女字平陽，折花倚桃邊。折花不見我，淚下如流泉。小兒名伯禽，與姐亦齊肩。雙行桃樹下，撫背復誰憐。念此失次第，肝腸日憂煎。裂素寫遠意，因之汶陽川。

詩裏面說“嬌女字平陽”就是指長女李平陽，“小兒名伯禽”就是指長子李伯禽。

李白很喜歡最後一個妻子宗氏，曾作詩《自代內贈》表達對妻子的思念：

寶刀截流水，無有斷絕時。妾意逐君行，纏綿亦如之。別來門前草，秋巷春轉碧。掃盡更還生，萋萋滿行跡。鳴鳳始相得，雄驚雌各飛。遊雲落何山？一往不見歸。估客發大樓，知君在秋浦。梁苑空錦衾，陽臺夢行雨。妾家三作相，失勢去西秦。猶有舊歌管，淒清聞四鄰。曲度入紫雲，啼無眼中人。妾似井底桃，開花向誰笑。君如天上月，不肯一回照。窺鏡不自識，別多憔悴深。安得秦吉了，為人道寸心。

252

武則天“奪袍賜宋”是怎麼回事？

相傳，武則天在洛陽建周稱帝，大興佛寺，香山寺得以整葺一新。武則天爲其賓客堂定名望春宮，爲石樓取名“望春樓”。有年春天，武則天御望春樓朝群臣，一時興來，令群臣賦詩記勝，先成詩者，賜以錦袍。賞令一出，百官伏案急就。片刻之間，左史東方虯詩成，上官婉兒接過高聲朗誦：“春雪滿空來，獨處如花開。不知園裏樹，若個是眞梅。”武則天聽了，連稱好詩，即令上官婉兒賜與錦袍，東方虯捧在手中，受寵若驚。不久，武三思的十二句五言詩，沈佺期的七律詩先後獻上。武則天聽了點頭稱讚。最後，宋之問呈上他的長詩《龍門應制》，上官婉兒手托長幅朗誦，朝臣個個洗耳恭聽：

宿雨霽氛埃，流雲度城闕。河堤柳新翠，苑樹花先

武后行從圖

發。洛陽花柳此時濃，山水樓臺映幾重。群公拂霧朝翔鳳，天子乘春幸鑾龍。鑾龍近出王城外，羽從琳琅擁軒蓋。雲蹕才臨御水橋，天衣已入香山會。山壁嶄岩斷復連，清流澄澈俯伊川。雁塔遙遙綠波上，星龕奕奕翠微邊。層巒舊長千尋木，遠壑初飛百丈泉。彩仗霓旌繞香閣，下輦登高望河洛。東城宮闕擬昭回，南陌溝塍殊綺錯。林下天香七寶台，山中春酒萬年杯。微風一起祥花落，仙樂初鳴瑞鳥來。鳥來花落紛無已，稱觴獻壽香霞裏。歌舞淹留景欲斜，石間猶駐五雲車。鳥旗翼翼留芳草，龍騎駸駸映晚花。千乘萬騎鑾輿出，水靜山空嚴警蹕。郊外喧喧引看人，傾都南望屬車塵。鬒聲引颺聞黃道，佳氣周回入紫宸。先王定鼎山河固，寶命乘周萬物新。吾皇不事瑤池樂，時雨來觀農扈春。

上官婉兒剛一念畢，百官齊聲稱妙，武則天神采飛揚："此詩更高!此詩更高!"上官婉兒深明女皇之意，下階奪過東方虯手中錦袍，轉賜到宋之問手中。群臣一片沸騰，詩會達到高潮。宋之問龍門奪錦袍遂成佳話，廣爲流傳。

253

"旗亭畫壁"是怎麼回事？

《集異記》記載了一則關於"旗亭畫壁"的唐詩故事：唐玄宗開元年間，詩人王昌齡、高適、王之渙齊名，有一天，微雪飄飄，三位詩人一起到酒樓，賒酒小飲。忽然有四位漂亮而妖媚的梨園女子，珠裹玉飾，搖曳生姿，登上樓來。隨即樂曲奏起，演奏的都是當時有名的曲子。王昌齡等私下相約定："我們三個在詩壇上都算是有名的人物了，可是一直未能分個高低。今天算是有個機會，可以悄悄地聽這些歌女們唱歌，誰的詩入歌詞多，誰就最優秀。"　一位歌女首先唱道："寒雨連江夜入吳，平明送客楚山孤。洛陽親友如相問，一片冰心在玉壺。"王昌齡就用手指在牆壁上畫一道："我的一首絕句。"隨後一歌女唱道："開篋淚沾臆，見君前日書。夜台何寂寞，猶是子雲居。"高適伸手畫壁："我的一首絕句。"又一歌女出場："奉帚平明金殿開，暫將團扇共徘徊。玉顏不及寒鴉色，猶帶昭陽日影來。"王昌齡又伸手畫壁，說道："兩首絕句。"

高適《聽張立本女吟詩》圖

王之渙自以爲出名很久，可是歌女們竟然沒有唱他的詩作，面子上似乎有點下不來，就對王、高二位說：“這幾個唱曲的，都是不出名的丫頭片子，所唱不過是‘巴人下里’之類不入流的歌曲，那‘陽春白雪’之類的高雅之曲，哪是她們唱得了的呢！”於是用手指著幾位歌女中最漂亮、最出色的一個說：“到這個小妮子唱的時候，如果不是我的詩，我這輩子就不和你們爭高下了；果然是唱我的詩的話，甭客氣，二位就拜倒於座前，尊我爲師好了。”三位詩人說笑著等待。一會兒，輪到那個梳著雙髻的最漂亮的姑娘唱了，她唱道：“黃河遠上白雲間，一片孤城萬仞山。羌笛何須怨楊柳，春風不度玉門關。”王之渙得意至極，揶揄王昌齡和高適說：“怎麼樣，土包子，我說的沒錯吧！”三位詩人開懷大笑，歡宴一天。這就是“旗亭畫壁”的由來。

254

“紅葉題詩”是怎麼回事？

據記載，唐朝詩人顧況住在洛陽，在閒暇時和一兩個詩友在宮牆外邊的園林中遊玩，在從宮牆內流出的水上拾到一枚大梧桐樹葉，葉上有一首題詩：“一入深宮裏，年年不見春。聊題一片葉，寄與有情人。”顧況第二天在流水的上游，也在樹葉上題

顧況《溪上》詩圖

了一首詩，放在水中，詩是："愁見鶯啼柳絮飛，上陽宮女斷腸時。君恩不斷東流水，葉上題詩寄與誰。"十多天以後，又有人在園林遊春，又在一片樹葉上得了首詩，拿給顧況看，詩是："一葉題詩出禁城，誰人愁和獨含情。自嗟不及波中葉，蕩漾乘風取次行。"

原文見於《本事詩·情感第一》，此故事流傳極廣。宋人張實改編而成《流紅記》，收入《青瑣高議》。該篇寫唐僖宗時事：宮女韓夫人題詩於樹葉上，置於御苑水渠中，隨水流出，爲儒生于佑所得。佑復題兩句，也書於葉上，置於上流水中，流入御苑，又爲韓夫人所得。韓夫人爲此更題了一首詩。其後僖宗遣放宮人，韓夫人得以出宮，經人介紹成婚，而其丈夫竟然就是于佑。又宋張實撰有《流紅記》小說，元白樸作《韓翠屏御水流紅記》雜劇，又有李文慰《金水題紅怨》、王爐峰《紅葉記》、祝長生《紅葉記》、李長祚《紅葉記》等，而以王驥德《題紅記》最爲著名。

255

"人面桃花"說的是什麼故事？

唐代孟棨在《本事詩·情感第一》中記載了一則關於"人面桃花"的唐詩故事：

博陵名士崔護考進士落第，心情鬱悶。清明節這天，他獨自到城南踏青，見到一所莊宅，四周桃花環繞，景色宜人。適逢口渴，他便叩門求飲。不一會兒，一美麗女郎打開了門。崔護一見之下，頓生愛慕。第二年清明節，崔護舊地重遊時，卻見院牆如故而門已鎖閉。他悵然若失，便在門上題詩一首："去年今日此門中，人面桃花相映紅。人面不知何處去，桃花依舊笑春風。"綜觀全詩，前兩句由今到昔，後兩句由昔到今，兩兩相形。儘管情緒上的轉變劇烈，但文氣卻一貫而下，轉折無痕。整首詩語言樸實率眞自然，說事明白流暢。論寫作技法主要是採用了"映照對比"，用"人面"和"桃花"作爲貫串線索，通過"去年"和"今日"同時同地人去景存的映照對比，把兩次不同的遊遇和產生的感慨，回環往復、曲折盡致地表達出來。"人面桃花相映紅"，不僅爲豔若桃花的"人面"設置了美好的背景，襯托出少女光彩照人的容顏，同時也含蓄地表達出詩人神馳目注、意奪情搖的情狀和雙方脈脈含情、未通言語的情景。通過這動人的一幕，從而激發讀者對前後情事的許多美麗想像。

《唐詩紀事》也曾載此詩本事云："護舉進士不第，清明獨遊都城南，得村居，花木叢萃。扣門久，有女子自門隙問之。對曰：'尋春獨行，酒渴求飲。'女子啓關，以盂水至。獨倚小桃斜柯佇立，而意屬殊厚。崔辭起，送至門，如不勝情而入。後絕不復至。及來歲清明，徑往尋之，門庭如故，而已扃鎖之。因題'去年今日此門中'詩於其左扉。""人面桃花"，本指女子的面容與桃花相輝映，後用於泛指形容男女邂逅鍾情，隨即分離之後，思念所愛慕而不能再見的女子，也形容由此而產生的悵惘心情。又作"桃花人面"。

256

誰曾經以詩退盜賊？

故事發生在唐朝長慶年間，詩人李涉，洛陽人，自號清溪子，很有文名。長慶二年，正做太學博士的李涉前往九江，看望做江州刺史的弟弟李渤。入夜時分，船行至浣口，江邊上有一個荒村，當時天下著雨，正準備投宿，忽然遇到一群打家劫舍的盜賊。數十名賊人手執刀棒，喝令停船。船停下後，劫匪令他們交出財物免除一死。

並問：“船上何人？”船夫答：“是李涉博士，你們不能劫他。”匪首聽說後，心想這年頭扯虎皮嚇唬人的不少，便問道：“眞是李博士嗎？”李涉應聲答：“假了包換。”匪首說：“李涉這名字我知道，我還讀過他的詩。如果眞是李博士，我們就不劫他的財了。不過我輩早就聽說他的詩名，我要的是證據，李涉不是能寫詩嗎？那你給我們寫一首詩。能立成一首好詩，就證明是李涉。”李涉聽罷，稍稍鎭定心情，便口吟一絕：“暮雨瀟瀟江上村，綠林豪客夜知聞。他時不用藏名姓，世上如今半是君。”強盜首領聽罷，露出一張笑臉來，連聲說：“好好，果然是李涉。”於是，命令手下把財物奉還，一聲呼哨，群盜消失在夜幕中（事見《唐才子傳》）。在唐朝，詩人有著很高的社會聲望，是被人崇拜的群體。詩寫得好，可以考中進士，得到官職，所以連強盜都很崇拜詩人，正所謂“盜亦有道”。

257

“推敲”爲什麼常用來比喻反覆斟酌？

韓愈像

“推敲”是關於唐朝苦吟派詩人賈島的典故。什麼叫苦吟派呢？就是爲了一句詩或是詩中的一個詞，不惜耗費心血，花費工夫。賈島曾用幾年時間做了一首詩。詩成之後，他熱淚橫流，不僅僅是高興，也是心疼自己。當然他並不是每做一首都這麼費勁兒，如果那樣，他就成不了詩人了。

有一次，賈島騎驢闖了官道。他正琢磨著一句詩，名叫《題李凝幽居》，全詩如下：“閒居少鄰並，草徑入荒園。鳥宿池邊樹，僧敲月下門。過橋分野色，移石動雲根。暫去還來此，幽期不負言。”

但他又有一處拿不定主意，那就是覺得第二句中的“僧敲月下門”的“敲”應換成“推”。可他又覺著“推”不太合適，不如“敲”好。不知是“敲”還是“推”好，嘴裏就“推敲推敲”地念叨著，不知不覺地，就騎著驢闖進了大官韓愈（“唐宋八大家”之一）的儀仗隊裏。韓愈問賈島爲什麼亂闖，賈島就把自己做的那首詩念給韓愈聽，也把拿不定主意是用“推”好，還是用“敲”好的事說了一遍。韓愈聽了，對賈島說：“我看還是用‘敲’好。去別人家，又是晚上，還是敲門有禮貌呀！而且一個‘敲’字，使夜靜更深之時，多了幾分聲響。再說，讀起來也響亮些。”賈島連連點頭。他這回不但沒受處罰，還和韓愈交上了朋友。

“推敲”從此也就成爲了膾炙人口的常用典故，用來比喻做文章或做事時，仔細琢磨，反覆斟酌。

258

“一字師”的典故是怎麼來的？

“一字師”，指訂正一字之誤讀，即可爲師；亦指更換詩文中一、二字的老師。主要有兩則故事與之相關：其一，據五代．王定保《唐摭言．切磋》說：唐代有個名叫李相的官員，十分好學，一有空閒就捧起《春秋》來讀。他經常把叔孫婼的“婼”（chuò）字，誤讀爲“吹”字音。長期在他身邊的一個侍從，老是聽他把這個字讀錯，便很不滿意，但又不好明說，只好憋在心裏。後來，侍從的不滿情緒還是被李相覺察到了，李相就問他：“我每次讀到這裏，你就流露一股不滿的情緒，這是什麼原因呢？”侍從怕直說了於己不利，可不說又不行，爲難之際，他靈機一動，便婉轉地答道：“過去我的老師教我讀《春秋》時，他把‘婼’字讀成‘綽’，現在聽您讀‘婼’字爲‘吹’，方才醒悟到自己以前讀得不對，所以對自己不滿意。”李相一聽，知道是自己讀音有誤，忙說：“哦，那一定是我讀錯了！我是照著書上注文讀的，而你是有老師教過的，你肯定是對的。”經過核查，發現書上的注文果眞不對。李相連忙站起來，把侍從接在自己的座位上，拜侍從爲“一字之師”。

其二，據《五代史補》說：唐代有個詩僧名叫齊己，寫的詩清逸雋永，耐人尋味，在當時的詩壇上享有盛名。有一回，他寫了一首題爲《早梅》的詩，其中有這樣兩句："前村深雪裏，昨夜數枝開。"恰巧詩友鄭谷來訪，看後認爲梅花數枝開不能算早，就提筆改了一個字，將"數枝"改爲"一枝"，突出其獨在百花之先綻開。齊己看了，佩服得五體投地，連稱鄭谷是"一字之師"。

259

被聞一多稱爲"詩中的詩，頂峰上的頂峰"是哪首詩？

被聞一多先生譽爲"詩中的詩，頂峰上的頂峰"（《宮體詩的自贖》）是初唐詩人張若虛的《春江花月夜》，一千多年來使無數讀者爲之傾倒。而身後僅留下兩首詩傳世的張若虛，也因這一首詩，"孤篇橫絕，竟爲大家"。詩篇題目就令人心馳神往。春、江、花、月、夜，這五種事物集中體現了人生最動人的良辰美景，構成了誘人探尋的奇妙的藝術境界。

《春江花月夜》在思想與藝術上都超越了以前那些單純模山范水的景物詩，"羨宇宙之無窮，哀吾生之須臾"的哲理詩，抒兒女別情離緒的愛情詩。詩人將這些屢見不鮮的傳統題材，注入了新的含義，融詩情、畫意、哲理爲一體，憑藉對春江花月夜的描繪，盡情讚歎大自然的奇麗景色，謳歌人間純潔的愛情，把對遊子、思婦的同情心擴大開來，與對人生哲理的追求、對宇宙奧秘的探索結合起來，從而匯成一種情、景、理水乳交融的幽美而邈遠的意境。"月"是詩中情景兼融之物，它跳動著詩人的脈搏，在全詩中猶如一條生命紐帶，通貫上下，觸處生神，詩情隨著月輪的升落而起伏曲折。月在一夜之間經歷了升起——高懸——西斜——落下的過程。在月的照耀下，江水、沙灘、天空、原野、楓樹、花林、飛霜、白沙、扁舟、高樓、鏡臺、砧石、長飛的鴻雁、潛躍的魚龍、不眠的思婦以及漂泊的遊子，組成了完整的、充滿人生哲理與生活情趣的畫卷。

260

"詠蟬三絕"是指哪些作品？

詠物之詩歌題材，由來已久，有唐一代，初、盛、中、晚，賦者甚衆，風貌不一；而其中蟬即爲多家詩人所吟詠。蟬之爲物，憩於高枝，餐風飲露，品性高潔，唐人中詠蟬之作稱絕者有三，且作者生年不同，時跨一代，如下：

虞世南《蟬》："飲清露，流響出疏桐。居高聲自遠，非是藉秋風。"

駱賓王《在獄詠蟬》："西陸蟬聲唱，南冠客思侵。那堪玄鬢影，來對白頭吟。露重飛難進，風多響易沉。無人信高潔，誰爲表予心。"

李商隱《蟬》：" 本以高難飽，徒勞恨費聲。五更疏欲斷，一樹碧無情。薄宦梗猶泛，故園蕪已平。煩君最相警，我亦舉家清。"

虞世南像

駱賓王《軍中登城樓》詩圖

唐初宮廷詩人虞世南，乃由隋入唐之文壇名士，歷任弘文館學士、著作郎、秘書監等職，曾編有大型類書《北堂書鈔》；其詩以蟬之高潔品性來自喻，明寫蟬之習性，實則處處自寓象徵。末兩句乃全詩點睛之筆，夾敘夾議，蟬聲遠傳，非藉於秋風傳遞，乃“居高”而自致，即立身高潔的人，表明自身聲名遠播非憑藉外力。

駱賓王之詩，則以蟬之悲鳴，興己之客思，秋蟬高唱，由物及人，駭耳驚心，兼用“南冠楚囚”之典切題；頷聯則用流水對，一句說蟬，一句說自己，物我相聯，委婉曲折地表達出詩人自傷老成的淒惻之情。

而晚唐詩人李商隱之作，托物寓懷，亦以蟬自喻。全篇詠物與抒情緊密結合，隱顯分合，首尾呼應，如清人屈復《玉溪生詩意》所雲：“通首自喻清高。”且與詩人一生之漂泊命運相契合。

261

哪首唐詩被評爲“古今七律第一”？

杜甫像

唐代大詩人杜甫的七言律詩《登高》，被稱爲“古今七律第一”：“風急天高猿嘯哀，渚清沙白鳥飛回。無邊落木蕭蕭下，不盡長江滾滾來。萬里悲秋常作客，百年多病獨登臺。艱難苦恨繁霜鬢，潦倒新停濁酒杯。”這首詩作於唐代宗大曆二年（767）秋，是杜甫流寓夔州，在極端困窘的情況下寫成的。那一天，他獨自登上夔州白帝城外的高臺，登高臨眺，百感交集。望中所見，激起意中所觸；蕭瑟的秋江景色，引發了他身世飄零的感慨，滲入了他老病孤愁的悲哀。於是，就有了這首被譽爲“古今七言律第一”的曠世之作。

這一首詩前半寫景，後半抒情，在寫法上各有錯綜之妙。首聯著重刻畫眼前具體景物，好比畫家的工筆，形、聲、色、態一一得到表現。頷聯著重渲染整個秋天氣氛，好比畫家的寫意，只宜傳神會意，讓讀者用想像補充。頸聯表現感情，從縱（時間）、橫（空間）兩方面著筆，由異鄉飄泊寫到多病叢生。尾聯又從白髮日多，護病斷飲，歸結到時世艱難是潦倒不堪的根源。這樣，杜甫憂國傷時的情操，便躍然紙上。這一首詩四聯全都用了對仗，而句之中又有對仗，第一句“風急”對“天高”，第二句“渚清”（“清”諧音“青”）對“沙白”，第七句“艱難”對“苦恨”，第八句“潦倒”對“新停”，都是先在本句自對，再跟對句相對。有趣的是，第一句因爲押韻，跟第二句在平仄上就無法完全相對，而在字義上卻對得天衣無縫。這首詩被譽爲“古今七律第一”，即使僅從形式上看，也當得起此美稱。

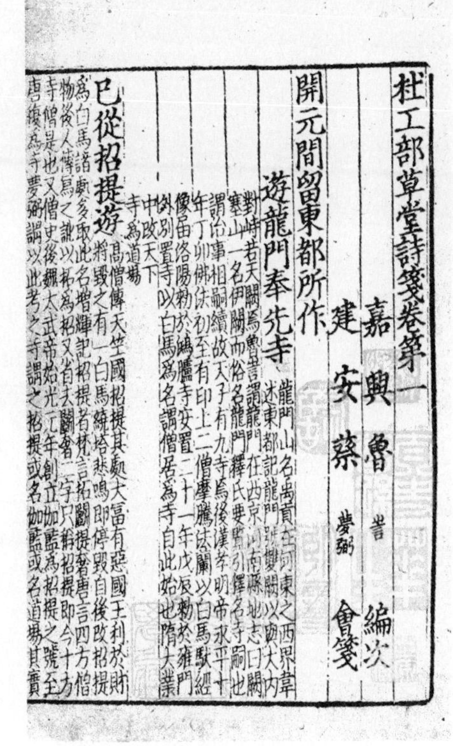
杜工部草堂詩箋卷第一
嘉興魯訔編次
建安蔡夢弼會箋
開元間留東都所作
遊龍門奉先寺
已從招提遊

杜甫《杜工部草堂詩箋》書影(宋刻本)

262

何爲“燕許大手筆”？

“燕許”指唐代著名詩人張說、蘇頲。張說，字道濟，一字說之，洛陽人。武后策賢良方正，說所對第一。授左補闕，擢鳳閣舍人。忤旨，配流欽州。中宗召還，累遷工部、兵部侍郎，修文館學士。睿宗拜爲中書侍郎，知政事。開元初，進中書令，封燕國公。尋出刺相州，左轉岳州，召拜兵部尙書，知政事，敕令巡邊。後爲集賢院學士，尙書左丞相。卒謚文貞。說爲人敦氣義，重然諾，喜延納後進，朝廷大述作，多出其手。蘇頲，字廷碩，蘇瑰之子。幼敏悟，一覽至千言，輒復誦。擢進士第，調烏程尉，舉賢良方正，歷監察御史。神龍中遷給事中、修文館學士、中書舍人。明皇愛其文，由工部侍郎進紫微侍郎，知政事，與李乂對掌書命。帝曰："前世李嶠、蘇味道，文擅當時，號蘇李。今朕得頲及乂，何愧前人。"襲父封爵，號小許公。後罷爲益州長史，復入知吏部選事。卒謚文憲。頲以文章顯，與燕國公張說稱望略等，世稱燕許。

二人主張"崇雅黜浮"，以矯正陳、隋以來的浮麗風氣，講究實用，重視風骨。但其文章內容狹窄，駢文習氣很重。張長於碑誌，風格雄壯；其爲詩有法，晚謫岳陽，詩益動人，人謂得江山之助，較蘇成就大。"燕許"又稱"蘇張"。唐元稹《代典江老蔔百韻》詩："李杜詩篇敵，蘇張筆力勻。"

263

"蘇模棱"是誰？

"蘇模棱"是初唐政治家、文學家蘇味道的綽號。蘇味道，趙州欒城（今河北欒城）人。九歲能詩文，少有才華，與李嶠以文辭齊名，號"蘇李"。與同時代的李嶠、崔融、杜審言並稱"文章四友"。二十歲中進士，早年爲咸陽尉，因吏部侍郎裴行儉賞識，隨裴行儉兩征突厥，爲書記。聖曆初官居相位。先後三度爲相達七年之久，深得武則天賞識。後因親附張易之兄弟，中宗時被貶爲眉州刺史。不久又復遷益州（今成都）大都督府長史，未行而卒，終年五十八歲。蘇味道諳練台閣故事，善章奏。由於武則天時期複雜的政治環境，蘇味道三度拜相，但政績平平，明哲保身，曾謂人云："處事不欲決斷明白，若有錯誤，必貽咎譴，但模棱以持兩端可矣。"說白了，就是不得罪人，特別是領導，凡事"和稀泥"，世號"蘇模棱"。他對唐代律詩發展有推動作用。詩多應制之作，浮豔雍容。但《正月十五夜》（一作《上元》）詠長安元宵夜花燈盛況，爲傳世之作。著有《蘇味道集》，已佚，所作詩今存十六首，載《全唐詩》。蘇味道死後葬今欒城蘇邱村。其一子留四川眉山，宋代"三蘇"爲其後。

264

“詩家夫子”是誰？

“詩家夫子”是對唐代詩人王昌齡的美稱。王昌齡，字少伯，漢族。盛唐著名邊塞詩人。存詩一百七十餘首。王昌齡的籍貫，有太原、京兆兩說。王昌齡家境比較貧寒，開元十五年(727)進士及第，授秘書省校書郎（官汜水尉校書郎）。開元二十二年（734），王昌齡選博學宏詞科，超絕群倫，於是改任汜水縣尉，再遷爲江寧丞。後“不護細行，屢見貶斥”，被貶爲龍標尉，世稱王龍標。更爲可悲可歎的是，王昌齡後來連龍標尉這樣一個小小的職務也沒能保住，離任而去，迂迴至濠州，竟爲刺史閭丘曉所殺。

王昌齡《望月》詩圖

王昌齡是盛唐詩壇一著名詩人，當時即名重一時，被稱爲“詩家夫子王江寧”。因爲詩名早著，所以與當時名詩人交遊頗多，交誼很深。王昌齡擅長七言絕句，被後世稱爲“七絕聖手”。如《出塞》詩：“秦時明月漢時關，萬里長征人未還。但使龍城飛將在，不教胡馬度陰山。”慨歎守將無能，意境開闊，感情深沉，有縱橫古今的氣魄，確實爲古代詩歌中的珍品，被譽爲唐人七絕的壓卷之作。又如《從軍行》等，也都爲膾炙人口的名作。送別之作《芙蓉樓送辛漸》同樣爲千古名作。沈德潛《唐詩別裁》說：“龍標絕句，深情幽怨，意旨微茫，令人測之無端，玩之無盡。”

265

"五言長城"是誰？

劉長卿《感懷詩》詩圖

"五言長城"是唐代詩人劉長卿的自號。劉長卿，字文房。宣城（今屬安徽）人，郡望河間（今屬河北）。以五言律詩擅長，玄宗天寶進士。肅宗至德間任監察御史、長洲縣尉，貶南巴尉，後返，旅居江浙。代宗時歷任轉運使判官，知淮西、鄂岳轉運留後，被誣，再貶睦州司馬。他生平坎坷，有一部分感傷身世之作，但也反映了安史亂後中原一帶荒涼凋敝的景象。如《穆陵關北逢人歸漁陽》、《疲兵篇》、《新息道中作》等，筆調蒼涼沉鬱。劉長卿詩以五七言近體爲主，尤工五言。五律簡煉渾括，於深密中見清秀。如《新年作》、《岳陽館中望洞庭湖》、《碧澗別墅喜皇甫侍御相訪》、《海鹽官舍早春》等。五絕如《逢雪宿芙蓉山主人》、《江中對月》、《送靈澈上人》，以白描取勝，饒有韻致。但他的大部分詩內容單薄，境界狹窄，缺少變化，有字句雷同之感。

劉長卿在當時極負詩名，爲"大曆十才子"之一，時以"錢郎劉李"並稱，因其擅長作五言詩，號稱"五言長城"，意思是說他人難以勝過。當時有位年長的隱居之人秦系與他關係極好，兩人常常以詩相贈答。有一天，一位朋友讀了秦系應答劉長卿的五言詩之後，感到他們的詩各有特點，不相上下，便打趣地說："長卿自以爲是五言長城，堅不可摧，而秦系率部隊從側面發起了進攻。雖然他人老了，但威力不減壯年，還眞夠長卿抵擋一陣的。"

266

“溫八叉”是誰？

“溫八叉”是對唐代詩人溫庭筠的美稱。溫庭筠，原名岐，字飛卿，并州祁（今山西祁縣）人，唐代溫彥博之裔孫，我國古代著名詞人，兩《唐書》有傳。在當時與李商隱齊名，時號溫李。《北夢瑣言》說溫庭筠“才思豔麗，工於小賦，每入試，押官韻作賦，凡八叉手而八韻成”，所以時人稱爲“溫八叉”。在我國古代，文思敏捷者，有數步成詩之說，而像溫庭筠這樣八叉手而成八韻者，再無第二人。

作爲晚唐著名詩人，溫庭筠詩詞俱佳，以詞著稱。溫庭筠的詩詞，在思想意義上雖大多無較高的價值，但在藝術上卻有獨到之處，歷代詩論家對溫庭筠詩詞評價甚高，被譽爲花間派鼻祖。《花間集》收溫詞最多，達66首，可以說溫庭筠是第一位專力填詞的詩人。詞這種文學形式，到了溫庭筠手裏才眞正被人們重視起來，隨後五代與宋代的詞人競相爲之，終於使詞在中國古代文壇上蔚爲大觀，至現在仍然有著極廣泛的影響。溫庭筠對詞的貢獻，永遠受到後人的尊敬。溫庭筠的詩，寫得清婉精麗，備受時人推崇，《商山早行》詩之“雞聲茅店月，人跡板橋霜”，更是不朽名句，千古流傳。相傳宋代名詩人歐陽修非常讚賞這一聯，曾自作“鳥聲茅店雨，野色板橋春”，但終未能超出溫詩原意。

267

什麼是“借對”？

借對這種特殊對仗的概念最先見於南宋嚴羽《滄浪詩話》：“有借對，孟浩然‘廚人具雞黍，稚子摘楊梅’，太白‘水舂雲母碓，風掃石南花’，少陵‘竹葉於人既無分，菊花從此不須開’是也。”通過借音或借義兩種途徑實現工對。所謂借音，即通過諧音造成詞語對仗；而借義，則是一詞多義，詩人在詩中表意用甲義，同時又借用其乙義來與對應的詞構成對仗；因此借對可分爲借音對和借義對兩種。

以唐代詩人賈至詩爲例，其借音對有“雲陛褰(qiān)珠扆(yǐ)，天墀覆綠楊”（《侍宴曲》），“越井人南去，湘川水北流”（《送陸協律赴端州》）兩處，前者的上句中，“珠扆”的“珠”字與“朱”諧音，此處借這種諧音與下句的“綠”字構成顏色類的工對；後者則通過下句中“流”與“留”字的諧音，借來與上句中的“去”字構成工對。而其詩中的借義對則有“鶯喧翡翠幕，柳覆郁金堂”（《長門怨》），下句中“郁金堂”本指用鬱金香和泥塗壁的房子，“郁金”即指鬱金香，而詩中則借“金”字表示顏色的另一義，與上句中表現顏色的“翠”字構成了顏色類對仗，從而實現了工對。可見，其詩中這些借對無論是借音還是借義，都可以使本已成對的句子錦上添花，由寬對變爲工對，達到工巧自然之妙；並須通過仔細鑒賞方能領會，從而耐人尋味，妙趣橫生。

268

什麼是“流水對”？

流水對這種特殊對仗的概念最先在明代胡震亨《唐音癸籤》中正式定名，“謂兩句一意也，蓋流水對耳。”五言者稱爲“十字格”，七言者稱爲“十四字格”。從內容上看，是上下兩句詩連貫而下地表達一個完整的意思；從語法意義上看，構成流水對的形式上的兩句詩，可以實爲一個單句，也可以是複句。由於流水對上下兩句意脈相聯，富於流動感，所以是一種動態的對仗，可以克服一般對仗的凝固之感。

以唐代詩人賈至詩爲例，其中單句形式的流水對有“忽與朝中舊，同爲澤畔吟”（《岳陽樓宴王員外貶長沙》），“嶺嶠同仙客，京華即舊遊”（《送陸協律赴端州》）；複句形式的流水對中，順承關係的有“一酌千憂散，三杯萬事空”（《對酒麴二首》其二），“隔簾妝隱映，向席舞低昂”（《侍宴曲》）等，遞近關係的則有“東風不爲吹愁去，春日偏能惹恨長”（《春思二首》其一），“世情已逐浮雲散，離恨空隨江水長”（《巴陵夜別王八員外》）。而賈至的兩首律絕，《贈薛瑤英》：“舞怯銖衣重，笑疑桃臉開。方知漢成帝，虛築避風台”，還有《勤政樓觀樂》：“銀河帝女下三清，紫禁笙歌出九城。爲報延州來聽樂，須知天下欲升平”，則均是上半由順承關係的複句流水對，而下半由單句形式的流水對構成。賈至詩中這些多樣的流水對的大量使用，使其對仗充滿了流動感，嚴整而不失於板滯。

269

什麼是“當句對”？

當句對是種特殊對仗形式，又有廣義和狹義之分。

廣義的當句對，是指對仗的上下兩句，在本句中各自都具有兩個語法結構相同的詞或片語構成對偶，南宋嚴羽《滄浪詩話》中提到的“有就句對，又曰當句有對”；還有沈德潛《說詩晬語》中所稱“對仗固須工整，而亦有一聯中自爲對偶者”，即指廣義的當句對。在賈至詩中，如“舞蝶縈愁緒，繁花對靚妝”（《長門怨》），“雲陛褰珠扆，天墀覆綠楊”（《侍宴曲》），“曲水浮花氣，流風散舞衣”（《對酒麴二首》其一），“白羽插雕弓，霓旌動朔風”（《詠馮昭儀當熊》）等，都屬於廣義的當句對。

而狹義的當句對，則在對仗形式上要求更爲嚴格，是指對仗的兩句每句中不但出現語法結構相同的詞或片語，而且這兩個詞或片語須有一個字重複；而賈至詩中的“月色更添春色好，蘆風似勝竹風幽”（《別裴九弟》），“草色青青柳色黃，桃花曆亂李花香”（《春思二首》其一）等，都是較完美的狹義當句對。當句對這種特殊對仗的使用，能使其詩句音節流轉，和諧入耳，從而更有助於詩中情感的抒發。

270

什麼叫“犯孤平”？

唐代開始形成的格律詩的一個句子中，全句除韻腳外，只有一個平聲字，這叫做“犯孤平”。有些情況（如處於一句之中的四、五、六字的位置上）是兩個仄聲字之間夾一平聲字，前人也稱爲“犯孤平”。爲了避免“犯孤平”，某些句子的“一、三、五”諸字也不能不論。如“仄仄平平仄仄平”這種句子，其第三字平聲如換用仄聲字，便只剩下第四字爲平聲了（韻腳的平聲字不計），這就犯孤平。因此，這種句型也不都是“一、三、五不論”。犯了孤平，一般可以“救”，即在適當的位置上補回某個平聲字，使平、仄聲字的比例恢復大體上的平衡。

孤平是律詩的大忌。在唐代的律詩中，幾乎可以說絕對沒有孤平。王力先生親自組織學者在《全唐詩》裏尋找犯孤平毛病的律句，結果只找到兩個例子：

“醉多適不愁。”（高適：《淇上送韋司倉》）；

“百歲老翁不種田。”（李頎：《野老曝背》）。

“醉”字應平卻仄了，“老”字也是應平而仄了。這兩句犯了孤平的律句，也許是高適、李頎一時疏忽所致，也許是故意用古詩所容許的平仄，因爲高、李都是盛唐初期的人，當時詩律未細，可能也是一個原因。不管怎麼說，在唐宋千萬首詩中幾乎找不到犯孤平毛病的句子，已經足以證明孤平是詩人極力避忌的一個毛病。科舉時代，試帖詩不論作得多麼好，如果犯了孤平，就算不及格。

271

什麼叫“拗救”？

在格律詩中，不論是五言絕句、七言絕句、五言律詩、七言律詩，也不論是上句還是下句，凡是句子中的平仄安排不合格律的，這個句子就稱爲拗句，句中不合格律的字稱爲拗字。拗句有時可以採取補救的辦法，就是在本句或鄰句中，改變其他字的平仄安排，這種方法稱爲拗救。凡經過拗救的句子，就算合律。拗救的方法有以下幾種：

（一）當句救。當句救是指在出現拗句的本句的適當地方，選一個字，把這個字的平仄作相應的改變，使全句讀起來聲調仍有高低，不會由於出現拗句而影響聲律的和諧。但必須注意，這個補救的字不能用在句末。例如李白的五律《宿五松下荀媼家》，其頸聯爲“跪進雕胡飯，月光明素盤”，其格律安排應該是“仄仄平平仄，平平仄仄平”，出句完全合律，而對句第一字應平聲，現在用了仄聲“月”字，如果不救，就成了“仄平仄仄平”，犯了孤平，因此第三字必須改爲平聲，現在用了平聲字

“明”，對句變成了“仄平平仄平”，就合律了。

（二）對句救。所謂對句救，就是當句中出現拗字，而在本句中沒有條件補救時，便在下一句的適當位置進行補救。例如唐代溫庭筠的五律《商山早行》中的頸聯，“槲葉落山路，枳花明驛牆”，此聯的平仄應該是“仄仄平平仄，平平仄仄平”。現在上聯第三字應該平聲處，卻用了仄聲字“落”，成了拗句，對句第一字本來可平可仄，現在用了仄聲字“枳”，如果不救，就犯孤平，所以第三字必須改爲平聲字，一個“明”字，既救了本句也救了上句。這種情況在唐詩中是累見不鮮的，我們不再舉例了。

272

什麼叫“唱和”？

“唱和”，亦作“唱酬”、“酬唱”，謂作詩與別人相酬和。大致有以下幾種方式：

1.一個人做了詩或詞，別的人和詩，只作詩酬和，不用被和詩原韻。

2.依韻，亦稱同韻，和詩與被和詩同屬一韻，但不必用其原字。

3.用韻，即用原詩韻的字而不必順其次序。

4.次韻，亦稱步韻，即用其原韻原字，且先後次序都須相同。

唱和本是指唱歌時此唱彼和，互相呼應。後來“唱和”也作爲彼此以詩詞贈答的代詞。唱和有兩種不同的方式：一種是甲方贈乙方詩詞，乙方根據甲方所贈詩詞的原韻寫來回答，唐代白居易、元稹二人這種依韻唱和的詩頗多。另一種是乙方回答甲方所贈的詩詞，只根據原作的意思而另自用韻，唐代柳宗元與劉禹錫之間的唱和詩就屬這一類。

關於其來源有三：

1.歌唱時此唱彼和。語出《詩經・鄭風・蘀兮》：“叔兮伯兮，倡予和女。”《荀子・樂論》：“唱和有應，善惡相象。”《資治通鑒・後唐莊宗同光元年》：“陪侍遊宴，與宮女雜坐，或爲豔歌相唱和，或談嘲謔浪。”

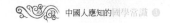

2.指音律相合。《漢書・律曆志上》："律呂唱和，以育生成化，歌奏用焉。"

3.以詩詞相酬答。唐張籍《哭元九少府》詩："閑來各數經過地，醉後齊吟唱和詩。"

273

什麼叫"葉韻"、"通韻"、"換韻"、"險韻"？

葉（xié）韻，一作"諧韻"、"協韻"。詩韻術語。謂有些韻字如讀本音，便與同詩其他韻腳不和，須改讀某音，以協調聲韻，故稱。"葉韻"或稱"葉句"（葉，同"協"，和諧之意）。葉韻又稱葉音。由於語音發展、變化，後人讀先秦韻文，有些地方便會感到不押韻，於是就臨時改變其中某一字的讀音，使之諧合。晉代徐邈、北周沈重已有改讀之例，而南宋吳棫的《詩補音》和《韻補》始集大成。這種改字一般是主觀的。

"通韻"指兩個或兩個以上的韻部可以相通，或其中一部分相通。作詩時通韻可以互押。如"平水韻"中"一東"與"二冬"、"四支"與"五微"、"十四寒"與"十五刪"等可通押。古體詩通韻較寬，近體詩則受嚴格的限制。

"換韻"亦稱"轉韻"。詩韻術語。除律詩、絕句不得換韻外，古體詩尤其是長篇古體詩，換韻較自由，既不限平聲韻、仄聲韻，也不限於鄰韻。轉韻時往往在換韻那一聯的出句先轉，接著聯末韻腳跟著轉。

"險韻"，指語句用艱僻字押韻，人覺其驚警險峻而又能化艱僻爲平妥，無湊韻之弊。唐宋詩人中也有故意押險韻以炫奇的。唐韓愈喜用險韻。宋蘇軾曾用"尖叉"二字爲韻，舊時推爲險韻中的名作。

274

作詩時的"對"和"粘"、"失粘"是怎麼回事？

唐代形成的近體律詩的平仄有"粘對"的規則。

對，就是平對仄，仄對平。也就是上文所說的：在對句中，平仄是對立的。五律的“對”，只有兩副對聯的形式，即：

1.仄仄平平仄，平平仄仄平。

2.平平平仄仄，仄仄仄平平。

七律的“對”，也只有兩副對聯的形式，即：

1.平平仄仄平平仄，仄仄平平仄仄平。

2.仄仄平平平仄仄，平平仄仄仄平平。

如果首句用韻，則首聯的平仄就不是完全對立的。由於韻腳的限制，也只能這樣辦。這樣，五律的首聯成爲：

1.仄仄仄平平，平平仄仄平。或者是：

2.平平仄仄平，仄仄仄平平。

七律的首聯成爲：

1.平平仄仄仄平平，仄仄平平仄仄平。或者是：

2.仄仄平平仄仄平，平平仄仄仄平平。

粘，就是平粘平，仄粘仄；後聯出句第二字的平仄要跟前聯對句第二字相一致。具體說來，要使第三句跟第二句相粘，第五句跟第四句相粘，第七句跟第六句相粘。上文所述的五律平仄格式和七律平仄格式，都是合乎這個規則的。

“失粘”，指寫作律詩、絕句時平仄失誤，聲韻不相粘之謂。即應用平聲而誤用仄聲，或應用仄聲而誤用平聲。又據宋陳鵠《耆舊續聞》，表啓之類的駢儷文字，若平仄失調，在當時也叫失粘。

中國人應知的

國學常識 3

The knowledge of Chinese

275

什麼叫一棵菜？

所謂“一棵菜”是一句非常形象的梨園術語。一場完美的演出應該給觀衆呈現出完整的藝術效果，就像一棵完整的菜，乃是由菜根、菜幫、菜心、菜葉等部分組成，缺一不可。舞臺演出中，無論主角、配角還是音樂伴奏、舞臺美術等其他工作人員，都爲這一場演出而共同努力、相互配合、協調一致，最終達到水乳交融、天衣無縫、完美無瑕的效果，這在京劇界就叫做“一棵菜”。

《四進士》馬連良飾宋士傑、黃桂秋飾楊素貞

最講究“一棵菜”精神的京劇大師，首推馬連良先生。如汪曾祺先生所云：“馬連良知道觀衆來看戲，不只看他一個人，他要求全團演員都很講究。他不惜高價，聘請最好的配角。對演員服裝要求做到‘三白’——白護領、白水袖、白靴底，連龍套都如此。”另外，范鈞宏先生《在紀念馬連良先生八十五周年誕辰座談會上的講話》中也談及：“馬（連良）先生最重視整體性”，“馬先生的整體性強還表現在從

前臺一直到後臺，從演員一直到樂隊的完整統一。他不怕別人‘咬’他，他願意衆星捧月，他不願意做光杆兒牡丹。正因爲他重視舞臺藝術的整體性，他才贏得了那麼多觀衆。要爭取觀衆，就要對得起觀衆，還不僅僅是我馬連良自己，而是我要求整個舞臺上成爲‘一棵菜’。馬先生這‘一棵菜’跟一般的‘一棵菜’還不大一樣。一般的‘一棵菜’，就只說舞臺上創作的‘一棵菜’；而馬先生的‘一棵菜’，是前臺、後臺、演員、樂隊作爲一個整體，是統一的。”

276

什麼叫義務戲？

義務戲，用現在的話說就是“義演”，是不收取報酬的演出。爲了救助貧窮困苦的同行同業，或者爲了賑濟各種各樣的災荒，亦或是爲了某項公益活動、慈善募捐等名目，將各個演出團體的主要演員聚集一處，聯合演出，這就是“義務戲”。

義務戲因爲名角名家薈萃一堂，往往能招來更多的觀衆，贏取更大的票房收益。翁偶虹先生有文記云：“京劇形成於北京，最早的班社，名角如林，互演大軸。隨著時代的遞進，風氣的變化，逐漸成爲一人挑班的形式。若想薈萃名角於一堂，各盡其能，除一般不對外的堂會戲外，只有看義務戲了”，而且“每次演出義務戲，在京的著名角色，無不參加，甚至有欲參加而不可能者。劇碼和演員的搭配，更是在一般班社中看不到的”。

關於義務戲的名角薈萃，試舉一例，可見一斑。據翁偶虹先生所記，1932年1月的一台義務戲陣容如下：富連成學生的《青門盜綃》開場，周里安、九陣風的《青石山》，貫大元的《搜孤救孤》，尙和玉的《豔陽樓》，王又宸、朱琴心、郝壽臣、蕭長華的《法門寺》，荀慧生、于連泉、馬富祿、侯喜瑞的《雙沙河》，高慶奎、尙小雲的《刺巴傑》，余叔岩的《盜宗卷》，大軸是楊小樓、梅蘭芳的《霸王別姬》。

義務戲中，爲了救濟本行業的貧苦同道而舉行的演出，還有個俗稱——窩窩頭義務戲。窩窩頭就是窩頭，是廉價的食物，這是謙虛地表示演出的收入杯水車薪，只能讓貧苦同業吃上一頓窩頭，聊以果腹而已。據說這樣的“窩窩頭義務戲”，每年歲暮，演出一次。

277

什麼叫應節戲？

中國傳統的節日極多，幾乎一年到頭，無月不節。爲了與某個節日或者某個紀念日相應和而演出的戲曲劇碼，稱爲“應節戲”。

據齊如山先生云：“戲館子中的應節戲並不多，但來源卻很遠，它是由皇帝宮中的月令承應戲衍來。”關於“月令承應戲”，清代昭槤撰《嘯亭續錄》卷一云：“乾隆初，純皇帝以海內升平，命張文敏制諸院本進呈，以備樂部演習，凡各節令皆奏演。其時典故如屈子競渡、子安題閣諸事，無不譜入，謂之月令承應。”朱家溍先生著有《清代內廷演戲情況雜談》一文，其中記載：“（清代宮廷中）月令承應戲本四十七出，有《喜朝五位》、《文氏家慶》、《早春朝賀》、《東籬嘯傲》、《賈島祭詩》、《對雪題詩》等等。這是從正月初一至除夕，每月各有不同特點的戲。”清代宮廷中的這類應節戲，叫做月令承應戲，民間的營業性演出就直接名曰“應節戲”。齊如山先生云：“從前在前清時代，應節戲並不發達，並應節戲這三個字也不十分普遍，平常也說不著。這個名詞，在清朝末年才抬頭，民國以後就很風行，差不多人人都知道了。”

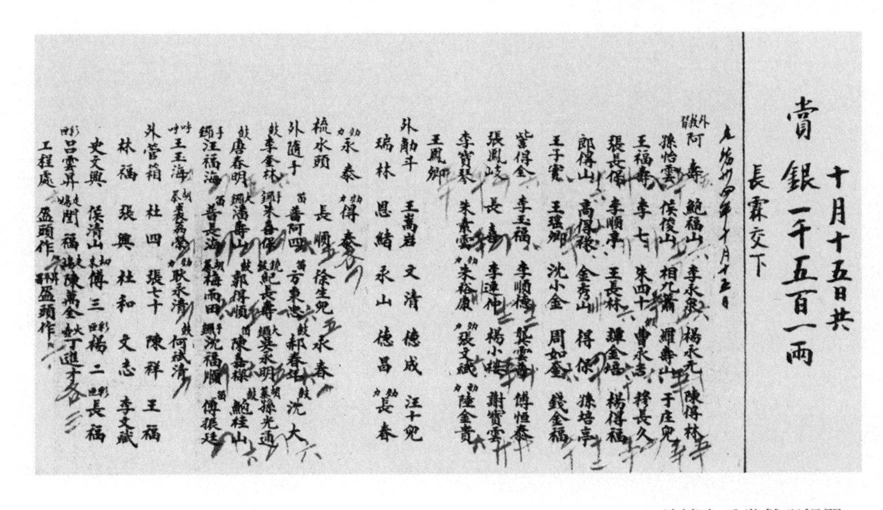
十月十五日共
賞銀一千五百一兩
長霖交下

慈禧太后賞戲班銀單

中國傳統節日中，一年有三大節，就是“春節”、“端午”和“中秋”。春節元旦是一年之始，“新正初一這天更要以吉祥戲爲主，例如《八百八年》（一名《文王訪賢》，乃開鑼戲）、《搖錢樹》、《財迷傳》、《遊龍戲鳳》”等（見徐慕雲《梨園外紀》）。武生戲不免拿刀動槍的殺人情節，唯有《青石山》乃是關平降妖捉怪，所以每逢年節，武戲裏常有這一齣。朱家溍先生云：“新正演《青石山》，是年景之一，可以載入《燕京歲時記》。”上元節時的應節戲有《上元夫人》，梅蘭芳先生有劇照傳世。端午節演出的應節戲有《五毒傳》、《白蛇傳》、《混元盒》等。七夕的應節戲是《天河配》。中秋節的應節戲有《陰陽河》、《天香慶節》、《嫦娥奔月》等。

278

什麼是扮相？

《定軍山》余叔岩飾黃忠

余派名票李適可（止庵）先生曾云：“譚富英一張戲票一塊二，一出來光瞧扮相就值八毛。”翁偶虹先生也曾經說過：“梅蘭芳的《天女散花》、《太眞外傳》，憑扮相就值五角（當時票售價一元）！”“聽楊小樓的《鐵籠山》、《豔陽樓》、《甘寧百騎劫魏營》，不用聽，光看扮相，就值六角（當時票價亦售一元）！”

扮相是演員化裝後的形象。去欣賞京劇藝術，有時說“聽戲”，有時說“看戲”，其實京劇就是一種訴之於視聽的藝術，戲總是要既可“聽”又可“看”的才好，所以要求演員要有扮相。翁偶虹先生論曰：“觀衆之於扮相，雖然出於偏愛，未免以點概面，但也說明一個問題，戲曲人物出現在舞臺之上，首先要具有塑型之美，是非常必要的。”劉曾復先生在《先賢語注》中更提到“內行扮相”之說。所謂的“內行扮相”，據劉老先生云：“有的人很像樣、很有派頭，但他不合乎演京劇的要求，扮戲不成。反之，有的人私下看似乎不怎麼樣，但扮上戲卻很漂亮，戲界有經驗的人一見他就看得出他是‘內行扮相’，能吃戲飯。”京劇大師余叔岩先生就是典型的例子，便裝看來普普通通，一旦扮上則神采奕奕，而且無論何種盔頭、紗帽、紮巾戴在余叔岩的頭上都容光煥發，這是有照片爲證的。余叔岩最重要的傳人孟小冬女士的扮相，丁秉鐩先生也曾專門談及：“一位演員給觀衆的第一印象，便是扮相。孟小冬生得明眸隆準，扮須生雖然掛上髯口，讓人看來劍眉星目，端莊儒雅，先予人以好感。”好的扮相確有“先聲奪人”之功！

279

爲什麼京劇中的女性角色以前主要由男演員來扮演？

《鎖麟囊》程硯秋飾薛湘靈

改男造女態全新，鞠部精華舊絕倫。

太息風流衰歇後，傳薪翻是讀書人。

這是國學大師陳寅恪先生在1952年寫下的一首絕句，詩的題目是《男旦》。

旦，是扮演女性角色的行當，以前京劇的這個行當是以男演員爲主的，所以無所謂“男旦”還是“女旦”。由於出現了女演員之後，爲表區別而稱作“坤旦”，所以相對而言，旦行男演員就被稱爲“乾旦”或“男旦”。在京劇或者說中國傳統戲曲中，男演女、女演男的現象是非常普遍的。男演員來扮演女性角色，一開始的情況實在是不得已而爲之。王平陵先生於1934年即有專文論述云：“國劇的興起全盛，以至於逐漸衰落的過程中，正當封建勢力籠罩著一切，那時候，如果要用女人來飾女角，不但在道德上、人情上講不過去，簡直是國法所不能容許的事。因此，用男人來飾女角，在當時也許是一種無可奈何的替代的方法。”清代末期的同、光年間才有女性演員出現，而男女同台合演則一直要等到上個世紀30年代的民國時期了。京劇旦角的發聲方法、表演方式是由男演員創造的，並產生了“四大名旦”等一大批傑出的男性演員。另外，京劇的寫意特質，使其與話劇、電影有所不同，是不求“眞”而求“美”的。 所以男演員以其獨特的優勢創造出超越於現實之上的藝術之眞與藝術之美。可惜的是，現在的男旦專業演員已是鳳毛麟角，正是“風流衰歇”之時，京劇男旦表演藝術似乎也該被專門列入非物質文化遺產名錄之中，提醒世人關注，莫使“鞠部精華舊絕倫”最終成爲“絕響”。

280

曲牌是什麼？

曲牌就是傳統塡詞製譜用的曲調調名的總稱，亦稱“牌子”。明代王驥德著《曲律》其三論調名曰：“曲之調名，今俗曰‘牌名’，始於漢之《朱鷺》《石流》《艾如張》《巫山高》，梁、陳之《折楊柳》《梅花落》《雞鳴高樹巓》《玉樹後庭花》等篇，於是詞而爲《金荃》《蘭畹》《花間》《草堂》諸調，曲而爲金、元劇戲諸調。”曲牌有固定的格律和名稱。

曲牌的使用，或者爲傳達劇中人物的某種特定感情，或者爲陪襯主要唱腔，或者爲渲染環境氣氛，或者爲交待生活細節，“從效果上看，它的藝術性能是非常廣泛而又非常靈活的”（翁偶虹語）。比如，發兵出征的氣氛，《長阪坡》中曹操傳令：“追趕劉備去者！”隨之而起的曲牌名曰【泣顏回】：“羽檄會諸侯，運神機，陣擁貔貅。需要同心戮力，斬權臣拂拭吳鈎。蒙塵冕旒，群雄雲擾誇爭鬥。看長江風息浪恬，濟川人自在行舟。”滿台演員齊唱【泣顏回】，曲牌的詞句音調配合舞蹈動作，將嚴整的軍容和緊張的氣氛渲染出來。

此外，還有表現行圍射獵的【醉太平】【普天樂】【朝天子】連用；設伏誘敵的【寄生草】【鵲踏枝】；排擺鑾駕的【一江風】；凱旋回朝的【五馬江兒水】等。

281

“同光十三絕”都有誰？

清代畫家沈容圃以工筆重彩法繪製了一幅畫像，畫像上包括了十三位清代同治、光緒年間的著名演員的妝容，故名《同光十三絕》。此圖自右至左繪有：楊月樓飾《探母》之楊延輝、譚鑫培飾《惡虎村》之黃天霸、朱蓮芬飾《琴挑》之陳妙常、盧勝奎飾《空城計》之諸葛亮、楊鳴玉飾《思志誠》之明天亮、時小福飾《桑園會》之羅敷、徐小香飾《群英會》之周瑜、程長庚飾《群英會》之魯肅、餘紫雲飾《彩樓配》之王寶釧、劉趕三飾《探親》之鄉下媽媽、梅巧玲飾《雁門關》之蕭太后、張勝奎飾《一捧雪》之莫成、郝蘭田飾《行路》之康氏。

這幅“十三絕”畫像的發現與流傳，馬連良先生曾經著文記述。乃是1929年春天，馬連良先生在北京陪同朋友去看房子，在一座老式而敗落的府第中發現的。馬先生說：“我在一間客廳裏發現了一幅古畫，引起我的注意，那就是這幀十三絕圖，它是絹面彩繪的戲裝人像，寬大足占滿了半邊牆壁，每個人物碩大逼真，栩栩如生，那都是我們梨園界的前輩名人啊！”發現這幅珍貴的十三絕圖後，馬先生欣喜若狂，慫恿自己的朋友與舊主人商議價錢，將這處府第連同這幀畫像買下。買下之後，馬先生把十三絕圖縮攝裝潢，印製了一萬張，分贈友好，使得這幅畫作得以流傳，名滿天下。至於畫家沈容圃，生卒年不可考，生平也不得而知，只是據馬連良先生說“是遜清咸豐年間一位名畫家”，也有的資料說是清代光緒年間的畫師。

同光十三絕

282

戲曲舞臺上的“戲箱”有哪些種類？

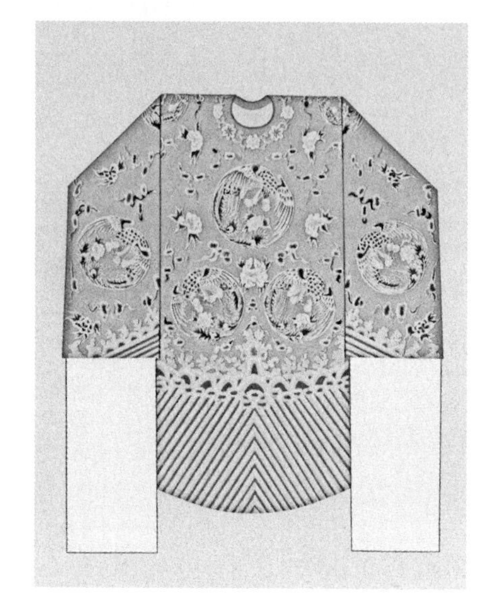

彩繡紅色女蟒袍

老旦鳳冠

放置演出服裝的箱子叫衣箱，除大衣箱、二衣箱之外，還有三衣箱，是以盛放的服裝品種進行分類的。大衣箱放置的是所有帶水袖的袍服，如蟒、官衣、開氅、褶子等；還有女用的袍服、戰衣、飾物等。二衣箱以放置武服爲主，如硬靠、軟靠、站堂鎧、箭衣、馬褂等。三衣箱又稱靴包箱，放置內襯衣物、靴鞋、彩褲等。

雖只是放置衣物的箱子，可是在後臺卻規矩極多。富連成科班爲學員所訂立的《梨園規約》中就明確寫道：“後臺座位管理各有次序，不得亂擾”；“生行坐二衣箱”；“貼行（即旦行）坐大衣箱”；“淨行坐盔頭箱”；“末行坐靴包箱”；“武行上下手坐把子箱。丑行座位不分”。另外，還有“最忌”——大衣箱上不准睡覺；箱案（在箱子上放一個案子稱箱案）不得坐人（大衣箱最重要）；不得兩腳磕箱；戴王帽遇戴草王盔，不得同箱並坐。規矩甚多，禁忌甚多，雖然各戲班的規定或小有出入，然大致都差不太遠。

除了三個衣箱之外，放置巾帽盔頭的箱子叫做盔頭箱，放置演出道具的箱子叫做旗把箱，這五類箱子統稱“戲箱”，舞臺上所用的一切服裝、道具、化裝等用品均出自於此。

283

什麼是跳加官？

《儒林外史》第十回：“戲子上來參了堂，磕頭下去，打動鑼鼓，跳了一齣‘加官’。”這裏所說的“加官”，是古典戲曲中一種佩戴面具進行表演的舞蹈。尤其在京劇舞臺上，因爲大量使用臉譜化裝的方式，“加官”是極少數保留面具的形象。

這種加官的表演通常沒有唱念，只是舞蹈，故稱“跳加官”。一般在逢年過節或是喜慶壽日的演出時，在正式演出開始之前，都要加上這麼一段，演員佩戴加官面具，頭戴相紗，身穿蟒袍，手持條幅之上大書“天官賜福”“加官進祿”等吉祥話，“加官”的名稱也許就來源於此。

尙長春先生回憶當年榮春社的演出時說道：“大年初一的戲，先是跳靈官。我們是二十一個靈官，我是頭一個。跳完靈官是掃臺童兒，掃臺童兒之後是跳雙加官、跳雙財神，然後演《天官賜福》《富貴長春》《財源輻輳》這些吉祥戲。之後正戲才開始，一直演到下午五點半結束。”這種演出的形式在現代的京劇舞臺已經絕跡，只能存諸文字了。

284

爲什麼說“千斤話白四兩唱”？

前文曾經論及中國戲曲是“以歌舞演故事”的，京劇的四功——唱、念、做、打——之中歌的部分，包括了唱與念。一般的習慣，對於“歌”的欣賞主要集中在唱，而忽視了話白。所謂的話白，即念白。其實念白也是另外一種形式的“歌”。所以，這句諺語便突出強調念白的重要，以“千斤”與“四兩”的懸殊對比，說明念白的地位。當然，這並不是貶低“唱”，只是誇張而言之罷了。

念白在沒有音樂伴奏的情況下，要念出徐疾頓挫、輕重緩急的音樂性，還要表達

孟小冬便裝照

喜怒哀樂、悲憂驚恐的情緒，確有相當難度。好演員的精彩念白同樣能博得觀衆的彩聲，比如孟小冬女士演《搜孤救孤》這齣戲，人們似乎只記得劇中那幾段名唱段，其實程嬰到屠岸賈那裏擊鼓告密時，有一段念白："卑人與公孫杵臼俱是趙家的門客。"孟小冬念來抑揚頓挫，極其悅耳，觀衆報之以熱烈的掌聲，有現場錄音爲證。而且有很多劇碼，就是以念白爲主的，比如《十道本》、《四進士》、《淮河營》等。在有些行當的表演中，念白更是重要的表演手段，如花旦、架子花臉和丑行。

285

什麼是黃鐘大呂？

《司馬逼宮》金少山飾司馬師

劇評家丁秉鐩先生當年爲天津《大公報》撰文，報導"金少山演出盛況"時，曾用"遇皇后打龍袍黃鐘大呂"爲副標題。很多書中，形容某位演員的演唱時，常常說他有"黃鐘大呂"之聲。這"黃鐘大呂"是來自中國古代音律的名稱。

樂音高低的標準稱爲"律"。古人以竹管來確定音之高低。明代張岱《夜航船》中所謂"黃帝命伶倫作律。伶倫取竹於嶰谷，其竅厚薄之均者，斷爲兩節，作六寸九分而吹之，以爲黃鐘之管"；又云："五聲之本，生於黃鐘之律。律有十二，陽六爲律，陰六爲呂。律以通氣類物，一曰黃鐘，二曰太簇，三曰姑銑，四曰蕤賓，五曰夷則，六曰無射；呂以旅陽宣氣，一曰林鐘，二曰南呂，三曰應鐘，四曰大呂，五曰夾鐘，六曰仲呂。”這就是中國古人的十二音律。其中，黃鐘爲陽律第一，大呂爲陰律第四，這樣的聲音有什麼特色呢？《周禮・春官・大司樂》中云：“乃奏黃鐘，歌大呂，舞雲門，以祀天神。”用來祭祀天神的音樂，可以想見，必不是“靡靡之音”，應該是莊重、雄渾而嚴正大氣的。所以後人用黃鐘大呂來形容這樣一類的聲音。京劇名家之中，金少山的嗓音確實當之無愧。

286

什麼是響遏行雲？

誰家吹笛畫樓中，斷續聲隨斷續風。
響遏行雲橫碧落，清和冷月到簾櫳。
興來三弄有桓子，賦就一篇懷馬融。
曲罷不知人在否，餘音嘹亮尚飄空。

這是一首很美的唐詩，題目叫做《聞笛》，詩的作者就是曾經因爲一句“殘星幾點雁橫塞，長笛一聲人倚樓”的詩句，而被稱爲“趙倚樓”的趙嘏。

“響遏行雲”四字，在趙嘏的詩中雖然是形容清亮的笛聲，但是最初這四個字也是用來形容人的歌唱之聲的。典出《列子・湯問》：“薛譚學謳於秦青，未窮青之技，自謂盡之；遂辭歸。秦青弗止；餞於郊衢，撫節悲歌，聲振林木，響遏行雲。薛譚乃謝求反，終身不敢言歸。”學謳就是學歌。看起來薛譚原本是一位自以爲是的聲樂學生，最終還是被老師秦青的絕技所折服了。文中形容秦青的歌唱是“聲振林木，響遏行雲”，遏者，攔阻也，就是說歌聲高亢嘹亮，把天空中雲彩都攔阻下來，飄動不得了。

京劇中尤其是旦角的演唱，有時也常常被形容爲“響遏行雲”，如早年之陳德霖“老夫子”、四大名旦中之尙小雲先生都可以當此四字而無愧色。而以“遏雲”爲名的則有著名青衣章遏雲。

287

我國最早的京劇影片是哪一部？

《定軍山》譚鑫培飾黃忠

1905年，北京琉璃廠豐泰照相館的老闆任景豐，邀請當時最著名的京劇演員譚鑫培拍攝電影。譚鑫培表演了《定軍山》中“請戰”、“舞刀”、“開打”等片段，被拍攝下來，這部黑白無聲影片成爲最早的京劇影片，也是中國電影之始。這部電影的攝影師是劉仲倫。可惜的是，歲月遷流，這部電影的膠片已無可尋找，只留下譚鑫培拍攝影片時的劇照一幀傳世而已。

《定軍山》是譚鑫培的代表劇碼，又名《一戰成功》。這是一齣三國戲，曹兵攻打葭萌關，老將軍黃忠向諸葛亮請戰拒敵。諸葛亮派黃忠、嚴顏出戰，二位老將合力殺退張郃，攻佔天蕩山，黃忠另引人馬攻打定軍山，用拖刀計斬殺夏侯淵，獲得勝利。在劇中，譚鑫培飾演黃忠，歌舞繁重。

288

我國最早的彩色京劇影片是哪一部？

1948年，華藝公司拍攝的《生死恨》，是我國最早的彩色京劇電影。雖然當時的技術和經驗不足，影片的色彩效果不佳，但也是中國彩色電影之始了。比之《定軍山》的實錄性質，《生死恨》在燈光、佈景、場次安排上都非常講究了，可以說是一部高水準的戲曲電影片。這部電影的主演是梅蘭芳、姜妙香，導演就是電影《小城之春》的導演費穆先生。

費穆（1906～1951），是著名電影導演，除執導過《生死恨》之外，還有一部戲曲片《古中國之歌》，是京劇片段的合集。

289

什麼是翎子？

京劇舞臺上，有些角色的盔頭上插著兩根長長的羽毛，那就是“翎子”。頭上插羽毛，也是來源於現實生活的。

有一種鳥，古人叫做“鶡”，現在叫做“褐馬雞”。《說文》解釋說：“鶡，鶡鳥也。似雉，出上黨。”古人又說這種鶡鳥：“黃黑色，勇於鬥，一死乃止，故趙武靈王表武士以鶡尾，豎左右爲鶡冠。”趙武靈王取其好鬥且不畏死的特點，讓武士們在頭冠上插戴鶡羽，以示驍勇。

《探母》孟小冬飾楊四郎

可是鶡鳥的尾羽不長，在舞臺上並不好看，所以就用雉的尾羽代替，而且古人也說了鶡"似雉"。雉的俗稱就是野雞，它的雄鳥羽毛美麗，尾羽甚長。在舞臺上不僅好看，還能配合舞蹈，抒發角色的感情，刻畫人物的性格。京劇的表演手段裏也有一門"翎子功"。而且佩戴翎子的角色裏有一大類屬於年輕英俊的武將，如周瑜、呂布等，被專門稱爲"雉尾生"。京劇中，莊重、沉穩的將帥、文職官員以及被認爲是屬於正統王朝的人物，基本上都不插戴翎子。比如，《定軍山》裏，黃忠和夏侯淵都是武將，可是黃忠扶保劉備這位漢室宗親，屬於正統派，所以不戴翎子；夏侯淵是曹操手下大將，曹操名爲漢相實爲漢賊，是反派，所以夏侯淵頭上就有翎子。

290

什麼是褶子？

"褶"這個字，最常見的讀音是zhě，可是在京劇服裝裏，提到這個字的時候都讀成xué，很多人認爲這就是京劇界的特殊讀法。查看《康熙字典》，上面寫著："《類篇》襲也；《急就篇注》褶，謂重衣之最在上者也。其形若袍。"所以，罩在外面的袍服，就是"褶"，所以"褶子"的"褶"正確讀音應該是xí，只不過xí和xué音相近，漸漸讀訛了而已。

"褶子"在舞臺上就是一種便服外衣，用途極廣，十分常見，樣式很像道士所著之道袍，但是花色豐富，質地各異，劇中無論男女老少、貧富貴賤皆可著之。

291

什麼是片子？

"片子"是指旦角化裝用的假髮，是對古代婦女鬢的誇張。片子分爲大片和小片兩種，均由人髮製成。使用時，蘸刨花水，梳理後貼在演員的臉上，大片在兩鬢，小片彎曲貼在額頭。片子的貼法可以改變演員的臉型，使之更美觀。

程硯秋先生晚年拍攝影片《荒山淚》時，因爲身體發福的原因，面部的片子，尤其是兩側的大片就貼得比較寬，這樣從正面看去臉型就變得窄小一些了。梅蘭芳先生非常重視化裝，他說：“旦角頭上最重要的是大頭梳得好看，片子貼得合適，至於戴花只是一個陪襯。”（見朱家溍《故宮退食錄》）

292

跑圓場代表什麼？

演員在舞臺上按照圓形路線行走，由慢至快，周而復始，故稱跑圓場。跑圓場是把生活中腳步加急乃至奔跑的動作舞蹈化了。比如《徐策跑城》，老徐策急急忙忙上金殿奏本，就有一段跑圓場的舞蹈，速度越來越快，但是演員腳下快而不亂，帽翅顫動，白髯飄飄，把觀衆帶入到緊急的情節中去。

《徐策跑城》周信芳飾徐策

293

什麼是十三道大轍？

轍的原意是車轍、軌跡，所謂“善行無轍跡”者是也。中國的詩歌詞曲都講究合轍押韻，其實也就是按照一定的“音韻軌跡”去安排詞句的意思。北方語言系統的戲曲和曲藝都遵循十三道大轍的押韻體系。所謂十三道大轍是：搖條、發花、人辰、由求、乜斜、姑蘇、江陽、懷來、中東、一七、言前、灰堆、梭波。有兩句十三轍的順口溜，便於記憶，其一是“俏佳人扭捏入房來東西南北坐”。俏是搖條、佳是發花、人是人辰、扭是由求、捏是乜斜、入是姑蘇、房是江陽、來是懷來、東是中東、西是一七、南是言前、北是灰堆、坐是梭波。另外一句“月落花浮水面樓臺倒影印池塘”，也是同樣的意思。比如《空城計》諸葛亮的唱段“我本是臥龍崗散淡的人”就是押人辰轍；《紅娘》中的“小姐你多風采，君瑞你大雅才”則是押懷來轍。

294

什麼叫湖廣音中州韻？

湖廣，並非湖北與廣東的簡稱。因爲明代建省時現在的湖南、湖北爲一省，但仍沿用元代舊稱爲“湖廣”，所以明清兩代所說的湖廣均是指湖南、湖北地區。京劇的源頭是徽班進京帶來的徽調和漢調，很多演員也都源出於“湖廣”地區。比如，譚鑫培祖籍就是湖北江夏（今武昌）。因此京劇雖然姓“京”，可是唱腔與念白之中並不全用北京音，而是保留著大量的湖北口音，這就是湖廣音。所謂中州，即是國之中心，也就是中原地區，相當於現在的河南。元代江西人周德清（1277～1365），字日湛，號挺齋，工樂府，善音律，終身不仕，著有一部經典的韻書《中原音韻》。京劇的字音讀法也主要根據《中原音韻》，所以稱作“中州韻”。湖廣音與中州韻的結合，也就是說湖北語音的四聲調值和河南中原地區的尖團字語音相結合，成爲京劇聲韻的特點。

295

什麼叫擻兒？

京劇大師余叔岩先生曾云：“有的人唱沒有擻。”（見劉曾復《先賢語錄》）

擻，在北京話裏讀兒化音，即擻兒。擻是什麼呢？劉曾復先生云：“‘擻’是發音中來自咽喉的一種小振動，不同於鼻腔或口腔中的小振動。”也就是一種小裝飾音。唱念之中"擻兒"運用得好，可以使得唱腔念白增加一種玲瓏的韻致，而不是一味直腔直調。劉曾復先生又指出："在拖腔中利用擻音可使腔調圓潤大方，不致拙硬幼稚。"京劇老生之中余叔岩先生的擻音最爲精妙，有十八張半唱片傳世，可以仔細聆聽品味。

296

什麼叫三才韻？

三才韻，也稱三級韻。所謂三才，即天、地、人，高低不同，也就是三個級別。在京劇的唱腔和念白中，遇到幾個字音相同或者音調相似的字相連的情況，應該在或唱或念之時有所區別，使其高、中、低各有不同，而且保證字音正而不倒，腔調起伏有致，收到抑揚頓挫的效果。比如，念"好好好"三字，就應該第一個"好"字略高，第二個"好"字低念，第三個"好"字高念。

根據劉曾復先生的觀點："'三級韻'不是音韻學問題，是保證唱念'字正腔圓'的辦法，是一種簡而易行的經驗式辦法。"京劇大師余叔岩先生曾云："光靠字正不成，唱念不能成爲直調，要有輕重急徐、抑揚頓挫，要會用三級韻（三才韻）來安排唱念腔調。"

297

什麼叫尖團字？

這是指京劇字音的讀法。所謂尖字，是指以z、c、s爲聲母的字；所謂團字，是指以zh、ch、sh、j、q、x爲聲母的字。京劇讀音的尖團規律基本上是按照周德清所著的《中原音韻》，與普通話有所不同。

298

什麼叫子午相？

這是京劇舞臺人物形體塑造的一種基本方法。相，就是形象、亮相；所謂子午，是指相對的兩極。中國古代的計時方法，是一日夜十二時辰，子時是夜裏十一點到凌晨一點之間，午時是中午的十一點到下午一點之間，正是晝夜之兩極。京劇人物無論坐立，亮相的時候，演員的面部、胸部、兩臂和腿腳應處於不同的方向上，既相反相對，又相應相成，在參差錯落中求均衡，而避免平均呆板。

299

什麼叫官中？

這是京劇術語，意思是公共通用。戲班中演員公用的服裝、道具、伴奏樂器等等均稱爲“官中的”，爲舞臺上所有演員進行伴奏的琴師，被稱爲“官中胡琴”，所有演員公用的行頭，被稱爲“官中行頭”。與“官中”相對的是“私房”，也就是專用的意思。某個名家自己專用的行頭、伴奏琴師就是“私房行頭”、“私房胡琴”。有些唱腔、表演技巧等爲許多行當或角色所共用，也可以稱爲“官中”。

300

什麼叫插科打諢？

清代李漁(字笠翁)著《閒情偶寄・詞曲部之五・科諢》云：“插科打諢，塡詞之末技也。然欲雅俗同歡，智愚共賞，則當全在此處留神。”

科，是指角色的動作，元雜劇中常見，如“掩淚科”，就是說這個地方角色應該有掩淚的動作。諢，就是說笑話或者耍弄以逗人笑樂，所謂“諢者，弄言也”。所以“插科打諢”就是以滑稽的動作和詼諧的語言引人發笑，泛指滑稽的表演。李笠翁云：“文字佳，情節佳，而科諢不佳，非特俗人怕看，即雅人韻士亦有瞌睡之時。”那麼，插科打諢爲戲曲增加了樂趣，令觀者愛看，所以“科諢非科諢，乃是看戲之人參湯也。養精益神，使人不倦，全在於此，可作小道觀乎”？對於戲曲中的插科打諢，李笠翁提出了“戒淫褻”、“忌俗惡”、“重關係”、“貴自然”的標準。

劇評家丁秉鐩先生論及丑行時，也曾談到：“丑角人才很難，第一要有響亮的嗓音，念白字眼兒要清楚入耳。第二要頭腦靈活，反應迅速，才能見景生情，隨機應變。同時，‘插科打諢’的臨時抓哏，也要有分寸，不過火，不能離題太遠。”

301

什麼是外江派？

所謂的外江，舊指長江以南的地區，也稱江外。清代方濬師之《蕉軒隨錄・外江》云：“寇萊公謂晏元獻爲外江人。”晏元獻是撫州臨川人，在長江以南。對北京來說，泛指外省。

京劇中的外江派，也稱作“海派”，其實也並不專指上海而言。如清代徐珂之《清稗類鈔》中就明確說：“京伶呼外省之劇曰海派。海者，氾濫無範圍之謂，非專指上海也。京師轎車之不按站口者，謂之跑海。海派以唱做力投時好，節外生枝，度越規矩，爲京派所非笑。”與外江派、海派相對應的就是京朝派或者京派。京派的表演注重傳統，中規中矩，所謂“善於裁剪，乾淨老當”是也。海派的表演隨意性比較大，喜歡以機關佈景出奇取勝，追求噱頭，華而不實，所謂“力投時好，度越規矩”是也。在歷史上，京派、海派是以地域來分別稱呼，現在的情況則大不相同，恐怕當今北京的京劇也不見得就是京派了。

302

什麼叫角兒？

角，其實就是演員，不過在北京話中，一加上兒化音，變成“角兒”，那就不是一般的演員了，而是名演員、大演員，用現在的話說就是“表演藝術家”。

在過去，能夠被稱爲角兒，他或者她首先應該是“頭牌”演員，即主演，也就是他或者她的藝術水準已經到達一定境界，爲內外行所公認。而且舊時大多數“角兒”還擁有自己的戲班，自己是“老闆”，比如梅蘭芳先生有承華社，余叔岩先生有同慶社，程硯秋先生有鳴和社，馬連良先生有扶風社，等等。除此之外，中國的藝術非常強調人品與藝品的關係，所謂“做戲先做人”，一個眞正的角兒應該具有人格魅力，應該擁有中國傳統之美德，如梅蘭芳先生，就是一個眞正意義上的“角兒”，不僅藝術登峰造極，而且他幾乎具備中國人最爲推崇的所有美德與品格。

303

戲份是指什麼？

戲份就是演出的報酬、工資。演員從小坐科學藝，在科班學藝期間，演出是沒有戲份的。自出科之日起，開始搭班演出了，就可以和戲班商議價格，領取報酬了。

在《喜（富）連成科班的始末》一文中，葉龍章先生回憶云：“那時戲班規矩，並無月薪，在每天演唱一場後，當時付給戲份。我們科班也是如此。”另外，演堂會戲的待遇與平時還不同，葉龍章先生說：喜連成科班在北京“演堂會戲，除原有戲份外，增加半份，另外加付燈籠、車錢”；倘若到外地則是“每人發雙份”。當然這是戲班裏剛出科的年輕演員的情況，戲份縱有也不會太多。

等到成了名演員，成了“角兒”了，同樣也稱爲戲份，情況則有天壤之別了。據記載，天津某堂會，梅蘭芳之《洛神》、楊小樓之《安天會》、余叔岩之《定軍山》，戲份均是“大洋一千”。當然也有出於友情不要戲份的情況，如1937年初，北京隆福寺福全館張伯駒先生那場著名的堂會，號稱空前絕後的《空城計》中名角兒薈萃，據劉曾復先生說：“這次堂會，余叔岩當然不要戲份，其他名演員也以不受資表示友誼。但張伯駒並未辜負各位的捧場，以楊小樓爲例來說，此次演出後張送楊一部汽車。”這變相的“戲份”堪稱大手筆了。

304

相聲《批三國》中有多少與“三”有關的故事？

《批三國》這段相聲別出心裁地在《三國》的“三”字上做文章，荒唐地提出：《三國》中除了多有帶“三”的回目外，還有諸多與“三”有關的故事，形成巧妙的組合，逗哏者在解答時通過誤會、諧音、著意褒貶或故意曲解等手法製造包袱兒，把無稽之談說得有理有據，振振有詞，從而起了諷刺讀書不求甚解卻牽強附會、誇誇其談之人的藝術效果。

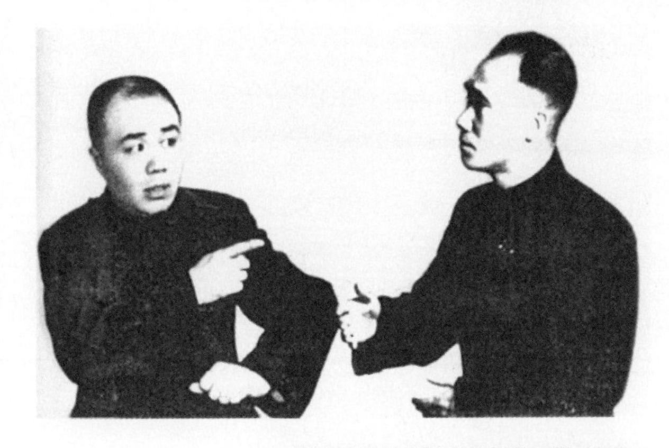

劉寶瑞與侯寶林表演相聲《批三國》

與“三”有關的故事包括：“三不明”（有姓無名喬國老、有名無姓貂蟬、無名無姓督郵）、“三不知去向”（督郵、貂蟬、徐庶三人不知去向）、“三妻”（劉備撇妻、呂布戀妻、劉安殺妻）、“三匹驢”（呂伯奢騎驢沽酒、黃承彥騎驢過小橋、諸葛恪添字得驢）、“三個不知道”（周瑜、諸葛亮、張飛的姥姥家各姓什麼，紀生瑜、何生亮、吳氏生飛）、“三個做小買賣的”（劉備賣草鞋、張飛賣肉、趙雲賣年糕）、“三張斷三橋”（張飛斷當陽橋、張任斷金雁橋、張遼斷小石橋）、“三個數學家”（曹操研究幾何、諸葛亮研究代數、貂蟬研究三角）、“三個小偷”（蔣幹盜書、胡車兒盜戟、張飛騙馬）、“三句俏皮話”（張飛拿耗子——大眼瞪小眼、周瑜當當——窮都督、劉備摔孩子——邀買人心）等。

305

相聲《八大改行》指的是哪八位藝人改行？

這段相聲據說是清門相聲的代表人物鐘子良編寫的，敘咸豐皇帝駕崩後，“國喪”百日，禁止諸般彩扮及動響器之演唱。一些貧苦的戲曲、曲藝藝人，被迫改行做小買賣謀生，由於不熟悉經營之道，鬧出種種笑話。作品列舉了八位藝人，即唱花臉的賣餛飩，賣西瓜；唱老生的賣饅頭，賣硬麵餑餑，賣豆汁；唱武生的賣包子，拉人力車；唱青衣的賣晚香玉；唱老旦的賣青菜；唱大鼓的賣粳米粥；唱蓮花落的賣切糕；唱梆子老生的賣酸梅湯等。表演時，演員常將所說人物說成當時觀眾所熟悉的藝人姓名，如20世紀30年代初仿學的是老旦龔雲甫、花臉金少山等，到40年代則改成了學老旦李多奎、花臉侯喜瑞等。一般表演三到四番，即仿學三四位藝人改行。較爲常見的包括仿學何桂山賣西瓜，金秀山（或金少山）賣餛飩，劉鴻聲賣饅頭、硬麵餑餑，孫菊仙（或大金牙）賣豆汁，陳德霖賣晚香玉，小香水賣酸梅湯，白玉霜（或鮮靈花）縫窮，劉寶全賣粳米粥，抓髻趙賣切糕，龔雲甫（或李多奎）賣菜，金少山（或侯喜瑞）賣西瓜，李吉瑞（或周信芳、趙麟童）賣包子，瑞德寶（或唐韻笙）拉洋車，銀達子賣小金魚等。

相聲名家王長友

306

被譽爲“麒派相聲”的是哪位相聲名家？

王長友（1912～1984），師承趙靄如，無論單口、對口或群口相聲，逗、捧、膩都很精通，還擅唱太平歌詞，兼演雙簧。由於年輕時失音，嗓音嘶啞，但又能夠根據自身條件揚長避短，另闢蹊徑，表演時形成以情取勝、以相感人的獨特風格，因此聽眾以京劇老生“麒

（麟童）派”相比擬，爲其冠以“麒派相聲”的雅號。代表作有《哭笑論》、《白逼宮》、《朱夫子》、《批三國》，單口相聲《山東鬥法》、《君臣鬥》等。一生收徒12人，以趙振鐸成就最爲顯著，再傳弟子李金斗也多得其教益。

307

被譽爲“單口相聲大王”的是哪位相聲名家？

劉寶瑞（1915～1968），師承張壽臣。14歲時即已嶄露頭角，此後在天津、濟南、北京等地輪流獻藝。20世紀40年代後，赴南京、上海等地，與白雲鵬、高元鈞等合作演出。他常演單口相聲，經常與南方曲藝同行切磋技藝，使其單口相聲在繼承傳統的基礎上，汲取了南方獨腳戲及評話的藝術技巧，又借鑒電影、話劇的表演手法，融會貫通，形成自己獨特的風格，被聽衆譽爲“單口相聲大王”。他是把北方相聲藝術介紹給江南及港澳觀衆的先行者。

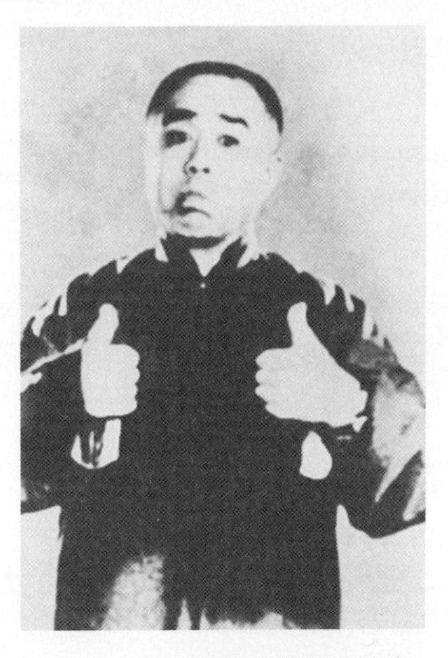

單口相聲大王劉寶瑞

劉寶瑞熟悉歷史掌故，社會知識豐富。擅長描繪社會環境、時代背景，以此來烘托人物、事件。在臺上他強調語言、眼神、面部表情三結合，輔以手勢，對每段臺詞的抑揚頓挫都精心設計，通過長期舞臺實踐，做到平整而不瘟，脆快而不過，形成穩健瀟灑、口風細膩的藝術風格。單口相聲代表作有《君臣鬥》、《解學士》、《珍珠翡翠白玉湯》、《賈行家》、《黃半仙》等，其中《連升三級》曾被編進初中語文課本，同時被譯成英、法、日等國文字，介紹到國外。有《劉寶瑞表演單口相聲選》一書傳世。

308

什麼是書茶館？

作爲曲藝的室內演出場所，書茶館簡稱書館，是茶館的一種，聽衆前來聽書兼吃茶。一般專門上演評書，也偶爾演唱大鼓書。清咸豐年間，說書藝人多在明地，以大棚爲主。清末，北京廣設書茶館，評書藝人開始由明地進入室內演出。當時北京的書茶館，以同和軒、東悅軒、慶平軒、天寶軒、天泰軒、森瑞軒、棲鳳樓、鐘家茶館八家最負盛名，在上述這些書館裏說書的都是評書名家，聽衆也以官宦及世家子弟爲主。

書茶館多爲方形，內設方桌、板凳，條件優越，環境高雅。門外房檐掛有幾個半尺餘長方形的小牌子，上書雨前、龍井、香片之類的茶名。門口懸一窗戶板，上貼海報，寫明於某某日特聘某某准演某書某傳。每日一般兩場，白天下午2點開書，稱“白天兒”；晚上7點開書，稱“燈晚兒”。也有在中午12點至下午2點加演的，稱“早兒”。館內設有一尺高的書臺，上擺書桌，無桌圍，桌後有一供藝人坐的高椅。書臺後牆上貼三張紙報，上書藝人姓名及所演書目，“早兒”者居左，“白天兒”者居中，“燈晚兒”者居右。一般爲紅紙黑字，名望高的藝人也有用金字書名的。書茶館開書後不再賣清茶。藝人說上一段，用醒木一擊桌，夥計便拿起小笸籮打錢，打錢的數目均有一定。

民國以後，隨著官宦遺老的沒落，鉅賈富賈的南移，八大書館漸不景氣，一大批更加大衆化的書茶館開始興起，平民百姓方得以經常光顧，如福海居、震遠居、三義軒、勝友軒、如雲軒、青山居、張記茶館等。衆多評書藝人分別進入書館獻藝。藝人每年年初受書茶館主人聘請，與之簽兩個月的合同，即說演一部大書的全部時間，俗稱“一轉（zhuǎn）兒”。發展到20世紀40年代末，北京的書茶館已多達七八十家，分佈於城內外。

309

著名的“王八茶館”是哪一家？

所謂“王八茶館”，是因爲茶館主人叫王起龍，在家中排行第八，故得此名。實際這家茶館的大號叫福海居，位於天橋西溝沿路南西市場中街一號（今永安路東口內約50米處）。起初只賣清茶，不久開始上演評書。福海居是當時北京書茶館中門面最寬、進深最大的一家，二層樓房，大門簷下懸掛“天一生水圖”橫匾。室內擺放108條長木凳，可坐200餘人。

清末，在此叫座兒的評書演員有王致廉（說《包公案》）、田嵐雲（說《明英烈》、《東漢》）、張智蘭（說《聊齋》）、群福慶（說《施公案》）、張誠斌（說《東漢》）、楊雲清（說《水滸》）、王傑魁（說《包公案》）等。民國以後，經常獻藝的有潘誠立（說《精忠傳》）、陳士和（說《聊齋》）、張少蘭（說《精忠傳》）、袁傑亭（說《施公案》）、袁傑英（說《施公案》）、金傑立（說《三俠五義》）、品正三（說《隋唐》、《龍潭鮑駱》）、劉繼業（說《精忠傳》、《濟公傳》）、閻伯濤（說《清烈傳》）、蔣坪方（說《水滸》）、張榮玖（說《施公案》）等。

20世紀50年代，該書館歇業。

310

說書演員的“書品”和“書忌”分別指什麼？

所謂書品，泛指說書人演出時所具備的風格和品質；所謂書忌，泛指說書人演出時所必須避免的缺陷和問題。這兩個詞都是清朝乾隆年間蘇州彈詞藝人王周士提出的。他曾在蘇州宮巷宣導設立蘇州彈詞、評話同業組織光裕公所（後改名光裕社），又以自己演唱經驗所得，寫“書品”、“書忌”各十四則，流傳至今，被一代代說書人奉爲圭臬。

書品十四則，分別爲：快而不亂，慢而不斷，放而不寬，收而不短，冷而不顫，熱而不汗，高而不喧，低而不閃，明而不暗，啞而不乾，急而不喘，新而不竄，聞而不倦，貧而不諂。

書忌十四則，分別爲：樂而不歡，哀而不怨，哭而不慘，苦而不酸，接而不貫，扳而不換，指而不看，望而不遠，評而不判，羞而不敢，學而不願，束而不展，坐而不安，惜而不拼。

311

什麼是評書中的“扣子”？

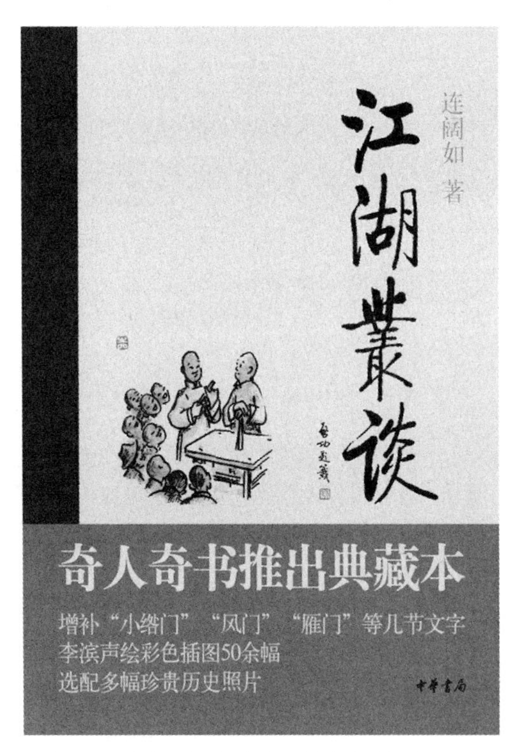

中華書局新版《江湖叢談》(典藏本)封面

這是一個形象的比喻，其實指的就是懸念，說書人運用語言技巧，把作品後面要表現的那些引人入勝的內容事先做個提示或暗示，卻不馬上解答，促使聽衆產生急切期待的心理和非聽下去不可的強烈願望，將其扣住後，再用巧妙的手法解扣，令聽衆釋然，所謂“聽書聽扣”就是此意。扣子其實具有兩重意思：一方面，使情節發展起伏跌宕，所謂絲絲入扣；另一方面，凝聚著妙趣無窮的吸引力，所謂扣人心弦。連闊如先生在《江湖叢談》中曾以《東漢演義》爲例，說明扣子的運用手段：

比如說《東漢》吧！開書先說劉秀拜馬援為帥，姚期不服，與馬援賭頭爭帥印。如若姚期用三千兵打破潼關，馬援將帥印輸給姚期；如若姚期打不開潼關敗了仗，姚期將人頭輸給馬援。聽書的人最喜愛忠臣，都替姚期擔心，怕他打不破潼關，將人頭輸了，都坐在凳上不動，要聽姚期輸不輸，這樣便算書座入了扣兒。這就是説書的演員使小扣兒。聽書的人不動了，説書的人往下説。姚期還沒到潼關，離城三十里就被王莽的兵將打敗了。岑彭給姚期打接應，掉到陷馬坑裏，岑彭被王莽兵將生擒活捉入潼關。聽書的座兒聽到這裏，又替姚期害怕，怕回去腦袋沒了；又怕岑彭死在潼關，這樣就不走了，非聽個水落石出為止，這就叫碎扣兒，將座兒扣住了。這樣説，就是説書的演員用步步連環緊的法子，將書座吸住了，直聽到臨散場的時候，聽出兩個岑彭來，書座兒更納悶了：怎麼會多出一個岑彭呢？真教人納悶。離了書館，回到家中，吃飯，睡覺，還是納悶，無法解決。只好明天早早的去書場，接著再聽去。這便是評書演員使用大扣兒。使用大扣兒，為的是吸住聽書的座兒明天再來聽書。聽到明天散書時，又聽到馬援巧使連環計，書座兒又納悶了，不知馬援使的是什麼計能得潼關，明天再接著去往下聽。即是幾天的光景，才將潼關的事説完，四五天才説完潼關，那這潼關這段書就是四五天的大柁子。説評書的沒有小扣兒，吸不住座兒；沒有碎扣兒，拉不住座兒；沒有大扣兒，吸不住回頭再聽的座兒；沒有大柁子，就不能吸住聽五六天的座兒。看起來，説書的扣兒、柁子，較比戲場的大軸兒還有吸力。

由此可見，說書人對於“扣子”的處理，一定要恰如其分地掌握火候和分寸，在吊足聽衆胃口之後，選定恰當的時機，三言五語解扣，令聽衆獲取充分的滿足，從而展現評書藝術獨特的魅力。

312

什麼是評書中的“書外書”？

說書人在講述一段故事過程中穿插一個或幾個與之有一定關聯的小故事，這種小故事就被稱爲“書外書”。而這種靈活巧妙的結構方式，正是說書人在長期實踐中的藝術創造。書外書幾乎成爲社會知識講座的代名詞，它既可以介紹歷史知識或社會常識，又可以分享民俗趣事或軼聞掌故，還可以借鑒其他姊妹藝術表演形式。比如說到進飯館點菜，就可以介紹中國的美食文化；說到兵器馬匹，就可以介紹歷朝歷代的寶馬神兵；說到賣東西，就可以仿學各種買賣吆喝。總之，書外書的運用完全在於說書人的靈活掌握，能夠起到錦上添花之功。

有時，巧用書外書還可以使評書更加貼近現實生活，它類似相聲中的“現掛”，令人忍俊不禁。比如在評書中提到“吏部天官”，說書人解釋說“吏部天官就是今天的人事部長，負責官員任命的官員”，聽衆恍然；說書人進而又加上一句“您沒看下面州城府縣的官員都給吏部天官送禮麼？好升官呀”，聽衆意會這句話的引申義後，自然又爆發出一陣笑聲和喝彩聲。

313

什麼是評書中的“柁子”？

柁，木結構屋架中順著前後方向架在柱子上的橫木。引申到評書裏，柁子就是一部書中多種矛盾的集中扭結點和高潮。由於將許多人物的命運線扭結在一起並由此產生許多懸念，分別予以解決或調整，因此柁子也可以說是大的“扣子”。評書中常以柁子爲標誌而形成若干大段落。比如《水滸》中的“三打祝家莊”就是大柁子，由楊雄石秀大鬧翠屏山、火燒祝家店和孫立孫新大劫牢、解珍解寶雙越獄兩個單筆書，加上時遷偷雞、李應修書、扈三娘捉王英等若干小的單筆書構成，最終歸攏到梁山與祝家莊的三場惡戰中來，並在其中穿插有石秀探莊、楊林遭擒、秦明陷陣等驚險故事。

一部長篇評書是由衆多單元部分的柁子組合而成的，單元可能是一回書，也可能是幾回書的集合。每個單元只是根據主題有所側重，實際是並列的，儘管相對獨立，但相互之間又有聯繫。一個柁子結束，自然會過渡到第二個柁子，這是評書結構上的特點。柁子的劃分充分體現出評書結構上的一大特色，即以故事情節的編撰爲中心。而一個柁子能夠再劃分出若干大段落，這就是回目。比如在《三國演義》“赤壁鏖兵”這個柁子裏，就包括舌戰群儒、誦賦激瑜、蔣幹盜書、草船借箭、連環計、借東風等多個回目。

314

評書中的“說時遲，那時快”是什麼意思？

“說時遲，那時快”，這是說書人在變化敘事節奏時經常使用的標誌性語彙。在一段故事中，人物處於千鈞一髮的險境，此語一出，情節忽然停頓，說書人有意延緩告知結果，而著力渲染當時環境之險惡與緊張，繼續激發聽衆急欲知曉結果的欲望，最後巧妙地述說原委，形成轉危爲安的結局。這樣設計情節，故事性強，跌宕起伏，瞬息萬變，聽衆時而緊張得透不過氣來，時而欣悅驚喜。情節的突變帶來情感的驟變，這種感官刺激能夠產生絕妙的享受。比如《東漢演義》中著名的“頭請姚期”一段說到邳彤與姚期交手：

> 只見邳彤催馬擰槍奔了姚期，抖槍就紮，槍尖直奔姚期的哽嗓咽喉，姚期也不躲不閃，“蹲襠騎馬式”往那兒一蹲，左胳膊往前一伸，左手握拳，右手的鞭搭在左胳膊腕上，使了個“霸王亮甲式”。劉秀在旁邊兒這份兒著急啊！心說：“糟了！糟了！這是什麼把式？‘狗熊耍扁擔——挨揍的把式’呀！甭說邳彤用槍紮啊，就是人家用馬一衝一撞也受不了啊！完了！姚皇兄非喪命在邳彤的槍下不可！”說時遲，那時快，眼瞧著邳彤的槍真紮來了，劉秀“哎喲”一聲：“姚皇兄性命休矣！”一閉眼，準知道這回姚期完啦。邳彤手中槍紮過來也藏著招哪，姚期要是讓紮，那他就真紮唄；要是不讓，那就抽槍變招；大槍的招數有千變萬化。可是姚期他真不躲不閃，那邳彤還不真紮？槍尖惡狠狠地奔了姚期。眼瞧著就要紮上了，姚期不躲是不躲，穩如泰山；要躲，急如風，快如電，“刷”的一聲，兩條腿就並到一塊兒啦，往右邊稍微一躲，邳彤的槍就紮空了！

邳彤挺槍一紮，直奔姚期哽嗓咽喉，間不容髮，正所謂“那時快”，其緊張程度可想而知。但說書人說到這兒，卻不急於把姚期巧妙一閃的結果說出來，相反變快爲遲，拉長時間，甩臉去說旁邊觀戰的劉秀的心理活動。劉秀替姚期擔心，是從側面繼續渲染當時的危險境況，聽衆的心情自然更加急切，完全被帶入故事中了。因此，這種“說時遲”的手法也可看作是一種欲揚先抑，情節變緩致使氣氛更加緊張，從而起了推波助瀾的作用。

評書的故事情節有急有緩，敘述起來也有緩急之分。依常理，急迫處應急寫，避免敘事詳細而流於平淡；緩慢處應緩述，以求書情書理細膩而周到。然而，“說時遲，那時快”卻能把對立的兩方面聯繫起來並加以轉化，達到劍走偏鋒的藝術效果：一是把快變遲，也就是將事件發生的短時間拉長，靠拉長時間製造懸念，在看似平淡的敘述中籠罩緊張的氣氛，而眞相遲遲不能公佈也勢必令聽衆焦急萬分，無比急切的心理感受是這種藝術效果的最好注腳；二是以遲促快，淋漓盡致的鋪墊渲染會不斷刺激聽衆的欲望，說書人牢牢地抓住聽衆，當最終結果出現時，反應更加強烈，臺上臺下更容易形成共鳴。

315

評書中的“無巧不成書”是什麼意思？

“無巧不成書”就是巧合，也是評書中常見的剪裁手法之一。因爲評書中人物衆多，關係複雜，線索多元，頭緒紛繁，所以常用巧合的方法剪裁情節，牽引人物，使得結構緊湊，人物性格突出。所謂“無巧不成書”，就是把具有偶然性的因素編織在一起，構成富於變化、饒有趣味的情節。比如曹操煮酒論英雄，劉備聞言落箸，恰與驟起驚雷巧合；假李逵剪徑(攔路搶劫)恰逢眞李逵，眞李逵覓食又巧遇假李逵之妻。這些情節都是善於運用巧合來增加故事的曲折性和趣味性，使其更具有吸引力。

據說“無巧不成書”源自施耐庵。相傳施耐庵在寫《水滸傳》的時候，正愁怎樣把武松打虎這個片斷寫得詳細而生動，忽然聽見屋外傳來叫喊聲，原來鄰居喝完酒後撒酒瘋，正打一條大黃狗。施耐庵目睹整個過程之後，忽然引發靈感，於是結合自己對老虎的認識，就寫成了武松打虎的故事。後來他逢人就說：“眞是無巧不成書啊！”

而評書中巧合的情節不但出乎聽衆的意料，從而帶來新奇感，而且對於“無巧不成書”的“書”來說，巧合甚至能夠貫穿全書始終，牢牢地吸引住聽衆。事或因巧而起，或因巧而終；人或因巧而亡，或因巧而生。比如《隋唐》開書即交代受楊廣追殺而僥倖逃脫的李淵，在臨潼山誤殺了二賢莊莊主單雄忠，又未及時處理善後，致使單家二爺單雄信牢記此仇，誓爲兄長雪恨；直到全書臨近結尾處，單雄信一直不與唐王李淵和李世民父子合作，反投洛陽王世充。唐軍攻打洛陽，鎖五龍，單雄信闖營遭擒，最終難逃一死。這就是李淵誤傷人命之一“巧”貫穿整部《隋唐》，作爲一條暗線，若隱若現，卻始終吸引著聽衆的注意力。

評書中的巧合既有時間上的巧合，地點上的巧合，人與人關係上的巧合，也有人與一定的社會的和自然的環境之間的巧合等等。俗話說“不是冤家不聚頭”、“來得早不如來得巧”就是這種情況的反映。但巧合應當既出乎意料之外，又在情理之中，不能爲巧而巧，故弄玄虛。這就需要說書人巧作安排，巧作構思，尤其是在情節設置上注意伏筆和懸念的使用，做到前後照應，疏而不漏。

316

評書中的“花開兩朵，各表一枝”是什麼意思？

“花開兩朵，各表一枝”，有時也可以說“一張嘴難說兩家話”，都屬於評書中處理頭緒和線索的剪裁手法。有的評書故事衆多，說書人經常交叉講述，這時就需要適當加以剪裁，分清先後順序、輕重緩急，說完這頭再說另一頭，說完另一頭又說這一頭，這樣才能做到脈絡清晰。而所謂“花開兩朵，各表一枝”，一般是把時間上同步進行的兩條或兩條以上的線索在敘述中分清先後順序，依次進行，幾條線索並行不悖，合情合理地將情節向前推進。

比如傳統評書《雍正劍俠圖·劍山蓬萊島》第十五回“川陝道大戰無形劍”，一邊是欽差年羹堯來到劍州，與知州黃國英商談劍山之事；另一邊是董化一大戰萬俟羽修，難分難解，一旁觀戰的司徒朗出手偷襲，反被萬俟羽修一腳踢倒。雙線並行，只有說完一邊再說另一邊。在年羹堯端茶送客之後，一句“花開兩朵，各表一枝”將情節重心轉移到差官房，大家忙不迭關心司徒朗的傷勢。由此可以看出，這一段描寫就是對同時發生的兩件事分別進行敘述，照顧聽衆的需要。

再比如《水滸傳》，一部書寫了108條好漢的出身、經歷，幾乎發生在同一時間段，如果嚴格按照時間順序敘述，絕不可能將108條好漢的故事全部講完。因此，說書人把一部《水滸傳》分爲“武十回”、“宋十回”、“林魯十回”、“石十回”、“盧十回”等，爲了敘述方便，就有了先後之分。從章法上看，可以說這就是以整個十回書爲單位的“花開兩朵，各表一枝”。再如《水滸傳》開頭幾回書，史進率先出場，直到華陰縣兵圍史家莊，史進出逃，延安府巧遇魯達，這時放下史進，著重寫魯達，直到大鬧五臺山，相國寺看菜園，又引出林沖；然後再寫林沖……一路寫來，事蹟衆多，互有牽引而又獨立城傳。到最終，百川歸大海，好漢上梁山。乍聽起來，萬花繚繞；細細品味，各具風采。

“花開兩朵，各表一枝”是評書中經常可以看到的語彙，說書人一枝一枝娓娓道來，既解決了頭緒紛繁的問題，又解決了時間錯落和空間轉移的問題，聽衆也會感到脈絡清晰，層次分明。

317

什麼是評書中的驚人筆？

俗話說“語不驚人死不休”，這裏的“驚人”是嚇人一跳的意思，而評書筆法之“驚人”不僅要嚇人一跳，更重要的是引申爲藝術魅力之強。評書中的驚人筆不多，但盡在緊要之處，盡在驚險所在。評書情節忌平淡，常以驚人取勝，而勝利之匙即在於險，也就是說，必須講求險情的突發性和事件的意外性。評書界常說“書說險地才能掙錢”亦是此意。所謂驚人，實際上是說書人故意爲之，隨著眞相逐漸大白於天下，聽衆的緊張心情隨之放鬆，驚人筆的作用也就告一段落了。評書中舉凡寫驚天動地的行爲或出奇制勝的突發事件，都常用驚人筆，如《三國演義》中的劉皇叔馬越檀溪、《明英烈》中的常遇春力托千斤閘、《包公案》中的白玉堂罹難銅網陣等。

當然，評書中驚人筆的運用還要建立在故事情節嚴密的基礎上。運用驚人筆必須得當，要根據故事情節的發展，依照人物的命運、性格巧作安排，既出乎意料之外，又在於情理之中，符合書情書理，具備藝術的眞實性。於此基礎上形成的故作驚人，意在誇張，引人入勝。說書人運用驚人筆，使故事情節曲盡波瀾，如陡現矗立之奇峰，聽衆在虛驚過後會發現更加有趣，甚至歎賞不已。正如金聖歎所言："不險則不快，險極則快極。"

318

什麼是評書中的倒插筆？

評書中的倒插筆，分爲倒筆和插筆。

倒筆，是和正筆截然相反的一種筆法。也就是說，說書人先將結果告知給聽衆，或從中截取一段，然後返回頭來揭示故事發生的原因，以此製造懸念，使聽衆產生強烈的尋根溯源，打破砂鍋問到底的興致。

最著名的倒筆當屬《包公案》中的"狸貓換太子"。包公奉旨赴陳州放糧已畢，回來路經天齊廟，遇到一個來歷不明的瞎老婦喊冤，並自稱是二十年前先帝眞宗之妃玉宸宮李娘娘，書說至此依然屬於正筆。但此時懸念已出，於是中斷正筆敘述，倒敘當年劉妃和太監郭槐暗害李妃、狸貓換太子、拷問寇承御、陳琳救主、火焚冷宮、李妃逃亡等故事，直到南清宮姐妹相認，李妃身份確鑿無疑，懸念隨之解除。此時筆鋒倒轉，按情節發展，繼續用正筆敘述巧審郭槐、母子相認、棒打龍袍等一系列故事。

倒筆是在聽衆預先獲知結果的前提下，去關注事件的起因和矛盾衝突的來龍去脈，而不是在毫無準備的情況下被動地接受和等待情節的出現與發展。因此，在評書中使用倒筆後所形成的情節結構和講述方式，能夠激起聽衆在期待心理和情感上的刺激與新奇。這種手法別出心裁，必然會充分調動聽衆的欣賞興趣，從而在一切眞相大白後產生特殊的滿足感。

插筆，是指在評書主要情節的發展過程中，忽然插入另一情節。而插入的情節必須與主要情節有某種聯繫，待插敘完畢後再返回到主要情節。巧妙運用插筆，可以使評書的內涵更加豐富，層次更加富於變化，將某些與主要情節同時發生的事件用插筆娓娓道來，既豐富了故事情節，又不至於打亂原來的線索。

比如《水滸傳》中“三打祝家莊”一節，在二打祝家莊失利後，如果按時間順序發展，應當是孫氏弟兄和解氏弟兄向吳用獻計，帶領人馬假意投奔祝家莊，裏應外合，幫助梁山一舉攻破祝家莊。然而，聽眾並不瞭解這些好漢是何如人也，更會對他們在三打祝家莊時的突然出現一頭霧水。那麼，爲了解決聽眾的疑問，又不使主要線索中斷，說書人就要通過插筆，講述解珍解寶雙越獄，孫立孫新大劫牢的熱鬧故事，詳細說明來龍去脈，然後再返回到攻打祝家莊這一主要線索上來。如此設計情節，既做到條理清晰，同時也產生了波瀾起伏的藝術效果。

還有一種插筆值得一提，就是拉典。說書人在提及某一情節或仿學書中人物說話時引出典故，通過批講典故，起到提供佐證、豐富內容、闡釋書理的作用。比如《水滸傳》中李逵偏聽偏信，誤會宋江，結果弄清事實眞相後赴忠義堂負荊請罪，說書人於此處即可插入《列國》中廉頗向藺相如負荊請罪的典故。一般說來，拉典主要是援引前朝的故事，忌拉後典。除非情況特殊，必須要拉後典，這時說書人應當向觀眾做出解釋，否則難逃“穿幫”之嫌。比如《西漢演義》中講到韓信登臺拜帥，關於拜帥，在漢朝之前雖有拜帥之舉，但多屬上古神話內容，比如神農拜常桑、軒轅拜風後、顓頊拜祝融等，聽眾感覺陌生；這時就需要拉後典，比如介紹趙構拜岳飛、朱元璋拜徐達等後代君王拜帥的故事，既體現出知識性，又是大家比較熟知的人物，因此聽眾常常聽得津津有味。

319

有“袁氏三杰（傑）”之譽的三位評書名家是誰？

“袁氏三杰（傑）”，指以《施公案》享譽書壇並自成流派的三位袁姓評書名家，係兄弟三人，大爺袁傑亭，二爺袁傑英，三爺袁傑武。其中，成就、知名度最高的當屬袁傑英。

袁傑英（1888～1947），初拜王致廉爲師學說《施公案》。他身材偉岸，相貌堂堂，在北京評書界以“帥”著稱，一生只在北京說一部《施公案》（《五女七貞》）。其說書特點是武書文說，不鬧不躁，於說表中蘊含人情事理，娓娓道來，坐談打鬥，一招一式，條理分明；幽默詼諧，擅長抖包袱兒，常常利用書中細節引申發揮，譏刺時弊。其《施公案》以黃天霸、趙璧爲書膽，從趙璧的一言一行、一衣一履、一車一馬中皆能生出情理之中的笑料。金受申曾評論道：“其說王鳳山毒死余瑾時，一步一緊，令人神往；說宋天忠不得已而施權詐，宛如目見。”至於“趙璧巧擺羅圈會”、“巧圓四命案”、“張家寨拿鵡鵬反串翠屏山”等回目都極見巧思。因其說書造詣高深，在當時有“說書的梅蘭芳”之譽。

當代評書名家袁闊成即“袁氏三杰（傑）”之後人，係袁傑武之子，代表作有《水滸外傳》、《烈火金剛》等。

320

“品八套”的具體含義是什麼？

指評書名宿品正三（1896～1953），素以會說書目多而聞名，他可以連續講說從隋到北宋的一系列講史書，有《九老興隋》、《隋唐》、《隋唐後傳》、《龍潭鮑駱》、《富貴壽考》、《五代殘唐》、《大宋飛龍傳》、《盜馬金槍傳》等八部書，故稱“品八套”。他說書從不嘩衆取寵，有人贊他：“給書聽的‘品八套’，肚裏寬綽技藝高。”

品正三古文功底厚實，文學修養較高，說書時講評並重，余叔岩、譚小培、金少山、翁偶虹都是他的座上客。他摹擬人物惟妙惟肖，描景繪情細緻入微，生、淨、旦、丑行當分明。有一次金少山當衆誇獎他說：“我演敬德、單雄信得扮上妝才像，而你不用勾臉，眉毛一立，眼睛一瞪，架子一拉，神備氣足，就像極了。”翁偶虹評價說：“品正三的說書藝術，不但乾淨洗練，琅琅明徹，評議古人，頗有卓見；諷刺時弊，每涉奇趣。就在這次說《盜馬金槍》的時候，他講趙匡胤的性格是‘紅臉曹操’，多麼鮮明概括的刻畫啊！”

中國人應知的

國學常識 3

The knowledge of Chinese

音樂舞蹈

321

“五音不全”中的“五音”指什麼？

在日常生活中，人們常開玩笑說那些發音不準或唱歌跑調的人叫“五音不全”，那麼，具體的五音是指什麼呢？《禮記》中說：“聲成文謂之音，音之數五。”古代的五音是“宮、商、角、徵、羽”。

在音樂上，五音是最古的音階，相當於現行簡譜的1、2、3、5、6。這是五個全音，所以又叫“五正聲”。《管子・地員篇》中有採用著名的“三分損益”的數學運算獲得五個音階的科學方法。

在音韻學上，五音指漢語聲母的調音位置和方法，即五類聲母的五個發音部位，是聲韻學五聲音階上的五個級，分別對應著喉音、齒音、牙音、舌音和唇音。

戲曲或歌劇演員準確掌握了五音的部位後，再配合開口呼、齊齒呼、合口呼、撮口呼的運用，就能做到吐字準確，稱爲五音齊全。而不能準確掌握五音的演員，就叫做五音不全。

其實，音樂的“五音”和聲韻的“五音”是相輔相成的。《切韻指掌圖》中的“辨五音例”將音韻的“五音”與音律的“五音”以及“五行”掛鉤爲：“欲知宮，舌居中喉音；欲知商，開口張齒頭正齒；欲知角，舌縮卻牙音；欲知徵，舌柱齒舌頭舌上；欲知羽，撮口聚唇重唇輕。”《宋本玉篇》中的“五音聲論”又與“五方”掛鉤爲：“東方喉聲，南方齒聲，中央牙聲，西方舌聲，北方羽聲。”所以五音不論在音律還是音韻上，都是“宮、商、角、徵、羽”和“土、金、木、火、水”以及“中、西、北、東、南”的配比關係。

322

什麼是七音？

在《荊軻刺秦王》這篇古文中，有這樣一句話："高漸離擊築，荊軻和而歌，爲變徵之聲"，下文又"復爲羽聲慷慨"。這裏的"變徵之聲"就是變徵調式，這種調式的旋律蒼涼悲壯，最適宜於悲壯淒涼的場景。

古代除五音外，還有七音。七音是在五音的基礎上，加上"變徵"和"變宮"得到的。樂器中的五弦琴變七弦琴，就是適應音樂中五音變七音的具體體現。變宮近似於現代音樂簡譜中的"7"，變徵近似於現代音樂簡譜中的"4"。因爲我國古代傳統音樂中沒有與"4"和"7"相當的音，所以用五音加"二變"合爲七音，就形成了一個完整的七聲音階：宮(1)、商(2)、角(3)、變徵(4)、徵(5)、羽(6)、變宮(7)。

"變徵"是在角音與徵音之間的樂音，宋代有人將"變徵"稱爲"閏徵"，指十二律中比"徵音"稍下的一律音（相當於fa），也可指比角音較上的一律音，即相當於fa的清角。

"變宮"是在羽音與宮音之間的樂音，宋代也有人稱爲"閏宮"。在十二律中指比宮音較下的一律音（相當於si），有時也指在羽音之上的一律音（相當於bsi）。

在七音中，只要把其中的任何一個音作爲樂曲主旋律中居於核心地位的主音，就會構成一個調式，不同的調式有不同的感官色彩和表達功能，因而也能產生不同的音樂效果。

323

什麼是工尺譜？

音樂中的"簡譜"和"五線譜"，都是從外國引進的。中國有沒有自己的傳統樂譜呢？

我國古代有減字譜、工尺譜等多種傳統樂譜。作爲傳統樂譜，工尺譜與許多民族樂器的指法和宮調系統有著緊密聯繫，在民間歌曲、曲藝、器樂中應用很廣泛。工尺譜用工、尺等字記寫唱名。最初可能由管樂器的指法符號演化而來，由於流傳的時期、地區和樂種不同，因而各地所用的音字、字體、宮音位置、唱名法等也有差異。常見的工尺譜用“上、尺、工、凡、六、五、乙”依次記寫七聲。高八度各音又加“亻”旁作標記，如“仕、伬、仜”等，也可將譜字的末筆向上挑；反之，低八度各音則除“六、五、乙”被分別改爲“合、四、一”外，其餘均在最後一劃帶一撇來表示，如“上、尺”等，也可將譜字的末筆向下撇，如“凡、工”等。若高出兩個八度，則末筆雙挑或加偏旁“彳”，低兩個八度則末筆雙撇。所以近代常見的工尺譜，一般又用“合、四、一、上、尺、工、凡、六、五、乙”等字樣，作爲表示音高(也是唱名)的基本符號。工尺譜約產生於隋唐時代，敦煌千佛洞的後唐寫本《唐人大曲譜》，證明唐代已會使用燕樂半字譜。據宋代張炎《詞源》中的譜字、姜夔《白石道人歌曲》中的旁譜、陳元靚《事林廣記》中的管色譜等可知，唐代的燕樂半字譜到宋代就是俗字譜了，後來又發展爲明清通行的工尺譜。

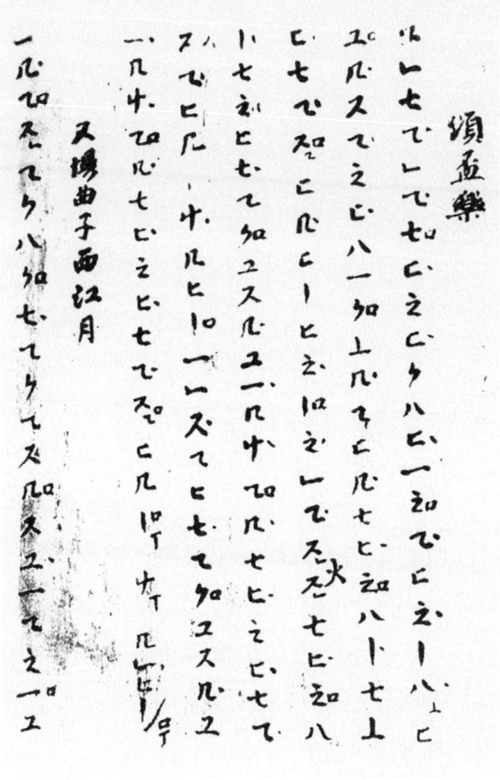

敦煌發現的《傾杯樂》譜

這種記譜法到清朝乾嘉年間，出現了用工尺譜記寫的管弦樂合奏總譜——《弦索備考》，即《弦索十三套》。

324

"有板有眼"的"板""眼"是什麼意思？

我們有時會聽到長輩說做事要有板有眼，那麼"板眼"是什麼意思呢？板眼是對我國傳統音樂中節拍形式的通稱。在傳統的民族音樂中，每節中節拍最強的拍子叫板，其餘的如弱拍或次強拍則統稱爲眼。一板和一眼都是1拍。一般情況下，板位相當於現在國際通行記譜法的強拍位置，眼位則相當於弱拍位置。但位置相當，並不意味著強弱的規律也相當。

在工尺譜中，板眼通常用"、"或×(板)、○（眼、中眼）、●（頭眼、末眼）、"—"或└（腰板、底板）、△（腰眼）等符號表示。

板眼有一板一眼、一板三眼、有板無眼、無板無眼等形式。其中，一板一眼是一個板與一個眼合成2/4的節拍。一板三眼的節拍形式也叫"三眼板"，是一個板和三個眼合成的4/4節拍；其板位在第1拍，頭眼在第2拍，中眼在第3拍，末眼在第4拍。有板無眼的節拍形式叫流水板，每拍都是板位，但不是每拍都是強拍。流水板一般是1/4的節奏，有實板與虛板（也叫腰板）兩種形式。實板是與樂音同時打下的板，虛板則是在樂音發出前或發出後的延續過程中打下的板。無板無眼的節拍形式也叫散板，散板的節奏自由而不固定，打在這種自由節拍音末的板稱爲底板。同樣，眼也有實眼和虛眼（腰眼）的分別。

在音樂史上，正是用板眼打譜，才使悠遠深邃、魅力無窮的音樂文化得以傳承至今，讓我們領略到古典音樂的內蘊。板眼也爲後人保留了一筆源遠流長的精神財富，爲音樂的發展奠定了堅實的基礎。

325

什麼是調門？

調（diào）門是音樂術語中調高的俗稱，其名稱源於笛子上的翻調。明清以來，運用一笛通轉七調，按曲笛孔序所示各調在我國傳統戲曲記錄曲調的文字譜——工尺譜中音位的相互關係（即音符）來確定調名，分小工調、正宮調、尺字調、凡字調、六字調、上字調和乙字調等七調，簡稱“上、尺、工（小工）、凡、六、五（正）、乙”七調，相當於現行簡譜中以阿拉伯數字表示的1、2、3、4、5、6、7七個音符。

曲笛中各調的定調都以小工調爲基礎，看各調中的“工”音（即3）相當於小工調中的什麼音，就定爲什麼調。如正宮調中的“工”音相當於小工調中的“五”音，所以稱五字調或正工調；凡字調的“工”音相當於小工調的“凡”音，所以稱凡字調或趴字調；乙字調的“工”音相當於小工調的“乙”音，所以稱乙字調。以此類推，遂形成上、尺、工、凡、六、五、乙七個音調。

早期京劇唱腔的調門如六字調、正宮調、乙字調等均較高，現在有所降低，多在凡字調。各調由於定弦和音域以及音區關係的不同，調門也不盡相同，如西皮常用凡字調，二黃常用小工調。由於傳統上用的是匀孔笛，所以工尺字調名與現在的調高名稱對應關係，除小工調（1=D）、正宮調（1=G）、尺字調（1=A）外，其餘三調的調高往往不易準確判斷。由於現在通用簡譜或五線譜，尤其在大演樣板戲時，京劇與西洋樂隊連袂演出，六字調、小工調的叫法就不時興了，而都以CDEFGAB七個英文字母代替。

326

什麼是俳優？

俳優，是古代從事歌舞樂和滑稽戲雜耍的藝人總稱，相當於後世的演員。古代的俳優，在先秦時一般稱作“優”。俳優最早是作爲宮廷弄臣，在宴會或一些重大活動中進行表演，有時也會以歌舞諧謔的方式對君主進行勸諫（即優諫）。民間的俳優，多運用各種語言、雜技、化裝等技巧，進行滑稽表演，以使主人或觀衆高興滿足。

俳優的言語滑稽並以化裝表演見長。《太平御覽》中曾生動地記述了俳優們是怎樣頭戴布巾，身穿黃絹衣，通過表演來諷刺和戲笑的情景。清代的焦循曾在《劇說》

東漢俳優俑

中總結道："優之爲技也，善肖人之形容，動人之歡笑，與今無異耳。"俳優在表演時，往往專注於事物的某些方面，然後加以鋪陳，甚至誇張地摹寫。因此，俳優的語言具有鋪陳性。爲了讓人感到好笑，俳優的語言又總是很詼諧滑稽，所以經常利用"亂同異"或直接嘲笑的方式來表演。"亂同異"就是通過惡意地嘲笑別人或消極地貶損自己來達到逗樂觀衆的目的。但是，俳優的語言有時又很晦澀。他們往往不直接說出本意，而通過白描、比喻、雙關或借代的手法，或者以動作等身體語言來暗示和表現，有"言在此而意在彼"的效果，也就是我們通常說的隱語。這種隱語，後來就發展成爲謎語。

俳優表演對後世的表演形式有著重要的影響。著名相聲演員侯寶林曾在《我和相聲》裏說："相聲的歷史，要從古時候的俳優講起，那是很早的。"

327

什麼是伎樂？

伎樂是我國傳統的一種由專職樂工舞伎露天演出以供觀賞的娛樂性音樂舞蹈劇，與雅樂舞蹈共同構成我國樂舞藝術的重要兩翼。伎樂的概念很寬泛，古代除雅樂舞蹈外，其他由專業藝人表演的觀賞舞蹈，如隋唐的九、十部伎和坐、立部伎，宋代的隊舞等都屬於伎樂。伎樂得名於隋朝的國伎、清商伎等七部樂，傳到日本稱伎樂舞。日本的伎樂有獅子舞、吳公、迦樓羅、金剛、波羅門、昆侖、力士、大孤、醉胡九種；樂器有笛、三鼓、鉦鼓三種。

唐代彩繪樂舞俑

伎樂源於奴隸社會與雅樂相對的女樂，女樂是專業的歌舞藝人。周代後期的禮崩樂壞使女樂更繁盛，秦漢伎樂出現了角抵百戲、相和大曲等新的表演形式和《巾舞》、《巴渝舞》等舞蹈節目；趙飛燕和李夫人都是身懷絕技的樂舞伎人。盛唐是伎樂舞蹈的黃金時期，能歌善舞的樂伎遍及各階層，宮廷有宮伎，軍營有營伎，官府有官伎，私家有家伎，蓄伎之風盛行。標誌著唐代樂舞高峰的燕樂，就由樂舞伎人表演。燕樂的節目主要有九、十部伎舞，還有來自外地、外族的樂舞。唐代的坐部伎共六部，在堂上演奏，規模較小；立部伎共八部，在堂下表演，規模較大。坐部伎人的水準最高，主管樂舞的太常考核坐部伎，不合格的轉去立部，立部不行的才去學雅樂。

唐代歌舞大曲《霓裳羽衣》的表演盛況，就顯示了舞伎們高超的舞技。唐代有健舞、軟舞兩大類伎樂舞蹈，伎樂以其驚人的創造力在諸如詩歌、繪畫、雕刻等藝術作品中留下了光彩照人的形象，至今還給人以深刻的美感。儘管伎樂一直受到歧視，卻代表了古代舞蹈的藝術水準，一度居於樂舞的主流地位。唐宋後，“女樂餘姿映寒日”，我國伎樂漸漸衰落，在日本卻得以傳承下來。

328

作爲音樂術語的“亂”是什麼意思？

亂，在音樂術語中，自古以來就指樂章（曲）的尾聲。在《楚辭・涉江》的結尾處有“亂曰”的句式，並且《楚辭》“主曲一亂”的結構形式，一直沿用到魏晉時的

"相和三調"；另外，《樂記》中有："《武》亂皆坐，周召之治也。"《國語・魯語下》也有："其輯之亂曰……"這些都是明確有"亂"的歌辭記錄。

《樂記》中就已經指出了"亂"的音樂特性，"樂者，心之動也。聲者，樂之象也，文采節奏，聲之飾也。君子動其本，樂其象，然後治其飾。是故先鼓以警戒，三步以見方，再始以著往，復亂以飭歸……"這裏的"先—再—復"表明了時序，又因爲"亂"與"始"的對舉關係以及後文的"樂終"，說明"亂"在樂曲中的位置，所以朱熹注《論語》說："亂，樂之卒章也。"

亂作爲歌辭樂章總括性的結尾，與前面的主體部分比較，有篇幅小、句式短的特點，在內容上又有總括全篇的作用，結構上與主體部分分立，但"亂"的結構特點與對應的聯章體正曲中的總尾聲相似。韋昭注《國語》曾提出"曲終變章亂節"的立論，準確地說明了樂曲尾聲在音樂處理上的本質特徵，無論形式和內容，歌辭結尾與主體部分往往都呈現出明顯的對比，這正是"變章亂節"在歌辭記錄上最眞實的反映。

現存有"亂"的曲子，大多爲漢魏時期的樂章，晉宋以後的大曲中沒有用"亂"的記錄。"三調"中的"亂"在大曲中已轉化爲與"豔"相對的"趨"，構成"豔—曲—趨"的大曲結構。

329

"梅花三弄"的"弄"字是什麼意思？

《梅花三弄》又名《梅花引》、《玉妃引》，是我國著名十大古典名曲之一。關於"梅花三弄"這個曲子名稱，有著不同的說法。最爲權威的說法是，據明朝楊掄《伯牙心法》的記載："梅爲花之最清，琴爲聲之最清，以最清之聲寫最清之物，宜其有凌霜音韻也。三弄之意，則取泛音三段，同弦異徽云爾。"這說明"梅花"是這首樂曲的主題，主要借梅花凌寒開放的形象，來表達文人清高脫俗的情操。而"弄"在音樂中有"重複"、"變奏"的意思，也有"奏樂或樂曲的一段、一章"之意，所以"三弄"是指一個音樂主題在同一首曲子裏以同樣曲調反覆演奏三次。因爲琴曲

《梅花三弄》就是以泛聲演奏主調，並以同樣曲調在不同徽位上重複演奏三次，所以又叫“三弄”。

還有人指出，“三弄”實際上是指“高聲弄、低聲弄、遊弄”這三個變奏。因爲《樂府詩集》卷三十平調曲與卷三十三清調曲中各有一解題，提到相和三調器樂演奏中，以笛作“下聲弄、高弄、遊弄”的技法，而當代的琴曲《梅花三弄》中“三弄”的曲體結構可能是這種表演形式的遺存，所以才叫“三弄”。

上述說法都含有不同的意韻，但從音樂的角度來看，琴曲《梅花三弄》的曲調演奏方式是在結構上的三次循環再現，即全調完整地用泛音重複演奏了三次，而曲調在每個徽位上也重複出現三次，所以明朝楊掄的觀點應該是比較正確的說法。

330

什麼是方響？

在敦煌莫高窟裏，有一幅《藥師經變》的舞樂圖。圖的下部有支二十八人組成的樂隊，樂工們正在演奏著各種或打擊、或吹奏、或彈撥的樂器。其中，圖右側一組中最左邊的女子正垂目敲擊著一種樂器——方響。

那麼，方響究竟是一種什麼樂器呢？唐代詩人牛殳的詩《方響歌》中說：“樂中何樂偏堪賞，無過夜深聽方響。”《舊唐書·音樂志》記載：“梁有銅磬，蓋今方響之類。方響，以鐵爲之，修八寸，廣二寸，圓上方下。架如磬而不設業（樂器架子橫木上的大板），倚於架上以代鐘磬。”這說明南北朝時的梁代（502～557）已經有方響了。

方響

方響是由十六塊大小相同的長方形鐵板、銅片或玉片組成的，根據厚薄的不同來定音高，分上下兩層懸掛，用小鐵錘或木槌敲擊發音。它是古代很有藝術特色並有固定音高的敲擊樂器，源於北周，後傳入梁國，是隋唐宮廷燕樂中常用的樂器之一。唐代曾湧現出馬仙期、吳繽等優秀的方響演奏名家。宋代以後，方響的使用漸漸稀少了。

1979年，上海民族樂團和上海民族樂器一廠成功研製出新型方響。20世紀80年代初，又製成了51音方響。新型方響的琴架可以升降或轉動，便於水準或豎立演奏，還設有製音裝置和共鳴筒。其發音豐滿悅耳，以八度同音奏旋律或副旋律演奏，有莊重樸實之感。它既可以獨奏、合奏，又可以爲歌舞伴奏。新型方響已正式列入民族樂隊編制並在演奏中取得了較好的藝術效果。

331

什麼是洞簫？

洞簫，是一種用來吹奏的竹製管樂器，是簫的一種。古代的簫用竹管編排的叫排簫。排簫用蠟封底，而洞簫不封底。後來專稱單管直吹、正面五孔、背面一孔的簫爲洞簫。通常用九節紫竹製成，叫紫竹洞簫。

洞簫源於遠古的骨哨，新石器時代開始用竹製作，唐代以前通常簫笛不分。古羌族中叫羌笛，有三個音孔和一個管口孔。西漢時，京房在後面加了個最高音孔，做成五孔簫。西晉的笛（簫）又是前五孔後一孔，形制與現在相似。唐代出現了前六孔、旁邊一孔並有竹膜的笛，才叫橫吹的爲笛，豎吹的爲簫。清代的簫與現在完全一樣。

洞簫屬於八度超吹樂器。因管長和管徑有限，洞簫的音域相對較窄，只能奏出第一、二泛音和極個別的第三泛音。構成洞簫各個音級的音高由音孔決定，而音孔位置的開挖又具有隨意性，所以音準的選擇具有很大的隨意性。音孔位置是否得當，直接關係到洞簫的音域。

與笛相比，洞簫的音色格外恬靜秀雅、圓潤輕柔，又有些清幽淒婉，適合獨奏和重奏。但弱點是音量小、發音沒有笛子敏銳清脆；洞簫的演奏技巧也不如笛子靈敏，但同樣能嫻熟自如地吹出滑音、疊音和打音等。只是，洞簫不適宜演奏花舌、垛音等富有特性的技巧，而適宜吹奏悠長恬靜、抒情意蘊濃厚的曲調，能表達出幽靜典雅的情感。洞簫不僅適於獨奏和重奏，還可與一些民間樂器合奏或伴奏。在古曲《春江花月夜》中，洞簫奏出輕巧的波音，配合琵琶模擬的鼓聲，描繪出簫鼓齊鳴的情景，綿綿的簫聲流暢又典雅抒情。此外，琴簫合奏相得益彰、委婉動聽，能表達出樂曲深遠的意境。

332

什麼是塤？

塤是用陶土燒製的一種閉口吹奏樂器，大小如鵝蛋，有六孔，頂端爲吹口。塤的原始形態產生於史前時代，在世界原始音樂史上佔有重要地位。

塤最初可能是先民們模仿鳥獸叫聲製作而成，用來引誘獵物的。後來隨著社會的進步，逐漸發展成能吹奏出曲調的旋律樂器。原始的塤器形多種多樣。如：西安半坡出土的只有一個吹孔的陶哨，作爲塤的原始形態之一，呈現出略似橄欖的形狀；浙江餘姚出土的陶塤，呈橢圓形，只有吹孔而沒有音孔。新石器時代的陶塤已有兩個音孔了。

先秦時期的塤有陶製、石製和骨製的，陶製的最多，形體多爲平底卵形。秦漢以後，塤主要用於宮廷音樂，分頌塤和雅塤兩種。其中雅塤常和一種用竹子做的吹管樂器——篪(chí)配合演奏。清宮裏的紅漆雲龍塤，有前四後二的六個音孔。現在有人在古製六孔塤的基礎上研製出九孔陶塤，將音孔增至八個，還擴展了肩部和內胎，以增大音量。塤有卵形塤、葫蘆塤、握

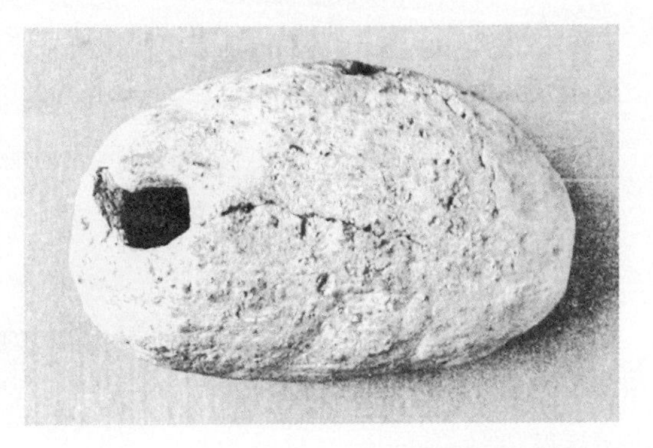

河姆渡出土陶塤

河南安陽殷墟婦好墓出土陶塤

塤、鴛鴦塤和子母塤等多種類型。各種塤不僅造型有區別，在音色和演奏方式以及指法上也各有千秋。

塤具有一種獨特的音樂品質，音色幽深哀婉，悲淒而綿綿不絕。也許正是這種獨特的音色，讓善於悲秋的古人在長期的藝術感受中，體會到金秋的凝重而冷靜以深思，在蕭瑟中感歎時光流逝，有一種淡淡的傷感和淒涼，才賦予了塤的音色一種神秘又典雅的氣質，稱爲"立秋之音"。

古代把樂器分爲金、石、土、革、絲、竹、匏、木八音。塤在八音中獨佔土音，與鐘、磬等樂器具有同等重要的地位。

333

什麼是花兒？

"花兒本是心裏話，不唱時由不得個家；刀刀拿來頭割下，不死時就這個唱法。"這是流傳在青海、甘肅等地各民族中，被譽爲西北之魂的民歌——花兒。

花兒用漢語演唱，俗稱"少年"，唱花兒也叫"漫花兒"或"漫少年"。花兒多爲對唱的問答，也有獨唱的敘事。聲調高亢嘹亮，委婉動聽；內容有對愛情的追求，對情人的思戀，對黑暗的詛咒和對幸福的渴望等，多是即興的抒情和敘事。花兒的唱詞形式通常以四句爲主，也有再加兩個短句構成前後對稱的六句式的。其結構分爲兩段，前段唱詞多用比興手法，後段是主題和內容，前後都合轍押韻。曲調分爲直令、三閃令、三閃直令等十幾種。在吟唱時，吟唱者可以靈活地把歌詞套用在"令兒"上（"令兒"相當於通俗歌的作曲，也是講究的唱法），對吟唱者要求很高。

湟水谷地一帶的花兒自明代就開始流傳。根據發源地分爲河州地區（今甘肅臨夏市）的"河州花兒"、洮岷地區的"洮岷花兒"和西寧地區的"西寧花兒"三類。青海是花兒的故鄉，“河湟花兒”被譽爲“西北花兒的精魂”。

青海有馳名的“花兒會”。每年農曆五、六月間，辛勤勞作後的人們在花兒會上以歌會友，他們不拘小節，放聲高歌，青年男女們更是以歌傳情。花兒會是當地人民的狂歡節，是花兒比賽、大會演的最佳時機，各族群衆身穿鮮豔的民族服裝，漫山遍野的人海裏，晝夜不息的歌聲此起彼伏，熱烈的歌聲和掌聲、笑聲、喝彩聲等匯成一片歡樂的花兒海洋。

334

什麼是秧歌？

秧歌，是我國一種極具代表性的民間舞蹈和戲曲類稱，民間有踩蹺表演的“高蹺秧歌”和不踩蹺的“地秧歌”兩種。秧歌可能源於與插秧有關的勞動，又和祭祀農神祈求豐收的頌歌有關。後來不斷吸收民歌、武術、雜技和戲曲等，最終發展爲民間歌舞形式。一般以舞隊爲主要形態，有集體舞、雙人舞或三人舞等形式；一般由舞隊扮成歷史故事、神話傳說和現實中的人物，各角色用相應的道具，在各種吹打樂器的伴奏下盡情地邊走邊舞，隊形富於變化，舞姿豐富多彩。

各地秧歌有不同的名稱，如陝北秧歌、華北“地秧歌”、滿族秧歌等；南方的“花鼓”、“花燈”、“採茶”等都是秧歌的一種形式。

陝北燈節的“鬧秧歌”，秧歌隊在“傘頭”的帶領下，在鑼鼓的節奏中起舞，跳群舞跑“大場”、演“小場”（雙人、三人舞）；東北秧歌形式詼諧，“穩中浪、浪中梗、梗中翹，踩在板上，扭在腰上”，花樣繁多的“手中花”，節奏明快又富有彈性的鼓點，“哏、俏、幽、穩、美”的韻律，都是東北秧歌的特色；華北秧歌的角色分“陀頭和尚、傻公子、老作子、小二格、柴翁、漁翁、賣膏藥、漁婆、俊鑼、丑鼓”十部，各角色滑稽逗笑；北京的地秧歌接近東北；西北秧歌有“白髯、花面、紅纓帽，白皮短褂反穿，手執傘燈領隊”等；南方的“英歌、花燈、採茶、花鼓”也有濃厚的地域特色。各地的舞法、動作和風格各不相同，有的威武雄渾，有的柔美俏麗，千姿百態，美不勝收。秧歌形式多樣、規模宏大，鬧得熱火朝天，是深受人民群眾歡迎的大眾化藝術形式之一。

335

什麼是爬山調？

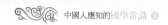

“哥哥在高山頂上……小妹妹在那山坡底下……拾山藥呀……”這首音韻鏗鏘、風格樸實的民歌《割蓧麥》，讓許多人傾倒。它就是流行於內蒙古中西部地區的短調民歌——爬山調。

爬山調，又叫爬山歌、山曲兒等，是內蒙古地區各族人民特有的民歌。它和陝北信天遊、青海花兒一起構成了西北地方的三大著名歌體。爬山調按照地域不同分有前山調、後山調、河套調和伊盟調等。其內容有反映勞動、讚美家鄉、歌頌領袖的，也有歌唱婚姻愛情和披露炎涼世態的，總之，演唱者的理想夙願和喜怒哀樂皆能入歌成誦。爬山調的結構短小精悍又富有變化，多爲兩個樂句的單樂段。其音樂因有漢族與蒙古族交融的因素，大都高亢粗獷又悠揚。在唱詞、曲調上均呼應緊密，節奏多用高音的自由延長音，旋律上多用大跳，音域較寬，有鏗鏘頓挫的語句特點。眞假聲結合的唱法體現出一種高亢、激越、悠長、奔放的山野風格。爬山調常用比興、誇張等手法即興演唱，內容都合轍對稱，歌詞上口押韻又多用鄉土疊詞，顯得格外生動，具有靈俏幽默的藝術風格，動人心扉，有著濃厚的鄉土氣息和山野風味。曾有民歌手讚頌爬山調說：“繡花容易生根難，唱曲兒容易捉調難。要唱山曲拉長音，十里路上有人聽。”最經典的短調民歌有《成吉思汗的兩匹青馬》、《美酒醇如香蜜》、《想親親》、《大黑牛耕地犁黃土》等。

336

什麼是挽歌？

挽歌是專門寫給死者，以表達對死者的沉痛悼念和惋惜的歌曲，通常也由詞和曲兩部分組成。古人送葬時，總會有牽引靈車的人邊走邊唱挽歌。歌手通常分列在靈車兩旁，又叫“挽郎”或“挽僮”。做“挽郎”的人必須要有英俊瀟灑的面容，有嘉美的名聲，還要博通諸藝，富於才情。因此，古代的挽郎多爲皇室貴族或高官顯宦家的優秀少年。

挽歌的起源由來已久，漢魏時唱挽歌已是一種約定俗成的風氣了。最早的挽歌產生於春秋戰國時期。但挽歌並不是某一個人的創造，而是來自於民間勞動者的歌聲。人們在送葬親人時，將悼亡之悲與勞役之苦在挽歌的調子中合爲一體，使挽歌比一般的勞動歌曲更爲淒涼，漸漸地就相沿成俗了。

在漢代，作爲喪葬禮俗之一的挽歌也是樂府的一部分。東漢時，挽歌又衝破了送死悼亡的樊籬。魏晉時期，挽歌因其獨特的悲哀情調和淒麗的美學風格而讓名士們稱羡不已，以至於耽愛挽歌的士林名流們，不僅在送葬時唱，在飲宴遊樂時也唱。當時的挽歌愛好者大都具有出色的音樂素養和深湛的藝術鑒賞力，如“衿情秀遠，善音樂”的袁山松，傑出的音樂家兼吹笛能手桓伊，“善彈琵琶，能爲新聲”的范曄，都是唱挽歌的高手，而被人合稱爲“三絕”。

雖然挽歌很長於抒發悲哀的情調，能夠淋漓盡致地傳達和表現精神世界的天風海濤和輕漪微瀾，但現在的挽歌一般也只用作葬禮或追悼會上的悼念歌曲。

337

什麼是《胡笳十八拍》？

胡笳是漢代流行於塞北一種管樂器，音調很蒼涼。東漢末年的蔡文姬就著有古琴曲——《胡笳十八拍》。

蔡文姬是蔡邕的女兒，她從小就學識淵博，精通音律。生逢亂世的她屢遭災難，嫁給衛仲道不到一年，衛仲道就病死了。後來，匈奴入侵中原，又將她擄去。幸好，南匈奴的左賢王愛慕她的才華和音樂天賦，將她納爲閼氏（王妃）。蔡文姬在匈奴生活了十二年，爲左賢王生下了兩個兒子。但她一直不能適應塞外惡劣的自然環境和與中原完全不同的生活方式，更不堪忍受精神的苦楚。她經受著雙重的屈辱：作爲

蔡文姬畫像

漢人，她成了匈奴的俘虜；作爲女人，她不得已嫁給胡人。身心的日夜煎熬，讓她日夜思念著祖國和故鄉。她的父親蔡邕是曹操的老師兼朋友，後來，曹操統一了北方，就派人用黃金去贖她。她希望回到中原，卻捨不下兒子。對家鄉的思念和離別兒子的痛苦交織著，讓她矛盾極了。在經過痛苦的心理鬥爭後，她最終選擇了隨使者南回。但她人雖回到了家鄉，離別親人的痛苦卻一直陪伴著她。日夜思念著兒子的蔡文姬回想起自己的慘痛經歷和遭遇，把心底糾結的疼痛傾注到哀傷的琴聲和悲壯的文字裏。她懷著複雜矛盾的心境，用幽怨的琴聲，悲淚絞腸地唱道："我生之初尙無爲，我生之後漢祚衰……十八拍兮曲雖終，響有餘兮思無窮……"一千多年來，這首千古傳頌的《胡笳十八拍》，讓人們看到了一個身處異邦的柔弱女子顛沛流離的生活和堅忍不拔的精神以及深切的民族情感。

338

《廣陵散》失傳了嗎？

《廣陵散》是我國古代十大名曲之一。魏晉時期的嵇康是一位彈琴高手。傳說有一次嵇康在洛西的華陽亭裏彈琴時，引來了一位神秘的客人，他們互相談論音樂，客人對音樂和琴曲創作的獨到見解讓他嘆服不已。客人還即興演奏了一支他從沒聽過的曲子，起初是慢撥輕彈，弦音幽靜；節奏慢慢就轉快，力度加強，音調也沉鬱悲涼了。精通音律的嵇康聽著琴曲，感覺有千軍萬馬在馳騁疆場，又像勇士在橫刀躍馬，或江湖劍客在揮矛擊劍……他向客人學會了這首曲子，還得知它是關於戰國時韓國刺客聶政爲父報仇的故事：聶政發誓要爲被韓王冤殺的父親報仇，偷偷跑到泰山苦練了十年的琴曲，最終回到韓國借爲韓王彈琴的機會刺死了韓王。後人就根據這個故事，譜成了《廣陵散》。嵇康學會《廣陵散》後，就再不彈別的曲子，更不傳授給任何人。後來，司馬氏奪取了曹魏江山，嵇康始終對司馬氏採取不合作態度，最終於西元262年招來了殺身之禍。當時的太學生要求赦免他，或讓他把曲子傳給他們，但司馬昭卻不答應。嵇康在臨刑前最後彈了一次《廣陵散》，然後仰天長歎道："《廣陵散》於今絕矣。"

此後，《廣陵散》曾一度失傳。但明代的《神奇秘譜》中有"刺韓"、"沖冠"、"怒發"、"報劍"等內容的分段小標題，有琴家認爲這就是又名《聶政刺韓王》的《廣陵散》。建國後，這首曾絕響一時的《廣陵散》，又由著名古琴家管平湖先生根據《神奇秘譜》的曲調進行了整理和打譜，使這首奇妙絕倫的古琴曲又重回人間。

339

什麼是房中樂？

所謂房中樂，是周代始創的一種宮廷樂歌。之所以叫"房中樂"，是因爲從周朝到漢魏就一直有用"房中"一詞來指代女性、婦人的現象，而這種歌曲相對於以男性爲活動主題的樂舞內容及其形式而言，主要是"職在宮內，女人教習之"，即是以后妃、夫人等女性爲活動主體的樂舞歌曲，所以就叫這種樂歌爲房中樂。簡單地說，房中樂就是指婦女之樂。

房中樂在不同的朝代、不同的場合，主要作用和功能也有所不同。周朝的房中樂主要歌頌后妃之德，或是由后妃用諷誦的方式來侍奉和勸諫君子；漢魏的房中樂則主要用於以享神內容爲主的祭祀，還有的用於殿堂上的祝頌或宗廟祭祀，或用於燕享賓客，或依然用於後宮之中。作爲古代一個主要的宮廷音樂類型，房中樂在不同的朝代和時期都有不同的與之相對應的器樂組合形式、不同的樂器演奏要求和不同的歌者的配合演唱特點等。最早用在房中樂中的樂器以絃樂器爲主，後來又配備有簫管等樂器。

其實，對於房中樂，學術界至今沒有權威的標準和準確的定義，但可以肯定的是，房中樂的主持者或是活動的主體及其歌者主要是女性，或者就算它的主持者或活動的主體是國君或地方的諸侯，但其歌唱演奏的主體依然是女性，只是分不同的場合和功用而已。

340

什麼是法曲？

法曲是唐代梨園所演奏的各種曲目。唐玄宗在開元初年成立了梨園，演習法曲，使法曲成爲宮廷樂曲的一種重要形式，代表了唐代供奉於內廷的音樂精華。但是，法曲並不是一種單純的樂種，也不是唐代才形成的一種新樂，它是從不同樂種中精選出來的清樂、雅樂、俗樂、胡樂、佛曲和道曲等多種音樂形式的集合體，而且這些樂種在法曲中並不是互相滲透融合，而是並列或相互獨立的。法曲的來源兼包古今華夷，不以民族、地域爲限，也不以時代或樂種爲限。其中著名的曲子有：具有清樂淵源的《王昭君》和《玉樹後庭花》等；具有胡樂淵源的《霓裳羽衣》（也有佛道曲性質）、《萬歲長生樂》等；具有雅樂性質的《赤白桃李花》、《雲韶樂》等；具有道曲性質的《獻天花》等；具有俗樂性質的《傾杯樂》和《鬥百草》等；還有來源不明的《聽龍吟》、《雨淋鈴》等。根據《唐會要》和《樂府詩集》等文獻的記載可知，現存的法曲曲目共24曲。隨著唐王朝的由盛轉衰，法曲也漸漸衰落，有人感歎說：“法曲淒涼誰按拍，不堪流涕說興衰。”

341

什麼是儺？

安徽貴池的民間，素有“無儺不成村”的諺語。流傳於黃河流域的儺，也叫“古儺戲”，被稱爲“戲劇活化石”。它是上古圖騰崇拜時期，人們祈求神靈逐鬼除疫的一種儀式和祭祀活動。儺戲，是一種地方戲。演員一般頭戴柳木面具，多用反覆、大幅度的程式舞蹈動作，在節日演出，以示請神驅邪、祈福，也有簡單的戰鬥故事表演。

大儺圖

漢代的“大儺”儀式有“方相舞”和“十二神舞”。後來，儺逐步向娛樂的方向演進，娛樂成分加強，民間迎神賽會中的儺，就是純粹的娛樂。人們往往戴著面具，在隊伍中邊歌邊跳儺舞，有時還舞獅，所以又有“獅儺會神”之稱。儺在內涵上最後形成驅邪扶正、祭祀先祖、祈福求安、祝禱豐收等內容，還出現了表現勞動生活與民間傳說故事的節目，最終由儺舞演變爲儺戲。

我國的儺，種類繁多又各有特點。按服務對象、演出對象和演出場所劃分，可分爲民間儺、宮廷儺、軍儺和寺院儺等。按地域分，最具代表性的是安徽貴池儺、河北武安儺、江西萍鄉儺等。

我國各地的儺，在形式上有所差別。但都受到唐胡騰舞、西涼伎和變文、詞話、傀儡、村俚歌謠以及雜劇、南戲等的深刻影響。河北武安儺，主要有隊戲（包括面具戲）、賽戲、花車、旱船、舞龍、舞獅、霸王鞭、武術等藝術形式；江西萍鄉儺則分文儺和武儺，文儺以演生活小戲爲主，而武儺大多以興廢戰事、君臣忠烈、演義志傳爲內容，以表演武力、鬥技爲主。古老的儺，作爲一種文化形態，是我國傳統文化的組成部分，有著極大的音樂藝術價值。

中國人應知的

國學常識 ③

The knowledge of Chinese

文化典籍

342

整理古籍時如何選擇底本？

底本，是古籍整理工作者的專用術語。人們在影印古籍時，往往要選定某個本子作爲工作用書，這個本子就稱爲影印所用的底本。同時，人們在校勘古籍時，也一定要選用一個本子作爲基本的工作用書，再運用各種方法對這個基本的工作用書進行校勘，這個被作爲基本工作用書的本子也就是校勘所用的底本。標點古籍時也要選用一個本子在上面施加標點，這個本子也可叫做標點使用的底本。注釋、今譯以及做索引時，也都要分別選用一個本子進行注釋、翻譯或索引工作，這個本子也可叫做注釋、翻譯或索引的底本。除影印外，其他各種整理方法所採用的底本，通常也都叫做“工作本”。

一種古籍如果存在幾個不同的版本，其中肯定有優、劣之分。影印古籍固然要用優捨劣，在古籍的校勘、標點、注釋、翻譯、做索引時，也應該儘量選擇優良的版本作爲底本。

343

稿本和清稿本有何區別？

稿本是指作者親筆寫定，但尚未正式出版的書稿，這種書稿上往往保留有許多作者勾改塗乙的地方。古籍版本中的稿本概念主要有三種情況：一是指作者的手稿本，二是指清稿本，三是指修改稿本。由於稿本在撰寫過程中，經過作者的多次修改，書

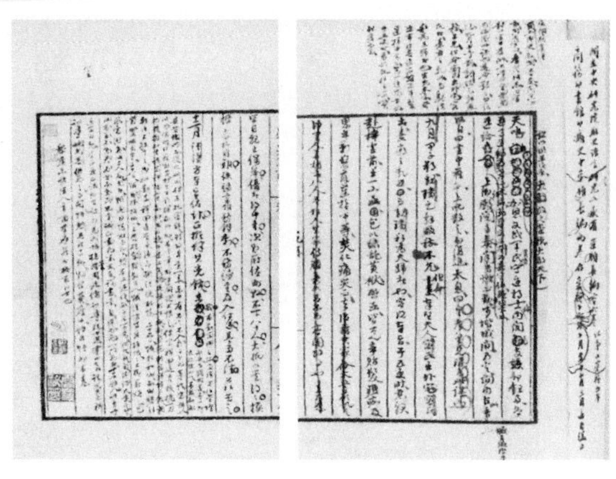
明稿本《思宗毅皇帝本紀》

稿勾改塗乙之處很多，有時作者要親自再謄寫一遍，但大多數情況下是請人謄清，繕寫完後，又經著書者親手校訂過，這種稿本被稱爲清稿本。所以清稿本有兩種情況：一種是由作者自己謄清，這在實際上應該歸入手稿本；另一種情況是由別人謄清。這種稿本之上，往往都有少量的添改，添改的文字，爲作者的手跡。同時，這種清稿本上一般都會留有作者的印鑒。由於這種稿本大多數沒有公開出版，所以歷來備受人們的重視，尤其是名家手稿以及那些史料價值較高的稿本，一向爲藏書家所珍愛。如清代姚覲元的行草書《咽喉脈證通論稿本》，該稿本共196頁，每頁十行，每行二十字左右，半框18.2×23.3釐米。姚覲元，清代著名學者姚文田之孫，字彥侍，歸安(今浙江湖州)人。道光年間(1821～1850)的舉人，歷官四川川東道、廣東布政司。工書法，喜治印。一生著作甚豐，有《大疊山房詩集》，所刻《咫進齋叢書》、《集韻》等，世多稱之。由於清稿本在辨別時很難判斷它是稿本還是抄本，所以對清稿本概念的運用要特別謹愼。

344

何謂寫本？

寫本在古籍版本中，是一相對於稿本、抄本和印本而使用的概念。通常情況下，被稱之爲寫本的有三種情況：一是時代較早。如唐朝以前，書籍的成書都是靠手寫傳抄，沒有後來的刻本和印本，所以統稱爲寫本。唐朝以後雕版印刷術漸行，但唐、宋時期，手抄書籍仍很流行，仍有不少讀書人以抄寫古籍爲業，所以傳世古籍中有相當大的數量是抄寫本。即使是在印刷術高度普及的明清及近代時期，寫本仍然發揮著巨大的作用，所以這一時期手寫傳抄的書籍仍然稱爲寫本。元朝以後，這種手寫傳抄的書籍，就稱爲抄本了。如明朝修的《永樂大典》和清朝乾隆時期成書的《四庫全書》，因書的卷帙浩大，雕版印刷耗資巨大，就只有抄本存世。二是成於名人之手。歷史上凡是出自名流學者親自傳抄的書，大都稱之爲寫本，不稱爲抄本。三是涉及宗教方面的。凡是懷著對宗教的崇信和虔誠而還願或做功德所抄錄的佛經、道經，歷史上就只稱爲寫經，而不曰抄經。早期寫經生抄錄的經卷，不論出自何種動機，由於其抄寫的時代早，又是抄錄佛經，所以也稱之爲寫本。至於自己著述自己抄寫流傳，則無論其時代早晚、地位高低，就都一律稱之爲稿本了。在宋代以前，寫本與抄本、稿本沒有多少區別，但宋、元以後，寫本特指抄寫工整的圖書，例如一些內府圖書，並無刻本，只以寫本形式傳世，如明代的歷朝實錄等。

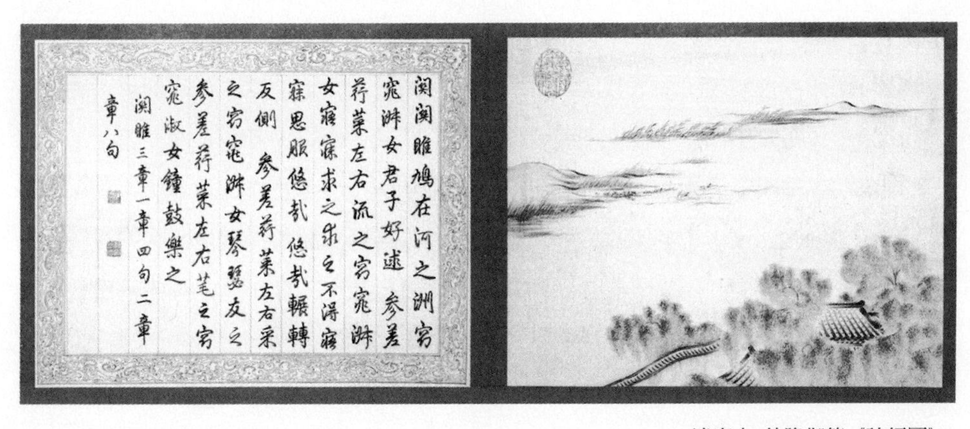
關關雎鳩在河之洲窈
窕淑女君子好逑參差
荇菜左右流之窈窕淑
女寤寐求之求之不得寤
寐思服悠哉悠哉輾轉
反側參差荇菜左右采
之窈窕淑女琴瑟友之
參差荇菜左右芼之窈
窕淑女鐘鼓樂之
關雎三章一章四句二章
章八句

清寫本 乾隆御筆《詩經圖》

345 套印本是怎麼印刷的？

套印本是中國古代典籍的一種版本。它是指用兩種或兩種以上顏色分版印刷的圖

雍正套印本《朱批諭旨》

書。其中，用朱、墨兩種顏色套印而成的圖書，被稱爲朱墨本。套版印刷是我國古代雕版印刷技術的進一步發展，是古代諸項印刷技術中較爲精細、複雜的一種。套版印刷的發明，是我國繼活字印刷後，對世界印刷史做出的又一項重大貢獻。當書中諸如經書中的經文和注文等文字需要有所區別，或圖畫需用不同的顏色印刷時，古人就分別刻成同樣尺寸的版，用不同的墨色，逐次印在同一張紙上即成套印本。最初是朱、墨兩色套印，後來逐步發展到三色、四色、五色甚至六色。據現存的文物資料和考古發現可知，我國的套色印刷技術至遲在宋、遼、金時期就可能已經發明出來了，明朝中期以後，不僅彩色印刷技術在圖書出版中得到了廣泛運用，印刷工匠還發明了被稱爲餖版和拱花的分版分色套印和凹凸版等藝術性很高的印刷工藝技術，這種印刷方法，常用於版畫。清代有更多的刻書機構紛紛採用多色套印技術。其中，帶有彩色評點、註解文字的套印書籍成就十分顯著。一些用活字版印刷的書籍也採用套印技術，如清朝乾隆年間內府就曾用五種墨色套印過《御選唐宋詩醇》，咸豐年間，該書又出現過用木活字五色套印的本子，排印整飭，頗爲罕見。歐洲至18世紀才掌握了這種套版印刷技術，雖說後來它們在鉛印、石印、膠印等印刷技術方面發展得很快，但這些印刷技術的基本原理和方法，實質上說大都是從中國古代的套版印刷技術演變、發展出來的。

346

何謂朱墨本？

朱墨本是指用朱、墨兩種顏色套印而成的書本。這種版本最早應該產生於北宋時期，如南宋陸遊在《老學庵筆記》卷十中記載：“太宗時，史官張洎等撰太祖史，凡太宗聖諭及史官採摭之事，分爲朱、墨書以別之，此國史有朱墨本之始也。”周密在《齊東野語·朱墨史》中也說：“紹聖中，蔡卞重修《神宗實錄》，用朱、黃刪改，每一卷成，輒納之禁中，蓋將盡泯其跡，而使新錄獨行，所謂朱墨本者，世不可得而復見矣。”臺北圖書館所藏的經折裝《金剛般若波羅蜜經》，經文朱印，注文墨印，經有關專家研究，乃是在同一版上先後刷印雙色印製而成的。至明朝末年，最爲有名的是吳興（今浙江湖州）閔齊伋、凌濛初兩家用兩色分版套印的印本，墨色印正文，朱色印評語及圈點。兩家之中又以閔氏刻本爲代表，故世稱“閔本”。

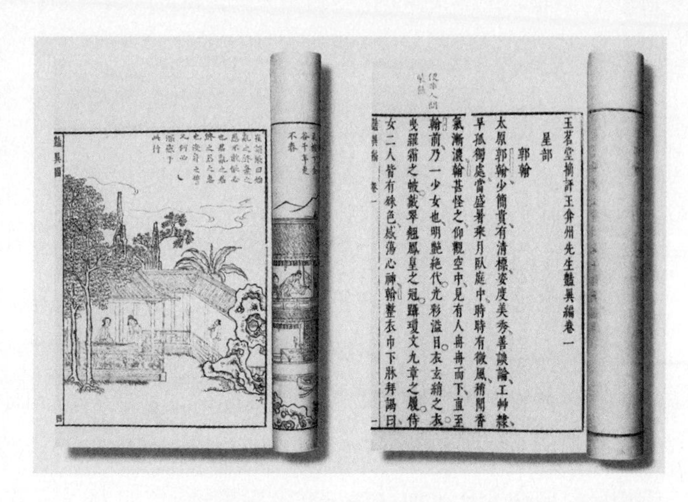
玉茗堂摘評王弇州先生豔異編卷一
星部
郭翰
太原郭翰少簡貴有清標姿度美秀善談論工艸隸早孤獨處當盛暑乘月臥庭中時有微風稍聞香氣漸濃翰甚怪之仰觀空中見有人冉冉而下直至翰前乃一少女也明艷絕代光彩溢目衣玄綃之衣曳羅霜之帔戴翠翹鳳凰之冠躡瓊文九章之履侍女二人皆有殊色感蕩心神翰整衣巾下牀拜謁曰
豔異編 卷一 一

晚明朱墨套印 王世貞《玉茗堂摘評王弇州先生豔異編》

347

何謂餖版？

餖版是“木刻浮水印”的舊稱。這種印刷技術，是明萬曆年間安徽書坊間流行的一種在套版印刷基礎上發展、形成的多色疊印的美術印刷方法。其方法是，將彩色畫稿按不同顏色的深淺濃淡、陰陽向背，分別鈎摹下來，每色刻成一塊小木版，然後逐色由淺入深，依次套印，因其形似“餖飣”而得名。餖飣是一種五色小餅，做成花卉、禽獸、珍寶形狀，盛放在盒中。這種印刷技術，因不同顏色的雕版，其堆砌拼湊，有如餖飣，故稱餖版。如明朝崇禎年間，胡正言曾用此法輯刻彩色套印過《十竹齋箋譜》，十分精美。

348

何謂拱花？

這是中國古代一種不著墨的刻版印刷方法，用凸凹兩版嵌合，使版面拱起花紋，與現代印刷術中的凹凸印刷極爲相似。以凸出的線條來表現花紋，襯托畫中的行雲流水、花卉蟲魚、鳥類羽毛等，使畫面更富神韻。如明朝崇禎年間的胡正言曾用餖版和拱花技術刻印過《十竹齋畫譜》，著名文獻學家趙萬里(1905～1980)曾稱讚該版書說：“精麗無比，與《箋譜》可稱雙絕。”此後，《芥子園畫傳》、《百花詩箋譜》、《北平箋譜》等繪畫類圖書，大都採用這種印刷技術印製而成。

349

何謂活字本？

活字本是指用泥、木、銅、鐵、鉛、錫等材料製成方塊單字，然後排版印刷的圖書。它不同於一頁一塊印版、整版印刷的雕版印刷，而是每個字製成一個字模，製版時用一塊底盤把活字一個個檢出排上，然後壓平固定，即可印刷。印完後拆版，字模可以重複利用，再用來排印其他的書版，既經濟又方便。據沈括《夢溪筆談》卷十八記載，北宋仁宗慶歷年間（1041～1048），工匠出身的畢昇首先發明了泥活字，這是世界印刷史上具有劃時代意義的重大發明。20世紀初期，曾在敦煌和黑水城遺址發現過西夏中後期的西夏文活字印刷品，是畢昇發明活字印刷術約一百年後的實物，被認爲是世界上現存最早的活字印刷品。另外，在敦煌石室中還曾發現了一千多個9～15世紀使用的回鶻文木活字，這是世界上現存最早的活字實物。元代的王禎曾用木活字排印了《農書》，但可惜未見存本。明、清時期圖書出版異常活躍，活字本大量出現。明弘治三年（1490），無錫華燧會通館以銅活字排印了《錦繡萬花穀》，弘治八年又排印了《容齋隨筆》和《古今合璧事類備要》，以及明蜀府活字本《欒城集》等，都是現存時代較早的活字印本。清朝雍正年間，內府以銅活字排印了一萬卷的《古今圖書集成》，乾隆間又以棗木活字排印了《武英殿聚珍版叢書》，都是珍貴的活字本。鑒定活字本，一般是要看版框四角有無縫隙，因爲活字版的版框是拼起來的。再看擺字有無歪斜。第三是看墨色有無濃淡變化，因爲活字版的版面是不平的。第四是雕版印刷上下字之間筆劃往往有交叉現象，而活字本則不會出現這種筆劃的交叉現象。所以，活字本與雕版印刷的書籍之間的區別還是比較明顯的。

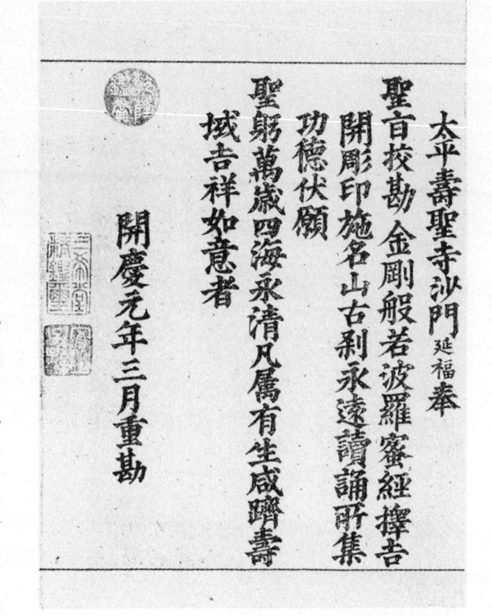
太平壽聖寺沙門延福奉
聖旨校勘金剛般若波羅蜜經擇吉
開彫印施名山古刹永遠讀誦所集
功德伏願
聖躬萬歲四海永清凡屬有生咸躋壽
域吉祥如意者
開慶元年三月重勘

宋 活字本《金剛經》

350

石印本是什麼樣子的？

石印本是指用石材製版印刷的圖書，這是晚清時期傳入我國的一種近代印刷方法。其方法是用富於膠著性的藥墨，直接描繪字、畫於天然而多微孔的石印石面上；或採用藥墨寫原稿於特製的紙上，將其覆於石面之上，強力壓之，揭去藥紙，塗上油墨，然後用沾有油墨的石版印書。石印與鉛印本均是油墨印刷，與水墨印書的刻本古籍有區別，而且石印本多爲手寫軟體字，易於辨認。實際上，石印是一種平版印刷技術，這種技術是由德國的A.遜納菲爾德(1771～1834)於1798年發明的，距今已有二百

《點石齋畫報》中的《法犯馬江圖冊》

多年的歷史。19世紀初，石印技術已在歐洲普及。清道光十四年(1834)，中國廣州出現了外國人張貼的用石版印刷的佈告。同治十三年(1874)，上海徐家匯天主教堂附設的印書館開始設立石印印刷部，印製教會宣傳品。1876年，創設申報館的英國人E.美查在上海開設了點石齋石印局，開始石印圖書和期刊，出版了《考正字彙》、《康熙字典》、《佩文韻府》、《點石齋畫報》、《飛影閣畫報》等。隨後，中國人徐裕子、徐潤等於1881年先後開設了同文書局和拜石山房，專印如《二十四史》、《古今圖書集成》、《康熙字典》、《佩文齋書畫譜》等古書。石印與鉛印曾一度取代中國古老的雕版印刷而占居主導地位。20世紀30年代以後，石印的地位逐步被更爲完善的鉛印所取代。用石印技術印刷的書籍，文字和圖畫與原作不差毫釐，文字多爲蠅頭小字，筆劃清晰；彩色石印的書籍，畫面的色彩明暗、濃淡幾乎可以亂眞。照相石印和彩色照相石印，精美迅速，更勝一籌。中國近代的石印圖書，以古籍爲多，遍及經、史、子、集，其中以商務印書館石印的《四部叢刊》、《百衲本二十四史》和中華書局石印的《古今圖書集成》影響較大。

351

何謂珂羅版？

珂羅版複製法，即珂羅版印刷，又稱玻璃版印刷，它是照相平版印刷工藝的一種。其方法是用厚磨砂玻璃版塗上矽酸鈉溶液，用水洗淨，乾後再塗上珂羅丁和重鉻酸鉀混合液，以無網陰圖底片覆蓋並使曝光，底片形象即留在版上。刷印時先用水浸版，拂去濕氣，再滾上墨，鋪紙印刷，即得一頁。1852年，英國科學家塔爾博特發現經過鉻酸鹽處理的明膠膜層曝光後表面會發生硬化的現象。1867年至1871年間德國慕尼克攝影師阿爾貝特根據這一原理，發明了珂羅版印刷。這種印刷技術是清朝光緒初年由日本傳入中國，並被大量用於中國畫的複製。中國在幾千年的文明發展史中，留下了浩如煙海的歷史文物及傑出的書法、繪畫藝術作品，這都是中華民族最珍貴的財富，同時又有著極高的欣賞和收藏價值。珂羅版正適應了人們大量複製這類藝術作品的需求。後來，珂羅版印刷經歷了單色製作、雙色套印、多色套印到多色接版套印等不斷發展和完善，技術越來越科學，並同現代科技與設備相結合，進行電腦掃描、製作，電子分色機自動分色，不僅複製效率和複製品質大大提高，而且大大縮短了複製週期，既滿足了廣大書畫愛好者的收藏願望，更加強了珍貴書畫作品的流傳。

352

影寫本是怎麼來的？

影寫本即按照底本影摹的本子。明、清時期，藏書家爲保存稀見的宋、元版書籍的原稿，往往雇請具有書法藝術修養的抄手，用優良的紙、墨，照原樣把宋、元版書籍影摹下來，版式、字體往往與原本相差無幾，這樣的寫本被稱作影寫本，又叫影抄本。其中以汲古閣毛氏影宋寫本最爲著名。《天祿琳琅書目》卷四記載：“明之琴川毛晉藏書富有，所貯宋本最多。其有世所罕見而藏諸他氏不能購者，則選善手以佳紙、墨影抄之，與刊本無異，名曰影宋抄。於是，一時

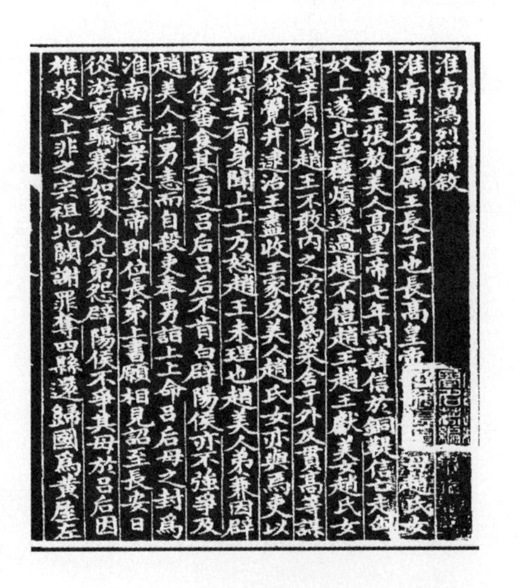
淮南鴻烈解敘
淮南王名安厲王長子也長高皇帝[illegible]趙氏女
爲趙王張敖美人高皇帝七年討韓信於銅鞮信亡走匈
奴上遂北至樓煩還過趙不禮趙王趙王獻美女趙氏女
得幸有身趙王不敢內之於宮爲築舍于外及貫高等謀
反發覺并逮治王盡收王家及美人趙氏女亦與焉吏以
其得幸有身聞上上方怒趙王未理也趙美人弟兼因辟
陽侯審食其言之呂后呂后不肯白辟陽侯亦不強爭及
趙美人生男恚而自殺吏奉男詣上上命呂后母之封爲
淮南王暨孝文皇帝即位長弟上書願相見詔至長安日
從游宴驕蹇如家人兄弟怨辟陽侯不爭其母於呂后因
椎殺之上非之宥遣北闕謝罪奪四縣還歸國爲黃屋左

影寫北宋刻本《淮南子》書影

好事家皆爭仿效，以資鑒賞，而宋槧之無存者，賴以傳之不朽。”

353

何謂修補本？

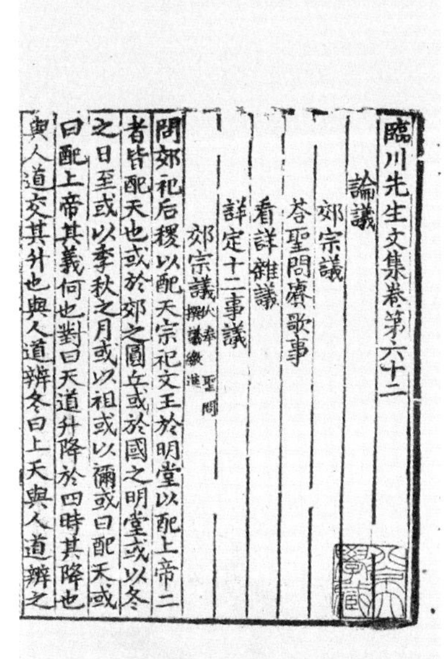

臨川先生文集卷第六十二
論議
郊宗議
荅聖問賡歌事
看詳雜議
詳定十二事議
郊宗議 伏奉聖問撰議繳進
問郊祀后稷以配天宗祀文王於明堂以配上帝二
者皆配天也或於郊之圜丘或於國之明堂或以冬
之日至或以季秋之月或以祖或以禰或曰配天或
曰配上帝其義何也對曰天道升降於四時其降也
與人道交其升也與人道辨冬曰上天與人道辨之

宋刊明修本王安石《臨川先生文集》

將舊存書版重新修整、補配之後印出的圖書稱爲修補本或重修本。有的書版保存時間較長，歷經多次修補，則稱遞修本。如宋朝書版經過宋、元、明三朝相繼修補，依然用來印製圖書，用這種書版印製的圖書就稱爲三朝遞修本或三朝本。這種情況在葉德輝的《藏書十約．購置》中有明確的記載：“史亦以明南監本二十一史爲善，其版亦雜湊宋監元路諸本而成。惟其版自明以來，遞有補修，國朝嘉慶時，其版尚在江寧藩庫。”

354

什麼是經廠本

經廠本是指明代司禮監所轄經廠刻印的圖書。明朝在內廷司禮監下設立經廠，專門負責爲宮廷刻印書籍。如《五經大全》、《四書大全》、《性理大全》等常見古籍，都有經廠主持印製的版本。這類書籍，往往是紙白而字大如錢，書品寬大，黑口，但由於主持其事的宦官文化水準非常有限，因而造成了經廠本存在校勘不精、錯訛較多等許多缺憾。

355

何謂邋遢本？

古代書版因歷經久遠，刷印的次數過於頻繁，字跡已經變得模糊不清，用這樣的書版印出的書常常字跡漫漶，被稱爲邋遢本。如南宋紹興年間蜀中眉山刻印的《宋書》、《南齊書》、《梁書》、《陳書》、《魏書》、《北齊書》、《周書》等七史，印書多用白麻紙，字體多採用顏體字，每頁9行，每行18字，稍大者稱爲蜀大字本，非常美觀，這就是歷史上著名的眉山七史。但書版一直到明代還在使用，印出的書字跡迷漫，被稱爲“九行邋遢本”。這七種史書，後來被收入“百衲本”的二十四史中。

356

何謂袖珍本？

古籍版本的一種，指開本較小、便於隨身攜帶甚至可以藏於懷、袖中的書本。清朝人王澍在《竹雲題跋〈米氏袖珍本〉》中說：“米元章得褚黃絹眞跡，對紫金浮玉，裁爲袖珍手裝成卷者，即此是也。”清朝乾隆年間，內府根據乾隆皇帝的旨意，用武英殿刻版裁截下來的大量小塊木料或版片，於乾隆三十年(1765)刻成小版框小開本的《古香齋十種》，就是袖珍本的書籍。由於這種書籍非常便於攜帶，所以在科舉考試時代尤其是明清時期，成爲科場中夾帶作弊的常用之書。明朝的書商爲了射利，還刻印出版過一種儒經解題之類的小冊子，專供科舉考生夾帶作弊之用，這種袖珍本又被稱爲夾帶本。

357

何謂書帕本？

古籍版本的一種，爲明朝例行的一種官樣禮品書。明朝的官員奉旨上任或回京述職，按例都要以一書一帕相饋贈，是謂書帕本。由於這種書籍的主要功用是作爲禮品，所以往往會非常注意書籍的表面裝潢，而對於書籍的文字內容則不太重視，尤其是隆慶、萬曆以後，這種版本的書籍大都刻而不校，甚至對書的內容妄加刪削。

358

何謂官刻本？

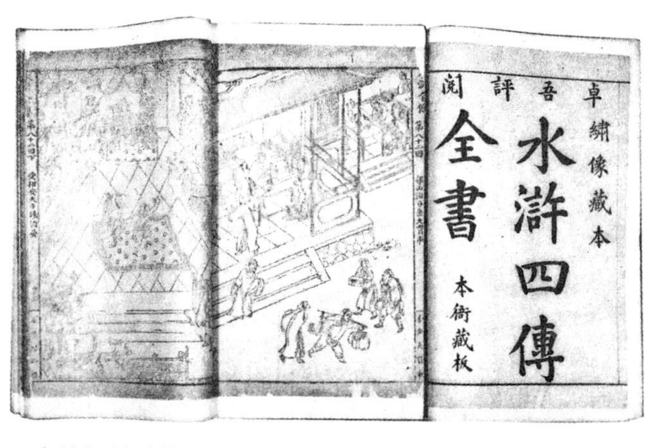

官刻本《水滸傳》

指清朝及清朝以前各個朝代以政府出資由國家某種機構或單位主持刻印的圖書。自五代起，開始由國子監校刻經書，開官刻本的先河。以後歷代王朝中央和地方官府均有刻書之舉，但所設機構不同，所以官刻本又有各種不同名稱。如明朝的兩京國子監、中央各部院、內府各監、各藩府、各布政司、各府州縣衙、各地各級學校，清朝的武英殿、內府各監、中央各部、地方各級行政文化機構、各省官書局等都出資或主持刻印了數量不等的圖書，這些圖書都可以籠統地稱之爲官刻本。歷代的官刻本，特別是官修、官刻之書，由於資金充裕，所以歷來開本鋪陳，行格疏朗，版式整肅，印紙考究。但官刻本也存在著因校勘不精，以至脫文短卷、不可卒讀等許多弊端。

359

何謂私宅刻本？

指歷代由私宅、家塾出資或主持刊刻的書籍，又簡稱私刻本。私宅刻本與坊刻本有很大的不同，書坊刊刻圖書，主要是爲了牟利，所以爲了市場需求，刻意迎合時尚，成了坊刻本的一大特色。而私宅刻本則是多出於對聖賢、先輩、師友的崇尚，並不以盈利爲主要目的，其主旨是爲了宣揚某種思想或學說，有時也出於傳佈某些圖書罕見稀缺的版本。由於這種版本的圖書，一般校勘精審、刻印精良，書籍的品相也非常講究，所以歷來頗受藏書家的青睞。如宋黃善夫家塾之敬室刻印的《史記》、宋蔡夢弼東塾刻本的《漢書集注》等，都備受藏書家的珍愛。自宋代以來，私宅刻本圖書持續不衰，有的以室名相稱，如宋廖瑩中的"世彩堂本"、余仁仲的"萬卷堂本"，明范欽的"天一閣本"、毛晉的"汲古閣本"，清納蘭性德的"通志堂本"、鮑廷博的"知不足齋本"、黃丕烈的"士禮居本"；也有的將版本以人名相稱，如宋"黃善夫本"、明"吳勉學本"等。

360

何謂家刻本？

家刻本是指歷代由自家出資或主持刻印的自己家族的人著述的圖書。這種圖書不是以營利爲目的，主要是出於對祖輩前賢的尊敬，由家族中的晚輩主持，出資刊刻自己家人撰寫的著作，所出圖書的範圍比較小，發行量也不大。家刻本在實施過程中一般有兩種情況：一是自己出資委託他人或書坊，按照自己滿意的樣式刊印；二是自備書版，雇請精良的刻印工匠上門，讓他們按照自己設計的版式行款刊印。這兩種情況下的書版，都歸自家所有、自家收藏。

361

何謂自刻本？

自刻本是指歷代由作者自己出資或主持刊刻的自己撰著的書籍。從單純出資的角度來看，其與家刻本很相似；但從其所刊刻的圖書來看，則二者相差甚大。家刻本的作者範圍是限於本家族成員，而自刻本的作者則僅限於刻書者自己。自刻本開始於唐朝，據史書記載，晚唐時期的陳詠就曾在歸鄉後自刻過自己的文集。五代時期的和凝，也曾刊刻自己的著作。《舊五代史・和凝傳》中記載：他“平生爲文章，長於短歌豔曲，尤好聲譽。有集百卷，自篆於版，模印數百帙，分惠於人焉”。和凝不但自己出資、自己主刻，還親自寫樣上版，這是典型的自刻本。自刻本有兩個途徑：一是作者不但自己出資，而且還自己寫樣上版，然後委託書坊或招聘良工刻印；二是由作者自己委託書坊或雇傭雕印良工，按照自己設計的版式、行款，刊印書籍。因此這類版本校勘方面一般都比較精審，刻印也很精良。如號稱清朝詩、書、畫三絕的鄭板橋，就曾經自己寫樣上版雕印過自己的著作《板橋集》，歷來被奉爲藝術珍品。

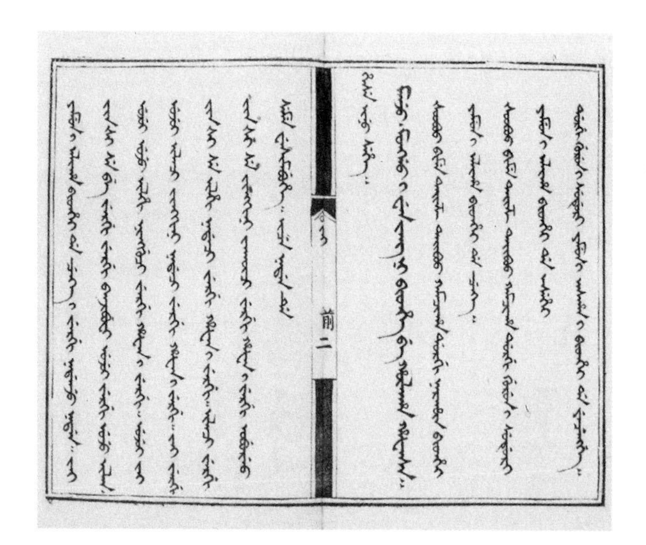

順治朝內府刻本滿文《進士登科錄》

362

何謂內府刻本？

內府刻本，在版本學上一般是指明、清兩代由內務府主持刊刻的圖書。明、清兩代都設有內務府，又簡稱爲內府，下設若干監，分管內廷的各種事務。但在版本著錄實際中，歷來稱謂“內府刻本”時，一般又都是指中央各部院衙署和內廷各部門所刊刻的圖書。所以，使用這一稱謂時，要特別謹慎，只要能考證出一書的具體刊刻單位，就一定要著錄具體的單位。明朝的內府刻書主要是經廠本，清朝的內府刻書多為殿本。內府刻書往往不惜工本，講究形式，清朝的內府本校勘一般又比較精良。

363

何謂藩府刻本？

藩府刻本，專指明朝各藩王王府所刻印的書籍，又簡稱為藩府本。在明朝二百七十多年的歷史上，先後有六十二位皇子受封到各地為王，五十人在各地建立了藩王府，其中有二十八個王府與明朝相始終，這些王府分佈在今天的山西、山東、陝西、河南、四川、湖廣和江西等地。諸位王爺受封赴封國時，不但能得到朝廷豐厚的封賞，並且還可以得到皇帝賜予的經、史、詩、詞、歌、賦等方面的書籍，以便讓藩王們能體會到皇帝的良苦用心，陶冶他們的情操，從而避免圖謀不軌。所以明朝的藩王中，湧現出了許多潛心學術、熱心文學和文化事業的王爺。再加上他們本來就富可敵國，所以藩王中諸如周、楚、蜀、遼、趙、吉、徽、益諸藩以及山西的山陰王、江西的弋陽王等都校刻有很多十分講究的圖書，如周藩刻本、晉府刻本、蜀藩刻本等。明朝藩府刻本以校勘精審、紙墨精良、版印精湛，歷來為學者和藏書家所珍視。

364

何謂局本？

局本是指清朝晚期由各官辦書局所刊刻的圖書。在鎮壓太平天國起義過程中，以曾國藩為代表的一批傳統的知識份子，從維護儒家倫理道德思想用以反對太平天國的宗教思想的角度出發，在攻克南京後，於冶成山開設江南官書局，這是清朝歷史上最早建立的官書局。隨後，金陵書局、江楚書局、淮南書局、浙江書局、湖南的思賢書局、湖北的崇文書局、廣州的廣雅書局、安徽的敷文書局、河北的直隸書局以及雲南書局等相繼建立起來。在晚清的半個多世紀中，這些官辦的書局，獨自或聯合刻印了很多圖書，如由五個書局聯合刻印了《二十四史》等。很多書局刻印的圖書以校勘精審、刻印精良著名，如浙江書局刻印的《二十二子》等。官書局的建立和它們從事的圖書刊刻事業，也在一定程度上推動了清朝末年文化事業的發展。

365

重刻本與翻刻本有什麼不同？

重刻本是將經過校勘的底本重新雕刻出版的圖書。這種版本的圖書，行款、版式可以與原底本相同，也可以有所改變。而翻刻本則不同，它是按照底本的原樣翻刻出版的圖書，所以又被稱爲覆刻本。這種刻本，除了可以變化字體外，其他如版式、行款字數、版框大小、邊欄界行、版口魚尾，甚至於諱字、刻工姓名都要一仍其舊。

366

影刻本與影寫本有什麼不同？

影刻本是指以某一版本爲底本，將原書逐頁覆上透明的紙張，把原書的版式、邊欄界行、版口魚尾以及行款字數、字體等原樣描摹下來，然後再將描摹的書頁反貼上版鐫刻，這樣雕印出來的書籍，就稱之爲影刻本。這種雕版印刷技術，多用於影刻極其珍貴的宋、元版的圖書。而影寫本在本質上與影刻本的版樣沒有任何區別，操作方法也與影刻本完全一樣。但它與影刻本又有很大的區別，其目的不是爲上版鐫刻，只是以影寫本的方式流傳。所以，一種好的影寫本，幾乎可以達到以假亂眞的程度。

367

何謂寫刻本？

用名家手寫的書稿上版刻成的圖書，就稱之爲寫刻本。雕版印刷術盛行之後，官私刊刻圖書，雇傭一些會寫字的工匠抄寫書稿用於鐫刻書版，久而久之，就形成了一種結構方正嚴整、筆劃直硬劃一、整齊呆板的字體。這樣雖然容易形成一個時期、一個地域的圖書出版的風格特徵，但字體卻毫無個人的書法特色。爲改變圖書在字體上千篇一律、死硬呆板的弊病，一些書商就把一些名家的書稿，在保留其書法風格的基礎上，寫樣上版鐫刻圖書。這樣的寫刻本，唐、宋以後，歷代都有，可惜保留下來的不多。如清朝著名書法家、畫家鄭板橋寫樣上版的自己的文集《板橋集》，不僅是具有代表性的寫刻本，而且還具有其獨特的藝術特色。

368

何謂鉛印本？

鉛印本就是採用現代鉛印技術排印的書籍。這種印本，開始出現於清朝末年。清道光二十三年（1843），在當時的上海成立了我國第一個鉛印出版機構——墨海書館，於咸豐七年（1857）就出版了我國最早的漢文鉛印本圖書《六合叢談》。此後，很多古籍採用鉛印方法印製出版。晚清及民國時期，用鉛印技術排印的古籍，裝訂方式大多仍然採用線裝，與傳統的刻本在外觀形式上非常相似，在鑒別版本時需要特別注意。

369

五代刻本的情況怎樣？

五代刻本指五代十國時期（907～960）刊刻印製的圖書。包括後唐、後晉、後周政權相繼組織刻印的監本《九經》及後蜀、吳越、南唐等地方割據政權組織刻印的類書、別集、佛經等圖書。五代時期，造紙業和雕版印刷業都有了新的發展，揚、越、蜀等地都是紙張的著名產地，南唐曾出產一種"滑如石冰、密如繭"的澄心堂紙，工藝十分考究精美，成都和金陵則是當時的兩大刻書中心。後周廣順三年（953），在南唐雕版印製《九經》的同時，後蜀也用木版雕印了《九經》。此外，後蜀還鏤版印行了《文選》、《初學記》和《白氏六帖》，南唐印有《史通》、《玉台新詠》等圖書，吳越也雕版印成了《一切如來心秘密全身舍利寶篋印陀羅尼經》八萬四千卷。一時，長江以南地區憑藉著較為穩定的社會環境，雕印圖書豐富的自然條件和相對充裕的社會經濟、文化條件，雕版刻印圖書十分興旺。但五代時期的刻本，因戰亂等方面的諸多原因，後世大都亡佚，現在能見到的大多是當時刻印的佛經。如在敦煌發現的後晉天福八年（943）刻印的《金剛經》以及吳越所刻印的《一切如來心秘密全身舍利寶篋印陀羅尼經》等，異常珍貴。

370

如何辨別宋刻本？

宋刻本，泛指兩宋時期（960～1279）在宋朝統治區域內由各種機構出資或主持刻印的圖書。由於宋朝雕版印刷技術的普及，官私刻書業極為興旺，刻書範圍包括經、史、子、集等各類圖書，刻印品質上乘，被歷代藏書家視為珍本。宋朝刻書從版式上說，前期多是白口，四周單邊；後期仍多白口，但左右多採用雙邊、上下單邊，少數採用四周雙邊。南宋中期以後，刻書出現了細黑口。版心有魚尾，上魚尾上方象鼻處，多鐫刻本版的大小及字數。上下魚尾之間，多鐫刻有簡化的書名、卷次和頁碼；下魚尾的下方，多鐫刻刊工的姓名，有的為齋堂室名。宋朝前期的刻書，卷端首行尚有小題在上、大題在下，序文、目錄和正文互相連屬的現象。官刻本圖書大多在卷末鐫刻校勘者的官銜名，私家和坊刻本圖書大多在卷末鐫刻書籍的題記或牌記等。宋刻本的字體，唐代諸位著名書法家如褚遂良、顏真卿、歐陽詢、柳公權等人的楷體書法，都成為宋代刻書模仿的對象，並逐步形成了各地不同的刊刻圖書的字體特點。

如四川地區宗法顏體字，兩浙地區崇尚歐體字，福建地區學習柳體字，江西地區的刻書字體則兼而有之。在印刷用紙上，宋朝刻書的中心如浙、蜀刻本以及江西、湖南刻本，大多使用皮紙，南宋後期，福建地區刻書大多使用竹紙。宋刻本避諱字很多，不僅今上御名要避諱，皇帝祖上的名字要避諱，而且就連與他們名字同音的字，或偏旁半個字相同者，也一律需要回避。避諱方式多用缺筆，少量用改字的方法，或在需要避諱之處用小字注出“今上御名”。有的缺筆避諱之後，還要加上印墨圍，使得諱字更加一目了然。裝幀形式，主要採用蝴蝶裝。

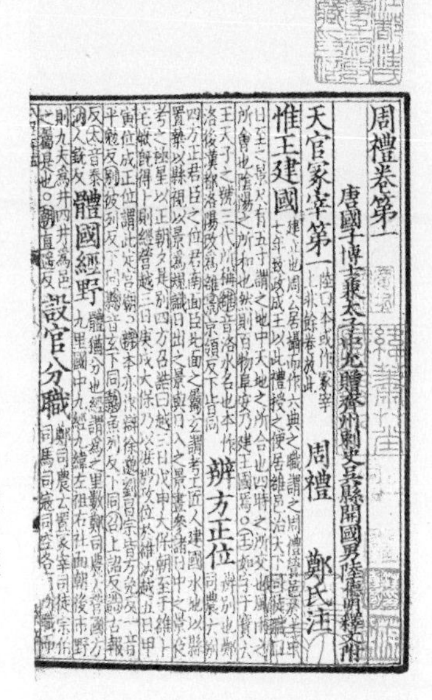
周禮卷第一
唐國子博士兼太子中允贈齊州刺史吳縣開國男陸德明釋文附
天官冢宰第一
周禮 鄭氏注
惟王建國
辨方正位
體國經野
設官分職

宋刻本《周禮》

371

何謂遼刻本？

遼刻本是指與北宋同時代的契丹人建立的遼朝在其統治區域內刊刻的書籍。遼代實行極爲嚴格的書禁政策，據沈括的《夢溪筆談》記載：“契丹書禁甚嚴，傳入中國者法皆死。”所以遼刻本長期隱秘不傳，在中國印刷史上遂成爲一個空白點。1974年，曾在山西應縣佛宮寺木塔中發現了六十餘件印刷品，其中絕大多數屬於遼代的刻經，還有現存最早的《蒙求》刻本。1976年，在河北豐潤天宮寺塔出土《大方廣佛華嚴經》八冊一帙，八十卷全，書作蝴蝶裝，外形包背裝，半頁十二行，行三十字，白口，左右雙邊，版框高23.1釐米，寬14.2釐米，薄麻紙印，密行小字，雕印精整可觀。卷十、二十、五十、六十、七十後均有大契丹國燕國大長公主刻經題記，末屬“重熙十一年歲次壬午孟夏日雕造”。此外在應縣和豐潤兩塔中還發現有兩部遼代雕印的《大藏》佛經，一部是大字疏朗的卷軸本，一部是小字密行、刻印精巧的小字本。由此可知，在遼朝刻經之風頗盛。遼代的刻本在版式、裝幀和印製技術等方面都受到中原地區印刷技術的強烈影響，與同時期的宋朝有著千絲萬縷的聯繫。

372

西夏刻本有什麼特點？

西夏刻本是指大致與北宋同時，在西夏統治的中國西北方地區各種官私機構刻印的圖書。西夏建國於1032年，1227年爲蒙古所滅。西夏自創文字，並以西夏文刻印了《大藏經》等書，但傳世很少。根據現有資料分析，西夏的刻印中心在京都興慶府，刻本有官刻、私刻、寺院刻三類。官方刻書，是指西夏政府“刻字司”刻印的書，以刻印西夏文書籍爲主，多爲世俗文獻，主要有語言文字、歷史法律、社會文學和譯漢儒家典籍等。比較著名的圖書如《音同》、《類林》、仿唐《藝文類聚》體例編纂的《聖立義海》、《西夏詩集》等，還有譯自漢籍的刻本如《孫子兵法三家注》、《黃石公三略》、《經史雜鈔》等，另外還有朱筆校改但未及付梓的宋仁宗年間的《孝經傳》、《孟子傳》等譯稿。西夏的私人刻書也是由個人出資刻印的書籍，這些書籍大多爲民間著述而不能在“刻字司”刻印者。佛經中也有許多私人刻本，但多爲漢文佛經。如陸文政刻印於惠宗天賜禮盛國慶五年(1073)八月的《大般若波羅蜜多經》，是現知西夏時期有明確紀年最早的刻本。寺院刻書，是西夏刻本的重要組成部分。西夏建國前後，就進行了廣泛的贖買和翻譯《大藏經》的活動。西夏寺院刻經，主要有兩種情況：一種是皇室重大法事活動刻印的佛經；一種是寺院爲弘揚佛法而刻印的佛經。由於兩者地位和財力的不同，刻經的數量和規模難以相比，皇室刻印佛經的數量動輒數萬甚至數十萬。與遼、金刻印漢文大藏經《契丹藏》、《趙城藏》一樣，西夏也刻印了漢文《西夏藏》。這一工作是由西夏的賀蘭山佛祖院主持刻印的。賀蘭山佛祖院是西夏都城西北賀蘭山某處的一座規模很大的寺院，是西夏漢文佛經的刻印中心。這種刻本，以竹筆書寫，“起落頓筆，轉折筆劃不圓”，與宋體字不同，有人稱之爲“寫刻體”。印紙多用西夏地區當地出產的麻紙，與同時代的宋代紙有明顯的不同。受北宋影響，西夏刻本也有避諱情況，如西夏文《論語全解》中的“孝”字缺筆，以避仁宗仁孝名諱。但西夏諱制，遠不如北宋嚴格，在官刻本中有的避，有的不避；在私刻本及佛經刻本中，尚未發現避諱的實例。書手、謄寫工、刻工多爲漢人，刻工姓名在佛經中，多記述於序、跋和發願文中。刻字司刻印的西夏文世俗文獻，受宋朝影響，多將刻工姓名刻在版口上。西夏書籍的裝幀形式和宋版書一樣，也有卷子裝、經折裝、蝴蝶裝、包背裝、梵夾裝等形式。版面設計多字大、行寬、墨色濃厚、疏朗明快。經折裝佛經，多為上下子母欄；蝴蝶裝刻本，有四界單欄、四界子母欄，且多為上下單欄、左右子母欄。版口多為白口，上段有書名簡稱，下段為頁碼。西夏人十分注意對書籍的裝飾，在字行空白處往往插入形形色色的小花飾，這些花飾，簡單的有圓點、圓圈、三角、方塊、十字等，最多的為菱形、火炬、三角形花紋，還有方孔錢、梅花、菊花、無名小花飾。裝飾性人物，多在標題下空間較大的地方，高達三四釐米，有頭頂荷葉、足登蓮花的小人，有頭戴笠帽、背披蓑衣的人物。這些花飾，不僅出現在諸如《番漢合時掌中珠》、《雜字》等通俗讀物中，還出現在辭典、佛經中，而國家重典《天盛律令》中最為豐富，各種花飾多達十幾種。上述花飾多出現在西夏文的文獻典籍中，漢文刻本則相對較少。俄藏黑水城西夏寫本，還有彩色欄線，單欄多為紅色和橙黃色，雙欄則有紅黑雙線、褐綠雙線等，有的版本還在雙欄線中間繪有各種紋錦的花欄，花欄多為立柱裝，柱頭多為蓮花。

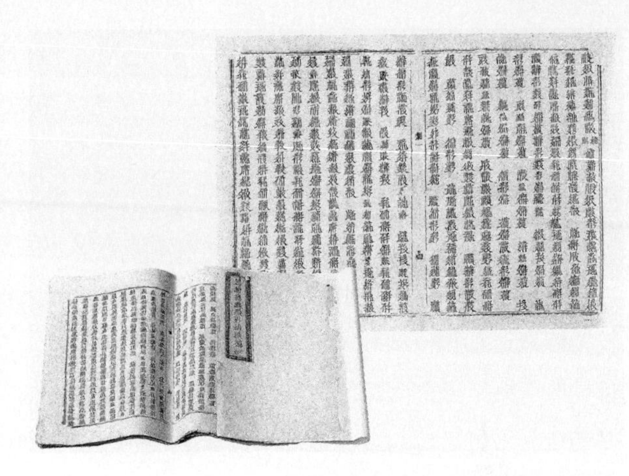

西夏木活字版《吉祥遍至□和本續》

373

何謂金刻本？

金刻本是指大致與宋朝同時，在金代統治的中國北方地區各種官私機構刻印的圖書。其中以平陽府（今山西臨汾）的刊刻圖書業最爲發達，成爲當時中國北方的刊刻圖書中心。天會初年，平陽府由次府升爲上府，每年的科舉，“秀造輩出，取錄最多。有抄紙坊，出白麻紙”。於是，金太宗八年（1130），金朝就在這裏設立了經籍所，刊行經籍，書籍也就成了平陽的特產之一。整個金朝，這裏的刻書業十分興旺，書坊林立，以至於當時的平陽、洪洞，家置書樓，人蓄文庫。卷帙浩繁的《金藏》和《玄都寶藏》，就都是在這裏雕印完成的。而女眞人很早就信佛，佔領中原地區後，統治階級更加篤信佛教，士大夫如趙秉文、王寂、李之純及一般的漢族普通百姓，大都信奉佛教。他們認爲刻印施捨經卷，可以消災獲福，當時由某人出資雇傭工匠鐫刻某種佛教或道教經典者很多，所以金朝的刻書中，刊刻的佛教和道教典籍佔有很大的比例。可惜的是金刻本流傳下來的不多，比較著名的有《劉知遠諸宮調》和《趙城金藏》。20世紀初期，俄羅斯人科斯洛夫曾在黑水古城得到過金刻王昭君、趙飛燕畫像，雅秀殊觀，人物活躍，極爲精美。此外，河北所刻之經書、音韻學書，也頗有名。金刻本書籍，由於受中原文化的強烈影響，所以在版式、裝幀和字體等方面都與同時的宋朝刊刻的圖書有著密切的聯繫。

374

何謂蒙古刻本？

蒙古刻本，是指忽必烈建立元朝之前蒙古政權控制下的各地區官私機構刊刻的圖書。蒙古，原係一民族名稱，初居中國東北額爾古納河流域，後逐漸向西擴展到鄂嫩、克魯倫、土拉三河上游肯特山一帶，並逐漸發展、壯大。13世紀初，蒙古部首領成吉思汗統一了大漠南北各部，建立了“蒙古汗國”，至1271年元世祖忽必烈改國號爲“元”之前，歷史上稱之爲蒙古時期。受宋、金、西夏等地刻書事業的影響，蒙古時期的刻書事業也逐漸興起，尤其是滅金之後，在金朝原來刊刻圖書的基礎上，繼續向前發展。山西平陽原是金朝的刻書中心，蒙古佔領後，一些書坊繼續營業，其刻書風格與前朝無異，仍屬金朝平水風韻。平陽刻本有確切紀年的，最早爲蒙古太宗九年至乃馬眞後三年平陽玄都觀所刻《道藏》，最晚爲皇慶二年平水高昂霄尊賢堂刻的

《河汾諸老詩集》。元朝的《玄都寶藏》七千八百餘卷，由宋德方弟子秦志安在平陽玄都觀開局校刊，故名《玄都寶藏》，或稱《宋德方藏》。《玄都寶藏》卷帙浩繁，工程巨大。開始於宋刻《政和萬壽道藏》。宋高宗南渡臨安，經版落入金人之手。金又命孫道明補刻，成書共六千四百五十五卷，此爲《大金玄都寶藏》。蒙古佔領平陽後，又在《大金玄都寶藏》基礎上，刻成《玄都寶藏》，此爲蒙古平陽刻本，刻成於蒙古乃馬眞後三年(1244)，經版藏於平陽永樂鎮純陽萬壽宮。這部規模宏大的道藏經典，以及此前刻印的宋《政和萬壽道藏》和《大金玄都寶藏》等有關道家經典刻本，後皆因元世祖忽必烈崇佛貶道而幾乎全部被焚毀。蒙古時期刻書，傳世的較少。傳世刻本比較典型的，有1247年鐫刻的《析城鄭氏家塾重校三禮圖注》、1249年平陽府張存惠晦明軒鐫刻的《重修政和經史證類本草》、1244年鐫刻的《玄都寶藏》中的《太清風露經》和《雲笈七籤》殘卷、《尚書證疏》以及京兆府龍興院刻印於蒙古憲宗七年(1257)的《大方廣佛華嚴經》刻本等。

375

如何辨別元刻本？

元刻本，是指元代（1279～1368）官私機構刻印的圖書。元朝刻書沿襲南宋的遺風，所以元朝初年刊刻的一些圖書，特別是一些私宅、坊肆刊刻的圖書，由於大部分老闆和刻字工人都是從舊朝步入新朝的，所以其風格特點與舊時沒有多少差別。元朝刊刻圖書，北方以大都（今北京）、平陽爲中心，南方以江浙杭州、福建建陽爲書坊集中之地。公私所刻，無論校勘與雕印，不乏精品，堪與宋版書相媲美。元代的中興路（今湖北江陵）所刻《金剛經注》，是用朱墨兩色套印的，這是現存最早的套色印本。元代刻本流傳至今者較多，且有自己的獨特風格。概括來說，可以歸納爲八個字：黑口、趙字、無諱、多簡。黑口是指每版中縫線的上下兩端，或稱之爲版口的地方，爲一寬粗墨印的黑條子。元朝初年，南方地區的刻書，由於主持者多是宋朝的舊人，所以刊刻的圖書大多數爲白口。但有元一代，無論是官刻還是私雕，絕大多數還是黑口，而且很多還是粗大的黑口。趙孟頫是元初著名的書法家，曾被忽必烈比作唐代的詩仙李白和宋代的第一才子蘇軾，並稱讚他博學多聞、旁通佛老、書畫絕倫，這更加深了他的社會影響，被譽爲王羲之之後的第一人。所以“元代不但士大夫競學趙書，如鮮於困學、康里子山……其時如官本刻經史，私家刊詩文集”，都以模仿趙孟頫的字爲美。所以，元朝刻書的字體，無論官刻私雕，大都是趙體字的風貌。元朝是少數民族統治天下，元初的諸位皇帝並不習漢文，而且他們的名字全都是由音譯過來的，並不是漢字的原義，所以對於避諱的講究也就不像其他朝代那麼森嚴。這就使得元朝的刻書中，基本上見不到諱字的現象。同時，由於元朝統治者規定以八思巴文爲國字，上下行文、對外交往等都使用國字，對漢字書寫規範的要求和控制並不是那麼嚴格，表現在書籍的刊刻上，就形成了元刻本中俗體字多、異體字多、簡體字多的鮮明特徵。元代刻印的書本，初期行字疏朗，中期以後行格漸密，由左右雙欄趨向四周雙欄，目錄和文內篇名上常刻有魚尾，且雙魚尾居多。

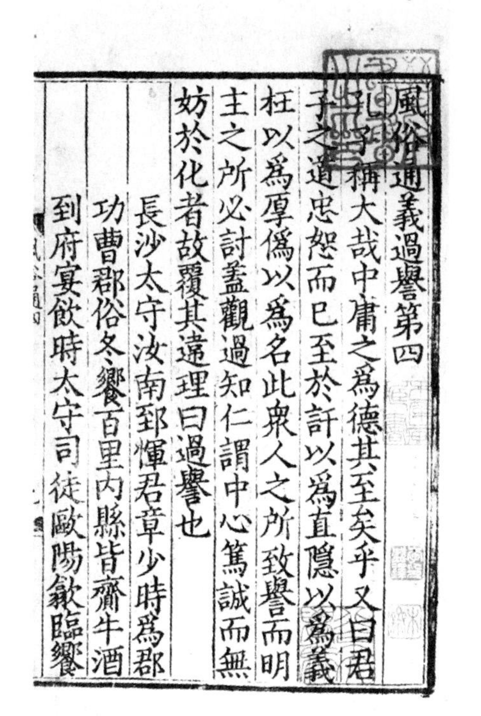
風俗通義過譽第四
孔子稱大哉中庸之爲德其至矣乎又曰君子之道忠恕而已至於訐以爲直隱以爲義枉以爲厚僞以爲名此衆人之所致譽而明主之所必討蓋觀過知仁謂中心篤誠而無妨於化者故覆其遠理曰過譽也
長沙太守汝南郅惲君章少時爲郡功曹郡俗冬饗百里內縣皆齎牛酒到府宴飲時太守司徒歐陽歙臨饗

元刻本《風俗通義》

376

如何辨別明刻本？

明刻本，是指明代（1368～1644）刻印的圖書。這一時期，無論是在刻書地區，還是在刻書形式、刻書範圍等方面都遠遠超過前代。明朝刻書大致可分爲官刻本、家刻本和坊刻本，而且早、中、晚期的風格和特點均不相同。大致上說，明朝初年至正德時期，刻書沿襲元朝的風格，是黑口趙字，無論官刻私雕，與元版書沒有多少差異。尤其是內府刻本，有明一代，幾乎都是粗大的黑口；嘉靖至萬曆時期，刻書大約是白口方字仿宋。尤其是嘉靖一朝，在文壇復古主義風潮的影響下，無論官刻還是私雕，不但翻刻了大量的宋、元舊籍，在版式風格、款式、字體上也全面仿宋。這一時期所刻的書，幾乎都是橫輕豎重、方方正正的仿宋字。而且紙白墨黑，行格疏朗，白口，左右雙邊，頗有宋版書的遺韻；萬曆後期至天啓、崇禎時期，刻書風格是白口、長字、有諱。這一時期，明朝的統治已日薄西山，社會經濟瀕於崩潰的邊緣，社會異端思潮風起雲湧，統治階級爲了加強思想統治，諱法日益嚴密。

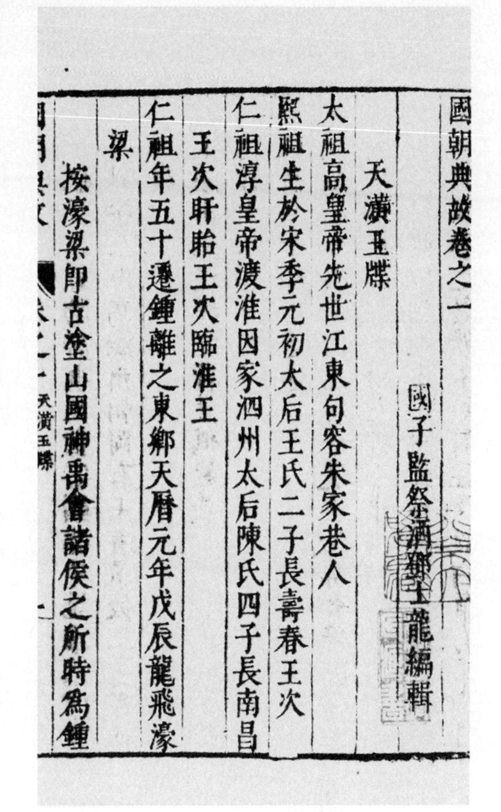
國朝典故卷之一
國子監祭酒鄧士龍編輯
天潢玉牒
太祖高皇帝先世江東句容朱家巷人
熙祖生於宋季元初太后王氏二子長壽春王次
仁祖淳皇帝渡淮因家泗州太后陳氏四子長南昌
王次盱眙王次臨淮王
仁祖年五十遷鍾離之東鄉天曆元年戊辰龍飛濠
梁
按濠梁即古塗山國神禹會諸侯之所時爲鍾

明刻本《國朝典故》

經濟的衰退，使得官私刻書都不敢鋪陳，字體由方變長，行格也由疏變密，這是社會財力拮据的反映。明朝的刻書對後世產生了很大的影響：一是出現了非常適合於印書的仿宋字，二是用更爲合理的線裝取代了包背裝。

明代雕版書籍之普遍，刻書量之龐大，是前所未有的。版畫藝術、銅活字版及彩色套印，是明代雕印技術發展的輝煌成就。但有些刻本如經廠本和許多書籍鋪刻書，大都校勘不精，刪節不當，甚至妄改書名、僞造古書，後人多有批評。在部分家刻及坊刻本中，還出現了一種軟體字，十分美觀。流傳下來的明刻本，以中後期作品較多，正統以前較少。

377

如何辨別清刻本？

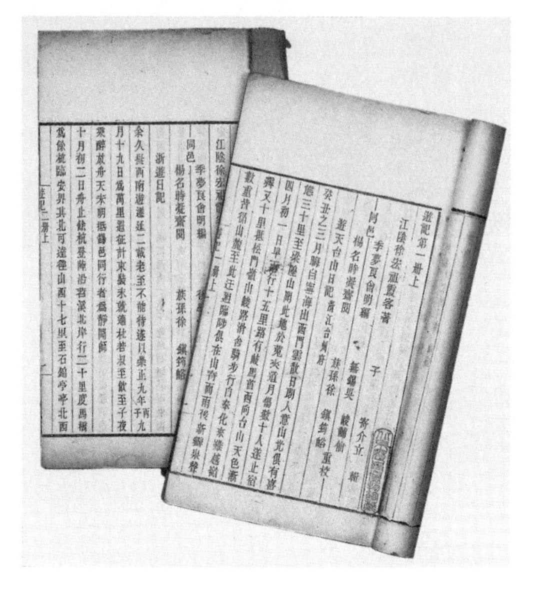

清嘉慶十三年（1808）活字木刻本《徐霞客遊記》

清刻本，是指清代刊刻的圖書。清刻本分爲官刻本、家刻本和坊刻本。其中官刻本也可以稱之爲內府本，刻書多爲殿本，校刻精緻，紙墨上佳，堪與宋刻本相媲美。這一時期，官私刻書業均達到鼎盛。尤其是乾嘉時期，考據學興起，學者熱衷於版本校勘，出現了大批校核精審、刻印典雅的圖書。清初期刻本，字體仍是明代末期的風格，字形長方，直粗橫細。康熙皇帝雄才大略，他不喜歡嘉靖時期的那種硬體字，推崇一種端楷圓秀的字體。在他的提倡下，逐步形成了一種既非顏、柳，又非趙體的所謂新館閣體。康熙之後，盛行“寫體”和“仿宋體”，這就形成了清朝前期一百三十餘年刊刻圖書中所謂軟體寫刻的字體風格。嘉慶時期，國勢漸衰，經濟日蹙，反映在刻書字體上，也失去了往日舒展圓秀、筆勢精神的靈氣，變成了團頭團腦、呆滯乏神的樣子。尤其是道光以後，字體變得更加呆板，世稱“匠體字”。書肆坊間的刻本，更是不堪入目。

清朝初年的刻書，沒有避諱的習俗。自康熙皇帝開始，實行漢族文化中的避諱舊習。而且隨著文字獄的迭興，避諱也就越來越嚴密。雖然清朝的避諱字沒有宋朝時那麼多，但反映在公私刻書、抄書上，則更顯嚴緊。清朝的避諱方法主要有缺筆諱和改字諱。如皇宮的後門本來名爲玄武門，因避康熙皇帝的御名，因而改爲神武門。但刻書中最常使用的避諱方法，還是缺末筆諱。

清朝的刻書用紙比較繁雜，如羅紋紙、綿紙。綿紙又可以細分爲貴州綿、河南綿、山西綿等。此外還有竹紙、開化紙、太史連紙、綿連紙、宣紙、毛邊紙、毛太紙、遷安紙、官堆紙、高麗紙、日本皮紙、美濃紙等。儘管如此，但如果從造紙原料上劃分，仍然不過是皮紙、竹紙兩大類。

清代刻本的裝幀形式，最通用的是包背裝和線裝，宮廷刻書兼有經折裝、蝴蝶裝和包背裝。現今流傳的古籍大部分是清刻本。其中，乾隆前後所刻精刻本受到學者重視，有不少被列爲善本。

378

民國刻本的情況如何？

民國時期刻印的圖書，以匯刻、翻刻歷代珍本、善本居多。這一時期，影印、鉛印技術已大量採用，傳統的雕版印刷勢漸衰微。古籍叢書是民國時期刻本的重要組成部分。從時間上來講，民國時期的古籍叢書出版主要集中在1937年以前。民營出版機構成爲當時古籍叢書刊刻的主力軍。據光緒三十二年（1906）上海書業商會出版的《圖書月報》第一期載，僅當時入會的民營出版機構，就有商務印書館、啓文社、開明書店、點石齋書局等22家。商務印書館出版的《四部叢刊》、《叢書集成》與中華書局出版的《四部備要》是當時古籍叢書的集大成者。除了大量的民營出版機構外，私人出版者也是古籍叢書出版的重要力量之一。我國古代就有私刻的傳統，明清的絕大部分叢書都是出於私家之手。民國時期，私刻叢書之風得到延續，先後有313家出版者出版了四百多種叢書。這些叢書出版者主要是一些藏書家、校勘家、版本目錄學家，如陶湘、劉承幹、羅振玉等，以江浙爲中心，遍佈全國。這些人大多私家藏書豐富，如陶湘藏書就達三十萬冊，其中不乏珍本，爲其叢書的編輯出版提供了良好的條件。私人出版者大多注重叢書底本的選擇和印刷的品質。張鈞衡的《擇是居叢書》，劉承幹的《嘉業堂叢書》、《求恕齋叢書》等都是其中的精品。民國初期集中於上海、北京等地的舊式書肆，也出版過一些古籍叢書，如上海博古齋影印的《借月山房匯鈔》、《墨海金壺》、《百川學海》、《津逮秘書》、《岱南閣叢書》，上海古書流通處影印的《崔東壁遺書》、《知不足齋叢書》、《古書叢刻》，掃葉山房出版的《五朝小說大觀》、《百子全書》等等。當時尙存的舊式書肆約六七十家左右，民國初期出版的這類古籍叢書，據不完全統計，約百餘種。但民國中後期，這類書肆迅速衰落下去了。

379

何謂浙本？

浙本，是指宋朝時期在浙江地區刻印的圖書。宋朝兩浙路經濟、文化比較發達，刻書數量大、品質高，杭州、衢州、婺州、溫州、明州、台州、紹興等地都曾刻印過圖書，因而流傳下來的宋版書中又有所謂的杭州、衢州、婺州、溫州、明州、台州、紹興本的區分。浙本書的特點，書寫多歐體，大都字體方整，纖細秀雅，書寫字畫認眞不苟，無懈怠處，挺拔秀麗，字形略瘦，刀法圓潤，爲宋版之上品。浙本用紙，多用以桑樹皮和楮樹皮爲原料製成的皮紙，色白而厚，兩面光潔。如現藏於國家圖書館的宋紹興九年臨安府刻本《漢官儀》，此本半葉十行，行十七至二十一字不等，注文雙行約二十二至二十四字，白口，左右雙邊。卷末有“紹興九年(1139)三月臨安府雕印”一行。字體端嚴方正，爲南宋早期浙本風格。1922年，商務印書館將此書影印，編入《續古逸叢書》。

380

何謂建本？

建本又稱閩本，是指宋、元、明時期福建地區刻印的圖書。宋朝福建地區的刻書主要集中在建寧、建陽兩地，建陽屬下的兩個市鎭麻沙和崇化，在宋、元時期均以刻書著名。麻沙鎮盛產榕木、竹紙，榕木木質鬆軟，雕版省時省工，非常適合於雕印圖書，因而書坊林立，當地人世代以刻書爲業，有圖書之府的美稱。一些著名書坊歷經宋、元、明三代數百年的經營，所印圖書被稱爲麻沙本。宋人祝穆在《方輿勝覽》中曾說：“建寧麻沙、崇化兩坊產書，號爲圖書之府。”但所刻之書，由於所用雕版材料本身的缺陷，使得雕版不夠精工，印刷稍多，往往模糊不清。再加上書坊刊刻圖書，主要是爲了牟利，圖書的刊印量很大，所以難免有校勘不精之弊。建本的字體有其特殊的風格，柳體居多，筆劃剛勁，字硬如骨，字畫起筆、轉筆、止筆，都帶有棱角，與別處所刻的書，顯然不同。建本多用竹紙，色黃而薄，時間長了還會變黑；且紙性脆弱，日久容易折裂，不宜長久保存。建本書籍，流傳甚廣，自宋末至明，不僅銷及全國，還遠銷當時的朝鮮、日本等地。

381

何謂蜀本？

蜀本，是指五代及兩宋時期四川地區刊刻的圖書。四川刻書歷史悠久，唐代已有各類雕版印書，至五代後蜀，宰相毋昭裔更提倡刻書，使蜀地刻書事業蔚然成風，成都成爲當時的文化中心。四川眉山，是北宋大文豪三蘇父子誕生的地方，南宋時，蜀中刻書業逐漸向眉山發展，當時眉州已成爲與浙江杭州、福建建陽並稱的全國三大刻版印刷中心之一。蜀本分大字、小字兩種，尤其木刻大字本聞名全國。據《眉山縣誌》記載，眉山士子所著的五十餘種圖書都成爲後來刻本的來源，並先後鐫刻，印行全國。其品種全、數量多、質地高，開版宏朗，校勘精審，堪稱蜀本的代表。只可惜由於兵燹之亂，蜀本書的流傳，較浙本和建本稀少。現存於四川眉山三蘇祠博物館的清道光十二年（1832）新鐫的《三蘇全集》，即清代眉州刻本的代表作品。當地所刻《宋書》、《南齊書》、《梁書》、《陳書》、《魏書》、《北齊書》、《周書》等，全以國子監本爲底本，歷史上稱爲“眉山七史”。成都則在北宋初年刻印了著名的《開寶藏》。蜀本字體以顏體居多，間架開闊，字形豐滿。用紙多爲以桑樹皮和楮樹皮爲原料製成的皮紙，色白而厚，兩面光潔。

382

何謂平水本？

平水本，又稱平陽本，指金、元時期山西平陽（又叫平水，今山西臨汾）地區刻印的圖書。金朝至熙宗改制，尊孔讀經，文教始興。海陵王天德三年，初置國子監以養士，然後遷都、整頓吏治，加快了漢文化的繁榮步伐。至世宗、章宗間，典章禮樂，燦然大備，刻書業也隨之興盛起來。金滅北宋以後，又將北宋開封的刻工掠至平水，並設刻書機構——經籍所，使平陽成爲當時北方的刻書中心。當時的刻書所，既有官立的，也有私人的，到12世紀中葉，其繁榮不亞於宋朝的浙、蜀、閩三地。蒙古滅金之後，也在平陽設置經籍所，沿襲金代的原有制度。官辦刻書業的興盛，也帶動了書坊刻書業的繁榮。金代中期之後到元代中期之前，平水成爲當時黃河以北地區的刻書中心。當地的書坊，金朝現知的有近三十家，元代平水本系刻主、刻坊等共計十一家，刻書二十種。有些書坊甚至跨越金、元兩個朝代。其中王氏的中和軒綿延百餘年，除了刊刻經、史、子、集各類圖書之外，兼涉釋、道二藏方外之書，種類齊全。平水本字畫剛勁，紙墨精瑩，刀法遒勁，尤其平水書肆晦明軒主人張存惠刻印的《重修政和經史證類本草》和《通鑒詳節》，紙墨刻工，遠較過去平水本精美，達到當時雕版印刷的最高峰。平水書坊是較早刻印民間招貼畫的地方，中國版畫藝術的發展實肇始於此。帝俄時代考古學家曾在甘肅張掖古塔內發現的平陽徐氏刻印的《義勇武安王》關羽像和平陽姬氏刻印的《四美圖》：王昭君、班姬、趙飛燕和綠珠像，是兩幅巨大的富有藝術價值的版畫傑作，爲我國現在所能見到的最早的木版年畫。其後，蒙古定宗四年，平陽張存惠晦明軒刻《重修政和經史證類本草》，王重民先生在其《中國善本書提要・子部・醫家類》此本條下著錄云："金、元兩代，平水刻書之業頗盛。是書刻於金、元之交，尤爲書業鼎盛時代，故字畫與插圖，均較他處所刻者爲精。卷四《海鹽》、《解鹽》兩圖，古樸生動，遠非宋本《列女傳》託名顧愷之畫者所能比。持較俄人科斯洛夫在黑水古城所得金刻王昭君、趙飛燕畫像，雖雅秀殊觀，而人物之活躍，極爲相似。此題'平陽府姜一刊'，彼題'平陽姬家敬印'。

元、明以來戲曲小說所插版畫，要當以此爲祖，然則版畫之興，亦當由平陽啓之。”平水本歷代最爲藏書家、學者所珍視，寶若宋刻。

383

何謂東洋本？

又稱日本本，是指古代日本刊刻的古籍。我國的雕版印刷術首先傳入朝鮮，然後又通過朝鮮傳入日本，日本人用之刊刻了許多漢文書籍。唐朝時期，中日文化交流十分密切，日本島上的各諸侯國曾向唐朝派出了十幾批遣唐使，使團人數最多的一次達一百多人，唐朝的雕刻印本書也隨遣唐使傳到了日本，至8世紀後期，日本就雕印出了他們自己的木版《陀羅尼經》。日本所刊刻的古籍，多用日本皮紙精印，近似高麗本，但在品質、字體與裝訂等方面不及高麗本。有些書籍的行間往往注以平假名或片假名，所以比較容易識別。

384

何謂高麗本？

高麗本，又稱朝鮮本，是指古代朝鮮刻印的漢文古籍。我國印刷術最早傳入朝鮮半島，早在12世紀末，高麗就在中國木活字的基礎上製成了金屬活字，並把它用於印刷業，這比歐洲首次使用鉛字早了二百多年。當時高麗曾編製過《十精曆》、《七曜曆》、《太一曆》等曆書，出版了《禮記正義》、《毛詩正義》以及《本草括要》等醫書和《三國史記》等

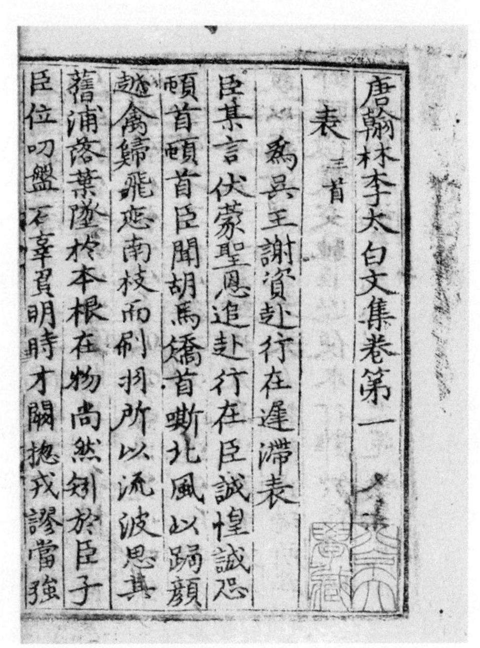

唐翰林李太白文集卷第一
表 三首
為吳王謝資赴行在遲滯表
臣某言伏蒙聖恩追赴行在臣誠惶誠恐
頓首頓首臣聞胡馬驕首嘶北風以躑顏
越禽歸飛戀南枝而刷羽所以流波思其
舊浦落葉墜於本根在物尚然矧於臣子
臣位叨盤石幸負明時才闕撫戎謬當強

明朝鮮刻本《唐翰林李太白文集》

史書。高麗王朝崇尚佛教，把它定爲“國教”，加以提倡。爲了使佛教興旺，於是不斷地向北宋請佛經，派僧侶入宋求法，歡迎宋僧來高麗傳法，並雕刻了大量佛經。從1236年起，用十六年時間雕刻成的高麗大藏經流傳至今，成爲世界的文化瑰寶之一。同時，高麗對儒學也相當重視，於930年創建學院，講授儒學經典。958年實行科舉制度，其考試科目內容就是詩、賦、頌、時務策等。992年，又設高麗最高學府國子監，招收貴族子弟，進行儒學教育。1084年，規定進士三年一試，考試內容主要是《禮記》、《周禮》、《儀禮》和《左傳》、《公羊傳》、《穀梁傳》。其後，因遼入侵，官學漸衰，私學興起。私學講授內容仍是《周易》、《尙書》、《毛詩》等儒學經典。所用書籍大都由官方刻印。高麗和北宋的貿易往來尤爲密切，紙張和書籍也成爲重要的貿易商品。於是，高麗王朝刻印之書流入我國也很多。高麗本刻印比較精美，無論刻本或活字本，均爲軟體大字，醒人眼目，書品寬大，寫刻清晰，多採用潔白的皮紙精印。

385

何謂閔本？

閔本，是指明朝的萬曆、天啓年間，吳興閔齊伋、淩濛初採用朱墨與五色套版技術所印之書。其選擇經、史、子、集各類士人慣用書籍，專輯前人評論批點，使用方正宋體字和優質白紙，作朱墨兩色或兼用黛、紫、黃各色套印，後人稱爲“閔版”。特點爲詞義顯豁，脈絡分明，行疏幅廣，光彩奪目。傅增湘先生《閔版書目序》中云：“明季吳興閔齊伋創朱墨及五色套版，淩濛初彙集諸名家詩文評批點而印行之。宋體方正，朱墨套印，或兼用黛、紫、黃各色，白紙精印，行疏幅廣，光彩燦爛。書面簽題，率用細絹，朱書標名，頗爲悅目。其書則群經諸子、史鈔文鈔、總集文集，下逮詞曲，旁及兵占雜藝，凡士流所慣用者大率成具。其格式則欄上錄批評，行間加圈點標識，務令詞義顯豁、段落分明，皆採擷宋元諸名家之說而草之一編。欲使學者得此，可以識途徑、便誦習，所以爲初學者計，用心周至，非徒爲美觀而已。數百年流布人間，稱爲‘閔版’。”

386

何謂魚尾？

魚尾是古籍版心中間用作折頁基準的圖形，因其圖形酷似魚的尾巴，故稱之爲“魚尾”。版心中間只有一個魚尾的稱之爲單魚尾，如涵芬樓百衲本二十四史中的《史記》，其版心就是單魚尾。上下各有一個對稱魚尾的，稱之爲雙魚尾，如光緒三年湖北崇文書局木刻本劉向的《古列女傳》的版心，就是採用雙魚尾。

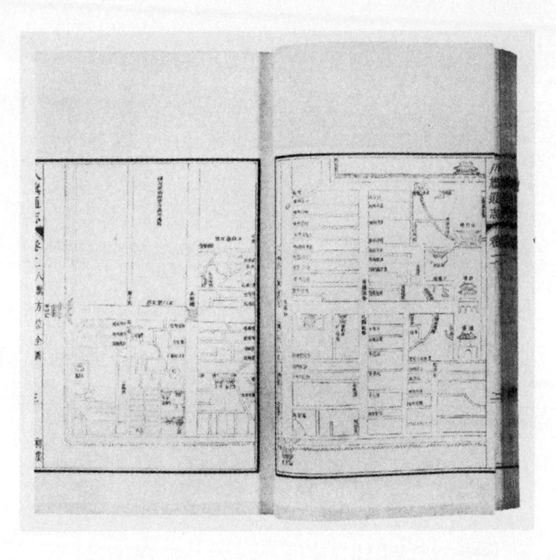

單魚尾、白口的《八旗通志 鑲黃旗方位圖》

387

何謂白口與黑口？

白口與黑口，是我國古代木刻圖書的兩種版式。中央折縫處上下都白的就稱之爲“白口”；同理，上下均黑的就稱之爲“黑口”。有的木版書版心有魚尾，從魚尾上下到版框爲止，這空格就稱之爲“象鼻”。象鼻空白的也稱之爲“白口”。同理，象鼻處著墨的就稱之爲“黑口”。

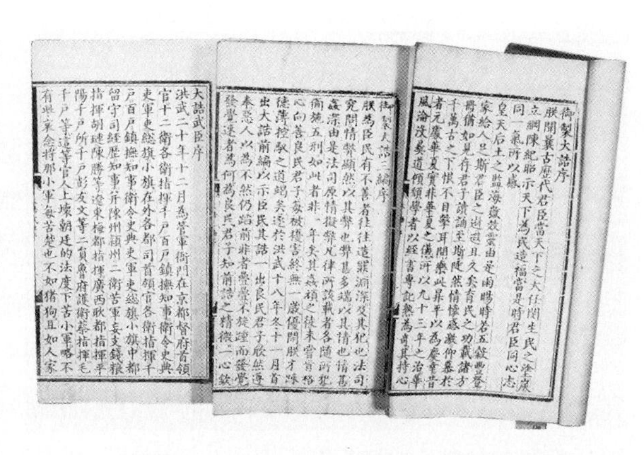

雙魚尾、四周雙邊、粗黑口的洪武刻本《御制大誥》

388

何謂天頭、地腳？

天頭，又稱“上白邊”，與“地腳”相對，是指書、刊中（含封面）最上面一行字頭到書、刊上面紙邊之間的部分。天頭主要是用來刻或寫書眉及眉批、眉注之用的。因爲所處位置在版心之上，又好像人的頭頂，所以習慣上稱之爲“天頭”。在書、刊的天頭之處，可以印、寫上一些必要的文字，由於這些文字位於版心之上，猶如版面的“眉毛”，所以又稱之爲“書眉”。通常書籍左側頁面天頭位置所排印的書眉文字，級別應該比右側頁面的高一級。與天頭相對應，書、刊版心下邊沿至成品邊沿的區域，被稱之爲“地腳”。它是指書、刊中最下面一行字的字腳到書、刊下面紙邊之間的部分。

389

何謂對校法？

對校是校勘書籍的方法之一，又稱死校。用同一書的各種版本互相對校，挑選一種較好的本子作爲底本，再以其他本子參校，把不同之處注於其旁。這種校勘書籍的方法由來已久，西漢劉向於秘閣校理群書時，“一人持本，一人讀書，若怨家相對者”，就是採用這一方法。這種校勘方法操作起來簡便、穩當，主旨在於校異同，不在於校是非。其不足之處是，對於所校之文不做任何判斷；其長處是在校勘過程中絲毫不摻入校勘者的主觀意見，十分忠實地反映出祖本或別本的本來面目。所以，歷來校勘家都十分重視這種方法，凡校一書，必先用對校法，然後再用其他校法。當然，這種對於不同版本的對校，一般是由兩個人來進行的，一人拿著書本，另一人讀，遇到不同的文字，就在書上標示出來。有時一個人也可以完成這種對校工作。其工作方法大致如下：將原稿放在左邊，校樣放在右邊。先看原稿，後對校樣。左手食指指著原稿上要校對的文字，右手執筆，順著校樣上相應的字句移動，遇到異文之處，就隨時用校對符號或文字在校樣上批註。在按照原稿逐字、逐句、逐個標點地進行校對的時候，要特別注意看、念、想密切結合進行。眼睛要在每個字、每個符號上停留一下，不要一滑而過，同時有節奏地默讀文句，並使腦子做出反映。切忌讀書看報式的校對。

390

何謂理校法？

理校是中國古代校勘書籍的方法之一，即據理推斷，以定其正誤的校勘方法。段玉裁曾說："校書之難，非照本改字不誤不漏之難，定其是非之難。"在校書過程中，遇到無古本、善本可以憑據，或者數種版本互不相同，以致正誤無所適從，但又必須明確其是非的時候，就只能綜合運用文、史等各個方面的相關知識，依據推理，綜合歸納分析，最終做出判斷。因此，這種方法在古籍校勘實踐中，是要求最高、難度最大而且最危險的做法，如果使用不當或學識修養稍有欠缺，就很容易陷於主觀武斷的陷阱之中。但有時材料缺乏而又必須校正出結果時，也不得不採用這種方法。歷史上許多學識淵博的校勘大家，常能熟練地運用此法，巧妙而恰當地解決在校勘實踐中遇到的一些非常棘手的問題，清朝著名學者錢大昕的《廿二史考異》中即有不少這樣的例證。如他對《後漢書・郭太傳》中"太至南州過袁奉高"一段，懷疑其詞句不倫，並舉出四例證據，但又找不出原因。後來得到了閩地的嘉靖本，才知其他各種版本都把注文摻入了正文，只有閩本不失其舊。

391

何謂他校法？

他校法是古籍校對的方法之一。陳垣先生在《元典章校補釋例・校法四例》中對這種校勘古籍的方法曾有過詳細的歸納，他說："他校法者，以他書校本書。凡其書有採自前人者，可以前人之書校之。有爲後人所引者，可以後人之書校之。其史料有爲同時之書所並載者，可以同時之書校之。此等校法，範圍較廣，用力較勞，而有時非此不能證明其訛誤。”其實，他校法歸結起來，也還是對校法之一種。所不同的是，使用這種方法不是全書對校，而是片段對校。因爲無論是他書引用本書，還是本書引用他書，這些被引用的語句都仍是出自這一部書。由於書中的一些錯誤從表面上極不容易發現，必須要找其他書中的相關材料，因此校勘工作非常艱苦和細緻，絕非易事。如張元濟《校史隨筆・舊唐書》中有：“《傳》第一百四十六《李白傳》。”我們查《舊唐書》的卷一百四十六卻不是《李白傳》，而是《吐蕃傳》。核對《舊唐書》，《李白傳》在該書的卷一百四十下，由此可知，“六”乃是“下”之誤。這屬於他校法中比較簡單的例證。

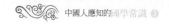

392

何謂本校法？

本校法是書籍校勘的方法之一。這種方法大抵在本書的內部尋找證據，是以本書校勘本書。因此，用這種方法校勘書籍，校勘者必須熟讀本書，做到對本書的內容爛熟於心，並掌握本書中的文法、文例，韻文掌握韻例。只有這樣，才能在校勘實踐中做到運用自如、左右逢源。其方法可以前後文互勘，也可以目錄與正文互校，還可以用注文與正文互校。

393

何謂學案體？

學案體史書是記述學術源流的史書體裁，實際上就是現代意義上的學術思想史專著，也是中國古代繼編年體、紀傳體、紀事本末體、典志體等主要史書體裁之後出現的又一新的史書編撰體裁。這種史書編撰體例，始創於明末清初。其內容或專述一代之學術，或綜括某一時間階段的學術發展與變化，或專記某一地域的學人及其成就。其體例爲：每一學案按學術趨向以類相從，學案之前先列一表，詳細列舉師友弟子，標明學派淵源及傳授系統。每一案主均撰寫小傳，敘其生平概況及學術宗旨。對案主學術論著，均一一注明出處，材料選擇非常廣泛，爲深入研討某一學派的學術思想提供了極大的方便。案主小傳後，另有附錄，載其遺聞軼事。亦附時人及後學之評論，備錄其短長得失，以供後學自行判斷。學案體史書的撰寫，爲後世學者研究斷代或歷代學術思想及其發展、變化，提供了詳實可靠的文獻資料。如黃宗羲、全祖望等撰著的《明儒學案》、《宋元學案》即爲學案體史書的典型代表作。

394

何謂史評？

對歷史學家及史籍進行評論的專門著作被稱爲史評體。史評涉及的範圍有：評史事、評史書、評史法、評史家、評編纂等。我國古代史學發展史上最著名的史學評論家以唐朝的劉知幾和清朝的章學誠爲代表，他們的代表作分別是《史通》和《文史通義》。雖然在唐朝之前，很早就已出現了史評一類的議論文章，如《左傳》中的“君子曰”、《史記》中的“太史公曰”、《漢書》中的“贊曰”、《漢紀》中的“論曰”以及《三國志》中的“評曰”等，都是史評的語句，但還不能獨立爲史評體。因此可以說，唐朝的劉知幾，對於史評體史書的出現確實有首創之功。其他如南宋鄭樵的《通志》之《藝文略》及《金石略》、金代王若虛的《滹南遺老集》、明朝李贄的《藏書》和《續藏書》、明末清初王夫之的《讀通鑒論》和《宋論》等都是比較著名的史評類著作，至清朝的《四庫全書總目》，在圖書分類法中，始將史評類圖書單獨列爲一類。

395

舊事是指什麼？

追記政府律令章程、政令的史籍，稱爲舊事或故事，如《漢書・禮樂志》中所說

“大氐皆因秦舊事焉”，宋葉適《中奉大夫薛公墓誌銘》：“按舊事，率年及六十者行之，餘亦預往。”關於這類圖書，《隋書・經籍志二》云：“古者朝廷之政，發號施令，百司奉之，藏於官府，各修其職，守而弗忘。《春秋傳》曰‘吾視諸故府’，則其事也。《周官》：御史掌治朝之法，太史掌萬民之約契與質劑，以逆邦國之治。然則百司庶府，各藏其事，太史之職，又總而掌之。漢時，蕭何定律令，張蒼制章程，叔孫通定儀法，條流派別，制度漸廣。晉初，甲令已下，至九百餘卷，晉武帝命車騎將軍賈充，博引群儒，刪採其要，增律十篇。其餘不足經遠者爲法令，施行制度者爲令，品式章程者爲故事，各還其官府。搢紳之士，撰而錄之，遂成篇卷，然亦隨代遺失。今據其見存，謂之舊事篇。”《七錄》在圖書分類中開始設立舊事一部，《舊唐書・經籍志》、《新唐書・藝文志》等沿襲，《宋史・藝文志》、《明史・藝文志》改名爲故事，《四庫全書總目》又改名爲政書，這種名稱的更改，不是因爲史體有新出，而是根據史籍內容進行的細微調整。

396

什麼是儀注？

儀注是記載禮、樂（如吉凶行事）等典章制度的史籍。南朝梁沈約《議乘輿升殿疏》所說“正會儀注，御出乘輿至太極殿前，納舄升階”、《南史・陳鄱陽王伯山傳》記載的“武帝時，天下草創，諸王受封，儀注多闕”、宋周煇《清波別志》卷中所言“(張耆)第八子得一知貝州，王則反，不能死節，又爲之制定儀注，伏誅”、明張煌言《建夷宮詞》之七所云“春官昨進新儀注，大禮恭逢太后婚”等，都是說的這個意思。《四庫全書總目》以前的史籍目錄都設立有儀注一類，《七錄》中的儀典類，以及一些書目中標題爲典章、禮注、儀典等類目，都與儀注類圖書相通。《四庫全書總目》設立政書類，將儀注改名爲典禮，列入政書子目。

397

何謂神道碑？

神道即古代墳墓前的墓道，神道碑指立在墓葬神道前的石碑。上面主要記錄帝王、大臣生前的活動及主要功績。從宋朝歐陽修《集古錄跋尾》記述的漢楊震碑首有“故太尉楊公神道碑銘”之類的文字來看，則神道碑之名，漢朝就已出現了。神道碑文開始時比較簡單，一般只稱“某帝或某官神道之碑”。後來碑文的記事漸趨詳細，遂成爲人物傳紀的一種變體，並多收入作者的文集。帝王的神道碑，一般是在帝王死後，新即位之君，組織大臣專門商擬撰寫而成；大臣等其他人員的神道碑，則一般由死者的親屬、弟子、門生、生前友好等人撰寫的，也有死者生前自己撰寫神道碑的。

398

何謂行狀？

行狀，是敘述死者世系、生卒年月、籍貫、生平、事蹟的文章。行狀的撰寫，常常由死者的門生、故吏或親友完成，以便將來撰寫墓誌或爲史官提供爲其立傳的依據。行狀的出現很早，漢朝稱爲“狀”，南朝梁劉勰的《文心雕龍・書記》中云：“體貌本原，取其事實，先賢表謚，並有行狀，狀之大者也。”唐朝的李翺就曾爲韓愈寫過行狀，但他在《百官行狀奏》中，對世人在撰寫行狀時多溢美不實的現象進行了抨擊，他說：“由是事失其本，文害於理，而行狀不足以取信。”雖然如此，歷代行狀的撰寫仍是盛行不衰。元代以後稱之爲“行狀”或“行述”，也謂之“事略”。另外還有一種稱爲“逸事狀”的文字，只記逸事，富於文學色彩，是行狀的一種變體，如柳宗元的《段太尉逸事狀》等。現存的如《大唐故三藏玄奘法師行狀》、《司馬溫公行狀》、《袁中郎行狀》等，都是比較有名的行狀。

399

什麼是文集？

文集是指彙集一個作家的詩、文或數人的作品而編成的圖書。文集的彙集開始於漢朝，雖然先秦時期的《詩經》及諸子之書，大都具有文集的某些特點，但因前者被奉爲五經之一，後者又皆列入子部，所以《楚辭》就被看成了文集的開始。其他各類文集，按其出現時間的先後順序依次爲：別集、總集、詩文評論、詞曲。西漢王逸撰《楚辭章句》，開創楚辭這一類別。別集出現於東漢，集的名稱正式產生於南朝齊張融撰寫的《玉海集》。總集的最初代表作，是西晉摯虞所編的《文章流別集》，該書久已佚，但在唐朝人編撰的《藝文類聚》中保留下了摯虞的著書觀點。南朝梁昭明太子蕭統所編的《文選》，是現存的最早的一部總集。詩文評論於曹魏初年體裁漸成，因曹丕的《典論》已佚，故學者將梁劉勰的《文心雕龍》定爲詩文評論的創始之作。《文心雕龍・隱秀》中云："凡文集勝篇，不盈十一；篇章秀句，裁可百二。"唐劉知幾《史通・載文》云："而世之作者，恒不之察，聚彼虛說，編而次之，創自起居，成於國史，連章疏錄，一字無廢，非復史書，更成文集。"詞曲類則大體形成於宋詞產生以後。文集有的是自編，有的是由其子孫或門人輯錄編成。總集和別集是構成文集的主體，其中別集數量尤多。今天我們所能見到的歷史人物的文集，絕大多數爲明、清時期的東西，數量可達十餘萬種。明朝以前的文集，因各種社會、歷史等原因，大多已經散佚，但傳世者也不乏名著，具有極高的史學價值和文學價值。以總集爲例，有南朝梁蕭統的《文選》、南朝陳徐陵的《玉台新詠》、北宋李昉的《文苑英華》和郭茂倩的《樂府詩集》等。

400

何謂楚辭？

楚辭又稱"楚詞"，其名首見於《史記・酷吏列傳・張湯傳》："莊助使人言買臣，買臣以楚辭與助俱幸，侍中，爲太中大夫，用事。”其本義是指楚地的言辭，後來逐漸固定爲兩種含義：一是詩歌體裁，是戰國時期偉大詩人屈原所創造的一種詩體。作品運用楚地（今兩湖一帶）的文學樣式、方言聲韻，謳歌了楚地的山川人物、歷史風情，具有濃郁的地方特色，正如黃伯思所說，“皆書楚語，作楚聲，紀楚地，名楚物”（《東觀餘論》）。一是詩歌總集的名稱。西漢的劉向把屈原、宋玉的作品以及漢代賈誼、淮南小山、嚴忌、東方朔、王褒諸人的仿騷作品編輯成集，名爲《楚辭》，成爲繼《詩經》之後，對我國文學發展產生深遠影響的一部詩歌總集。同時，也是我國第一部浪漫主義詩歌總集。

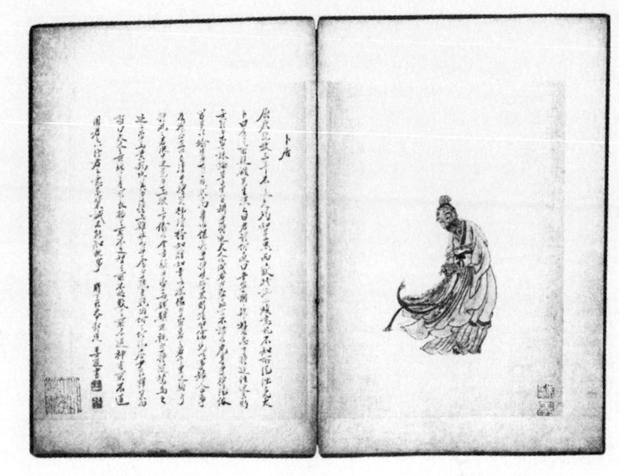

清彩繪本《屈賦》

401

何謂別集？

別集是指個人的詩文彙編，即作家個人的文集。如白居易的《白氏長慶集》和蘇軾的《東坡集》，都是別集。先秦無別集，但諸子之書如《荀子》、《莊子》、《墨子》之類，其實都與後代的文集相似。漢代，文學創作活動極爲活躍，所以西漢劉向的《七略》中就有了獨立的門類“詩賦略”，著錄《屈原賦》、《唐勒賦》、《宋玉賦》共66家，以作家爲單位彙集賦作，實開後代目錄家別集類的先聲。東漢以後，別集逐漸增多，六朝時期的別集見於《隋書・經籍志》著錄的就有八百餘部。此後，文集的彙編歷代相沿不衰，清代人的文集可考者多達三萬餘家，文人學者幾乎人人有集。

402

別集是如何編撰和命名的？

別集的編集是有諸多講究的。作者生前所定，基本上屬於選集。而後人所編，則大多屬於全集，由於主持編撰者往往不是作者的子孫、學生、同鄉後輩，就是作者的研究者、愛好者，以至於片言隻語也不遺漏。別集有的單收作者一生創作的詩歌作品，稱爲詩集；有的單收文章，稱爲文集；兼收詩、文的往往也被稱爲文集。別集中往往會有許多的附件。首先是他人所撰序跋，有當代人作的，也有後人編集或重刻時加的，有的序文很多，連篇累牘。另一種附件是作者的傳、墓碑、墓誌銘、年譜等有關作者的傳記資料。因別集是系統收集某一作者一生作品的著作，所以不僅爲研究該作者的生平和創作等提供了基本材料，對保存歷史文獻具有重要作用，而且也是編輯總集的主要依據。

別集的命名方式五花八門。一是用作者本名命名。如《駱賓王文集》、《孟浩然集》等，這種命名方式在古典文獻中較少，近人新編的別集則很常見；二是用作者的字、號、別名命名。如《李太白集》、《陶淵明集》等；三是用作者的齋、室命名。如明湯顯祖的《玉茗堂集》等；四是用作者的官銜、封號、謚號命名。如三國魏阮籍的《阮步兵集》、宋范仲淹的《范文正公全集》、明劉基的《誠意伯文集》等；五是用作者的籍貫、居住地、別墅命名。如唐柳宗元的《柳河東集》、杜牧的《樊川文集》等；六是用作者撰作編集的時代命名。如唐白居易的《白氏長慶集》等。

403

別集是如何分類的？

在現今存世的十幾萬種古籍中，別集占了其中的絕大部分的分量。歸納起來，別集大致有如下幾種類型：一、依收錄範圍，可分爲個人的全集，如宋陸游的《陸放翁全集》；個人的選集，如唐皮日休的《皮子文藪》等。二、按編輯情況，可分爲自編，如唐孫樵的《孫可之文集》；他人編輯，如唐韓愈撰、李漢編的《韓昌黎集》。

別集的編排方式多種多樣，歸納起來可分爲四類：第一是分體編排的別集，這在古代文學別集中最爲常見。如唐李白三十卷本《李太白集》，卷一爲古賦，卷二爲古風，卷三至卷六爲樂府，卷七至卷二十五爲古體詩和近體詩，另外還有文章四卷，詩文拾遺一卷。第二是編年編排的別集。如唐杜甫撰、清仇兆鼇編注的二十五卷本《杜少陵集詳注》，卷一至卷三作於“安史之亂”前，卷四至卷七作於“安史之亂”時，卷八至卷九的前半部分是赴四川途中所作，卷九的後半部分至卷十四是定居成都五年所作，卷十五至卷二十三是離開成都沿江東下時所作。最後兩卷收表、賦、贈序和其他雜著。第三是按作品主題分部編排的別集。如宋文天祥二十卷本的《文山先生集》（《四部叢刊》本），卷一至卷十二爲《文集》（包括詩詞文），卷十三至卷十八爲《指南錄》、《指南後錄》、《吟嘯集》、《集杜詩》、《紀年錄》，卷十九、卷二十爲附錄，收傳記、祭文等。第四，兼用以上幾類編排的別集。如宋黃庭堅的《山谷全集》凡三十卷，《內集》二十卷爲詩，編年；《外集》十七卷，第一部分爲賦，不編年，第二部分爲詩，編年；《別集》二卷爲詩，不編年。

404

什麼是總集？

總集是對多人著作合集的稱呼。中國最早的詩歌總集爲《詩經》。而眞正意義上最早的詩、文總集，是西晉摯虞的《文章流別集》。總集保存了很多古代文獻，對文學、歷史研究和古籍校勘都有重要參考價值。

總集的編輯體例可分爲：一、網羅宏富的“全集式”總集，如清嚴可均編的《全上古三代秦漢三國六朝文》等；二、擇優選精的“選集式”總集，如南朝梁蕭統的《文選》等。依收錄時代範圍可分爲：一、通史性總集，如明張溥的《漢魏六朝百三名家集》等；二、斷代性總集，如宋姚鉉的《唐文粹》等。依收錄作品的體裁可分爲：一、專輯歷代同一體裁作品的總集，如清陳元龍等編的《歷代賦匯》等；二、專輯一代某一種體裁作品的總集，如清董誥等編的《全唐文》等；三、彙集各種體裁作品的總集，如宋李昉等編的《文苑英華》等。

405

什麼是隨筆？

這是一種靈活、隨便的筆記或文體，正如宋朝人洪邁在《〈容齋隨筆〉序》中所說："意之所之，隨即紀錄，因其後先，無復詮次，故目之曰隨筆。"這類作品的代表作，當然要首推洪邁的《容齋隨筆》了。

406

何謂劄記？

劄記是古人讀書時摘記的要點和心得體會及見聞的單篇文章。彙集多篇成書，仍稱"劄記"，如清趙翼的《廿二史劄記》等。劄記又可分爲教學劄記、讀書劄記、心情劄記、家訪劄記等。依內容劄記可以分爲：一、描寫山川、景物和人事的，如《小石潭記》、《登泰山記》等；二、以記事爲主的筆記文，特點是篇幅短小，長者千字左右；內容豐富，有歷史掌故、遺文遺事、文藝隨筆、人物短論、科學小品、文字考證、讀書雜記等五花八門。《世說新語》、《夢溪筆談》就是這種文體。

中國人應知的

國學常識 3

The knowledge of Chinese

建築園林

407

中國傳統建築中使用竹子嗎？

竹子，無疑對於中國傳統文化具有重要的影響，在中國古代的住居文化中也佔有重要的地位。歷代的文人雅士，無不對竹子推崇備至，所謂“寧可食無肉，不可居無竹”。在中國古典園林的造景中，竹景是必不可少的，人們將竹與梅花、松柏並稱爲“歲寒三友”，並將其置於自己居所之中作爲個人志向的表達。

竹子在南方地區較爲易得，因爲其抗拉特性而成爲常用建築材料之一。在古代建築牆體的營造中，竹子就被廣泛地使用。漢、唐時期曾出現過一種“編竹夾泥牆”，這種牆是一種被填充於木結構框架間的薄牆體，厚度約爲兩寸多。具體的做法是：在木框架空檔處，一般先用竹篾條編好牆體，再在其外抹泥，其原理類似於今天的鋼筋水泥，竹子就相當於鋼筋一類的抗拉構件，增加泥牆的整體強度。宋代《營造法式》中將這種牆體做法稱爲“隔截編道”。《營造法式》中還有專門的竹作章節，並談到用竹管引水入宅，作爲供水材料的竹子，稱爲竹筧。

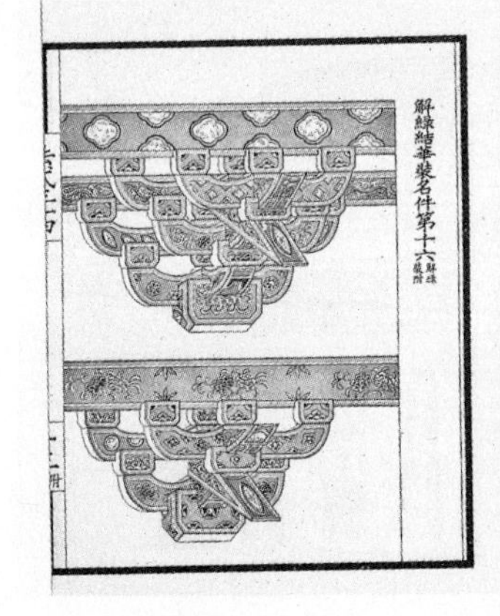
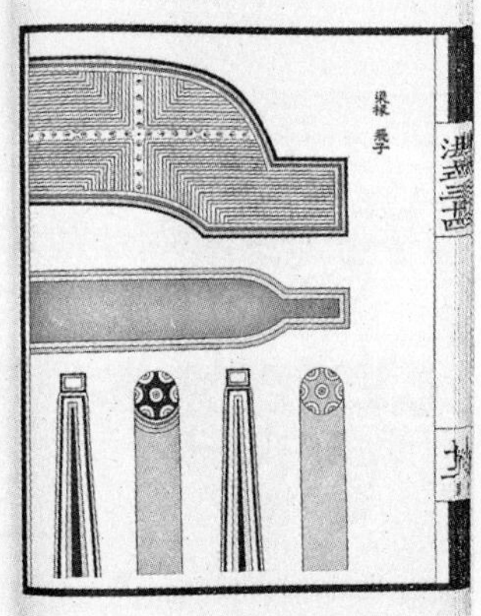
《營造法式》書影

此外，在雲南少數民族住所中，當地盛產的竹子也是重要的建築材料。雲南當地的少數民族建築竹樓，不僅支撐結構是竹子支撐，而且牆面、樓板、門窗、樓梯、護欄都用竹子製作。這類建築利用竹子可以編織的特點，並巧妙地結合竹子正反面色澤與質感的差異，編織成多種不同的紋樣，用於各個圍護介面。竹子製作的樓板用縱橫交叉的圓竹作為支撐樓板的樑架，以竹片作為樓面。這些竹作的樓板、牆面等，自然留有空隙，便於自然通風與採光，特別適合於炎熱而濕潤的南方地區。竹子建築的屋頂多用草、樹皮建造，品質較輕，以減輕建築整體荷載。

408

中國傳統木建築有哪幾種結構形式？

雲南南華馬鞍山民居

中國傳統木結構建築結構體系主要包括抬樑式和穿斗式兩種，還有少部分建築採取了井幹式結構。

抬樑式建築的做法是柱上擱置樑頭，樑上再用矮柱支起較短的樑，每層樑頭擱置檩條，層層疊起，樑的總數常有3～5根。最後在檩間架椽，構成雙坡頂房屋的空間骨架。房屋的屋面重量通過椽、檩、樑、柱傳到基礎。當柱上採用斗栱時，則樑頭擱置在斗栱上。

抬樑式建築的優點在於，建築室內沿開間方向自由通透，可以提供較大尺度的內部空間，加之用料較大，建築外觀氣勢雄偉。

抬樑式建築使用範圍廣，在宮殿、廟宇、寺院等大型建築中普遍採用，堪稱我國木構架建築的代表。它所形成的結構體系，對中國古代木構建築的發展起著決定性的作用。在古代，抬樑式建築的疊樑層數還被用來限制建築等級，例如《唐會要輿服志》規定："……五品以上堂捨不得過三間五架，門屋不得過一間兩架……"另外，抬樑式建築的大樑的長度是決定建築進深方向跨度的主要因素：大跨度的樑必須使用大尺度的木材，使抬樑式建築深受材料的限制。

穿斗式建築又稱"串逗"式，其做法是用穿枋把並排的柱子緊密串聯，形成一屋架，檁條直接置於柱頭；在沿檁條方向，再用斗枋串聯柱子，由柱、枋、檁共同構成整體框架。

穿斗式建築結構輕巧，施工簡便，枋子的橫向拉結增加了建築結構的整體性。由於柱間跨度小，不需使用大料，受材料限制較少。它廣泛應用於我國南方民居中，例如四川、湖南等地的民居。它的局限在於，每榀構架都有若干細柱落地，限制了沿開間方向的空間跨度。

井幹式結構，指的是以長條形木料平行向上層層疊置構成建築的牆體，牆體上再立矮柱，支撐檁椽構成房屋。木材截面可以是方、圓、六邊形等，牆角處木料端頭部分交叉咬合，形如古代井上的木圍欄，因而得名。

井幹式結構在跨度和門窗開設上限制較多，另外井幹式建築需要消耗大量木材，因此它多流行於森林資源富集地區。雲南晉寧石寨山出土的銅器中有井幹式建築模型。我國目前只有東北和西南個別地區有這種結構類型的民居建築，例如雲南南華馬鞍山民居。

409

傳統建築是如何"裝修"的？

"裝修"在古建築中可以分爲"外簷裝修"與"內簷裝修"，前者類似於今天的"立面裝飾"，包括建築室外部分的門、窗、欄杆等等，後者類似於今天的"室內裝修"，包括隔扇、罩、花芽等等。中國傳統建築裝修一直是傳統建築的重要組成部分，在施工中也佔有重要地位，它的藝術與技術發展也經過了嘗試、形成、成熟、演變的過程。

根據考古學家對於原始聚落住宅的推測，在距今六千年左右的原始聚落半地穴式房屋就有了門，或者更確切地說應是洞口的形制。而在商代象形文字中，也有了門的形象，不過從文字的意象來看，當時的門扇可能還不具有可開啓的功能。漢代墓葬出土的明器陶屋、畫像石和各種文獻記載中可以看出，漢代房屋住宅規模甚小，房屋上門、窗的形式卻已經十分明顯。許多出土的漢代明器上的屋門形象較小，而門上類似於天窗形式的窗戶則採用了大面積欞格形式，這是我國建築最早的裝修形式。

到了唐代，中國各行各業都發展到了一個新的高峰時期，手工業也不例外。《營造法式》中的小木作就列舉了板門、烏頭門、軟門、格子門等多種門窗，還對構建的做法、尺寸大小都有詳細說明，並附有圖樣，可見當時的裝修業不僅在樣式上多有創新，而且在形制規格上也都非常成熟。山西五臺山的佛光寺裝修成爲今天學者研究這一時期裝修形制和構造的傑出案例。佛光寺大門門扇即是用門板拼合而成，直欞窗的窗框用木條豎向排列形成。

而在室內裝修方面，比較精美的案例則屬山西朔州市崇福寺彌陀殿。這座大殿建於唐麟德二年（665），寺內現存的彌陀殿應爲金代遺物。大殿面闊47米，進深25米，寬闊而氣派。大殿內的隔扇，由上下兩部分組成，複雜的花形欞格佔據著整個隔扇大部分面積，雕刻極爲精巧，而且增加了室內的透光性。隔扇下部的裙板則由豎格木板拼成，整間隔扇給人以規整、嚴謹的感覺。

410

明清時期的建築裝修有什麼特點？

目前保存下來的明清時期建築數量最大，類型也最多，而且品質也相對完好，這一時期裝修的特色表現爲，裝修圖案與形制類別更加豐富多彩，雕刻更加細緻，不過圖案形式比例和製作工藝也逐漸定型，到了清代，圖案更趨於繁複，而樣式則有些死板了。

首先，隨著手工藝審美情趣的變化，明清時期的裝修越來越注重表面的雕飾紋樣，這也增加了裝修的文化內涵和藝術價值。欄杆欄板、隔扇門窗的裙板、條環板等裝飾構件上，佈滿內容豐富、題材多樣的裝飾圖案，不僅有表達帝王權勢的“龍”形雕飾，而且有大量表達人們美好願望的“福壽”題材圖案。其次，明清以來，建築裝修最大的特點在於，工匠們將書法、繪畫以及刺繡、鑲嵌、琺瑯、漆藝等多種傳統工藝與裝修，特別是室內裝修結合在一起，使其呈現出前所未有的絢爛多彩。

此外，內簷裝修不僅形式豐富多彩，華麗精緻，而且，被廣泛用於各類宮殿、壇廟、園林以及住宅之中。清朝的皇家園林中，裝修上大量使用碧紗櫥、寶座屏風、博古架、炕罩、落地罩等。比如，頤和園中的頤樂殿，位於德和園西樓對面，是當年慈禧看戲的地方。這裏室內裝修十分考究，碧紗櫥、博古架、各類屏風、花罩無不雕刻精美，成排的隔扇用於分割室內不同功能的空間，使之相互獨立，隔而不斷。整個空間極富空間層次，體現出高雅而莊重的氣氛。

411

清代室內裝修最具代表性的建築是什麼？

清代室內裝修最具代表性的建築當屬位於紫禁城寧壽宮花園內的倦勤齋。倦勤齋從材料選擇到製作手法都具有明顯的江南風格，東五間以內簷裝修隔成凹字形仙樓，圍合成門廳空間，仙樓由落地罩、檻牆、檻窗、碧紗櫥等組合而成，上下共隔成十餘間。木裝修均採用紫檀木，迴紋形玉嵌入其中，纏枝花卉雙面繡則作為隔扇心，仙樓上層下層的檻牆還分別貼有竹黃花鳥、山林百鹿。此外，還有鑲嵌各種竹絲、烏木、玉片等構成的隔扇，裝飾之華麗，製作之精細是一般建築無法企及的。建築西四間則被營造成一個室內戲場，以小戲臺為主體，戲臺平面為方形，攢尖頂。戲臺周圍與斑竹紋裝飾的廊子相連，南側廊子還設月亮門，營造出室外的感覺。而圍繞戲臺的西牆和北牆以及頂棚則以通景畫覆蓋，畫中不是藤蘿滿架，就是孩童戲耍，加強了雖在室內卻如同置身庭園的感受，構思極為精巧。

412

香山幫的磚雕技法有何特點？

磚雕在中國傳統建築中有著獨特的作用和位置，它既有木雕纖細的風格，又更爲牢固，耐雨水侵蝕。北京的磚雕以樸實莊重、簡潔典雅爲特點，一般不加打磨，棱角之銳利以見刀法功力；徽州磚雕工藝精細，層次分明；廣州磚雕風格華麗、秀美、生動。而香山幫所在蘇州地區的磚雕秀麗清心，細緻生動，主要用來裝飾建築的外觀，如門樓、門罩、照壁以及牆頭等位置。

一直以來，大家普遍認爲蘇州最早的磚雕形成於宋代，然而，據1983年在靈岩寺寺院內發現的題款爲隋大業年間“古松影壁”推測，早在隋代就應有磚雕影壁了。而蘇州玄妙觀三清殿的須彌座爲一完整的南宋磚雕遺物，算是目前發現較早的物證，至於明清兩代的磚雕作品就隨處可見了。

磚雕透風

磚雕最早以泥製成磚坯再雕刻，而後演變爲先堆塑或翻模成型，燒製後再進一步精雕細琢，到了明代先燒磚後雕刻的做法逐漸盛行，清初這種工藝進一步發展，並形成了專門的行業。在技法方面，香山幫的磚雕技法一般可分爲平面雕、淺浮雕、深浮雕、透雕、圓雕、陰刻六種。其中，透雕立體感較強，需要多處鏤空，層次多在4～5層左右，所以對技法要求較高。有時在一塊2寸上下的磚上需要雕出畫面，除了背面不易察看外，其餘部分均與畫面相連地刻出。圓雕則指雕刻一面與建築物接觸，其餘凸出部分均爲鏤空雕刻，這種雕刻從不同角度反映出立體畫面，多爲山水、人物、樓臺、亭閣，而雕刻的層次多達7～9層。這類雕刻技術精湛的作品，常見於清代中期及民國初年府邸巨宅的門樓。

磚雕既可以在一塊磚上進行，也可以用若干塊磚組合雕刻，一般多爲先雕好形狀再安裝上去。據《營造法原》記載："先將磚刨光，加施雕刻，然後打磨，遇有空隙則以油灰填補，隨填隨磨。磚料起線以磚刨推出，其斷面隨刨口而異分爲面，有面、亞面、文武面、木角線、合桃線等。"對香山幫的匠人而言，一般磚雕分爲修磚、"上樣定終身"、描刻、雕鑿、刊光、打磨、修補、上色。修磚是指用磚刨推平，將四周做直。"上樣定終身"是指將畫好的圖樣稿上漿，貼在磚塊上。之後，需按照畫稿用小鑿在磚上輕輕刻畫，即爲描刻。雕刻自然不必解釋，就是按照描刻雕鑿。刊光可分爲兩步進行，先底後面，在前段工序中對發現不妥處進行修改。此後，還需要經過打磨、修補等程序，在保證形態滿意的情況下，如需要添加顏色，才能上色。如此，整個工序才完整。

413

藏傳佛教建築有那些常見的裝飾主題？

藏傳佛教的教理修持是神秘的，即使所用有形之物，也無不深藏寓意。由此誕生了大量象徵符號和器物，包括"五欲"、"六拏具"、"七珍"和"八寶"等，此外還有大量的動物、星象圖案和神器手印……或化作建築和傢俱物什的裝飾元素，或被直接製成佛前的貢器，滲透到宗教生活的一點一滴中。

雨花閣六字眞言天花

作爲建築裝飾的宗教題材，往往出現在建築彩畫中，或以浮雕形式依附於磚石構件。許多符號器物與數位有關聯，數物並舉，這就爲排列組合並形成韻律提供了可能。明清漢地藏傳佛寺中較常用的題材有：

五欲（又稱“五妙欲”）：指因觸、味、聲、色、香五境而起的五種欲望。這五種人體的感覺有時實體化爲織物(觸)、桃（味）、琵琶（聲）、鏡子（色）、寶珠（香），以圖案形式出現在石刻等建築裝飾中。

六字眞言：唵、嘛、呢、叭、咪、吽。這是大慈大悲觀世音菩薩咒，源於梵文，象徵一切諸菩薩的慈悲與加持。它常常被用於清代佛寺天花，制式通常是六字放射狀排列在六瓣蓮花中，簇擁中心塡寫十相自在的花蕊，四角飾以祥雲。如紫禁城雨花閣天花。

眞覺寺石刻(徐曉穎 攝)

六拏具：大鵬金翅鳥、龍女、摩羯、騎羊童男、獅、白象。六拏具在建築中常呈拱劵狀鏡象排列，即以大鵬金翅鳥正面像居中，餘下五組題材從上至下，從中心至兩側依次對稱排列，形成拱劵形狀。它多被用來裝飾石質拱劵或佛像背光。

七珍(又稱“轉輪王七政寶”)：金輪寶、神珠寶、玉女寶、主藏臣寶、白象寶、紺馬寶、將軍寶。八寶（又稱“八瑞相”）：寶傘、金魚、寶瓶、妙蓮、右旋白螺、吉祥結、勝利幢、法輪。七珍和八寶是佛前常見的供奉器，於建築石刻、磚瓦雕飾上也多有應用。

十相自在圖：以十個象徵須彌山和人的身體的各部位的符號，包括三個圖形和七個梵文字母，組合成爲圖案，常嵌之以龕。十相自在圖在壁畫、唐卡上都很多見，還可製成護身符；在建築中最常用於喇嘛塔塔門，也用做磚雕等。

由於佛教傳播的過程複雜交錯，上述題材並非全系藏傳佛教所獨有，同樣的建築裝飾，可能分別出現在藏傳和漢傳佛寺中。例如六字眞言天花、八寶題材貢器常見於清代諸多敕建漢傳寺院（前者也見於雨花閣等藏傳佛教建築），六拏具在北京的明代佛寺眞覺寺的轉輪藏和大覺寺佛像背光中均有出現。

414

清代的漢地藏傳佛教寺院有什麼特點？

嵩祝寺石刻（徐曉穎 攝）

清代藏傳佛教受到政府扶持，北京、承德和山西五臺山等地誕生了大量敕建藏傳佛教寺院。這些漢地藏傳佛寺主要有以下幾種建築形式和佈局模式：

（一）以擺設和建築裝飾點題：明清漢地佛寺，通常以數進串聯院落爲主體，包括山門、天王殿、正殿、後殿及後樓，再加上鐘鼓樓等廂房耳房，幾乎成爲定制。清代早期北京、承德等地的部分藏傳佛教寺院，佈局和建築構造也與漢傳佛寺無異，僅使用一些藏式佛像和建築裝飾手法來點明藏傳寺院身份。例如建成於清早期的嵩祝寺採取了最常見的院落佈局，建築形式均係清官式建築中的大式硬山。但該寺建築山牆角柱等處，保留了大量精美的藏傳佛教題材石刻，包括“七珍”、“八寶”等；佛堂和經堂中供奉著歡喜佛和佛母，這些都證明該寺是藏傳佛寺。

（二）在漢地建築佈局基礎上加入“主體建築”：傳統的藏地佛寺往往以一個大體量建築爲核心，其他附屬建築因地制宜，圍繞分佈。15世紀格魯派興起後，這個主體建築往往是經堂（或經堂與佛堂的結合體），可供大量僧衆聚會。隨著藏傳佛教在漢地傳播，主體建築對於宗教儀式的重要性受到注意，於是出現了在內地典型佛寺佈局之外，增加主體建築的情況。附加的主體建築往往位於寺院平面的重要軸線上，以隆重的建築形式和大體量表明其重要地位。

除附加的經堂和佛堂之外，喇嘛塔也是漢地藏傳佛寺的標誌性建築。佛教傳入中土之後，由於宗教的世俗化和舍宅爲寺習俗的興起，寺院逐漸擺脫了以塔爲中心的格局，即使寺中有塔也係木構或石質仿木構。而藏傳佛教的覆缽式喇嘛塔則直接模仿印度的窣堵坡，在元代隨著喇嘛教的興盛，開始大量在漢民族地區出現。北京城內建於元代的妙應寺白塔和建於清乾隆年間的永安寺白塔都是其中典型。

（三）在更晚近時期的寺院出現了漢藏結合的建築形式：這類建築以惟妙惟肖地模仿藏地寺院的高臺建築並與漢式建築相結合爲特點，其中最著名的當屬承德外八廟中普陀宗乘之廟“大紅臺”（建於乾隆三十六年）和北京西山昭廟（始建於清乾隆四十五年）。

415

河北承德的喇嘛教寺院有什麼特點？

普陀宗乘之廟

承德自清代以來一直是北京東北通往蒙古的一條重要通路。西元18世紀清朝開始在這裏建造離宮（避暑山莊）。圍繞離宮東部和北部山麓上，分佈有十二座喇嘛教寺院，包括：溥仁寺、溥善寺、普樂寺、安遠廟、普寧寺、普佑寺、廣緣寺、須彌福壽之廟、普陀宗乘之廟、廣安寺、羅漢堂、殊像寺，其中比較著名的有八座，即著名的外八廟。

這幾座寺院在建築形式上，吸取了西起西藏、新疆，北到蒙古，東南到浙江等許多地區著名建築的特點，集中地體現了當時多民族交融的狀況。其中，普陀宗乘之廟模仿西藏布達拉宮，而須彌福壽之廟模仿劄什倫布寺修建。

而在寺院的總體格局上，多數寺廟沿山勢自然坡度佈置，有些則對基地做了較多的處理，把坡地分割爲幾個不同高度的臺階。建築佈局則多數採用對稱方式，不過也有特例，如普陀宗乘之廟前半部分保持對稱，而其他部分則隨地形而變化。有的寺院還附有園林，但處理手法較一般園林簡單，僅就自然地勢略加點綴。寺院的主體建築坐落於寺院最高的地方，都力求高大威嚴，而造型上追求變化，引人入勝。例如普寧寺大乘閣，高三層，五個屋頂一大四小，造型穩重而富於變化；普樂寺旭光閣爲重簷圓頂，下面承以兩層高臺，周圍配置八座琉璃小塔，比例和諧；普陀宗乘之廟大紅臺則利用山勢修建，體量錯落有致，在模仿藏族寺院形式基礎上，又加入漢族建築手法，雄偉而活潑。

416

客家土樓有什麼特色？

客家土樓是閩、粵、贛地區的一種防禦性民居建築。

客家人原本是中原一帶的漢族居民，因爲戰亂、饑荒等原因而被迫南遷，大約在南宋時期開始定居於閩、粵、贛三省邊區一帶。由於其背井離鄉的淒苦經歷，客家人更注重宗族之間的團結與互助，每到一處，本姓居民都要聚居一處，從而形成了客家土樓這樣以家庭爲單位的獨特居住形式。目前，客家土樓在福建省仍分佈廣泛，特別是在永定、南靖、華安三縣最爲集中。

客家土樓在整體佈局上與黃河流域的民居建築極爲相似。在外部環境上注意選擇向陽避風、臨水近路的地方作爲樓址，以利於生活、生產。樓址大多坐北朝南，左有流水，右有道路，前有池塘，後有丘陵；樓址忌逆勢，忌坐南朝北，忌前高後低，忌正對山坑（以免沖射）；樓址後山較高，則樓建得高一些或離山稍遠一些，既可避風防潮，又能使樓、山配置和諧。民居善於利用斜坡、山地等地勢條件，整體錯落有致、層次分明。

而在土樓建築本身格局方面，土樓以廳堂爲核心，中軸線明確，多爲方形或圓形。廳堂、主樓、大門都建在中軸線上，橫屋和附屬建築分佈在左右兩側，整體兩邊對稱極爲嚴格。建築外側多爲極厚實而緻密的夯土牆圍繞，內側則以廊道貫穿全樓。樓中堆積糧食、飼養牲畜；有水井。若需禦敵，只需將大門一關，幾名青壯年守護大門，土樓則像堅強的大堡壘，婦孺老幼盡可高枕無憂。以不同的建造形態劃分，土樓可分爲殿堂式圍屋、府第式方樓、走馬樓、五角樓、吊腳樓等。

在建造技術上，土樓突出地展示了就地取材的經濟性。土樓主要採用黃土和杉木建成，在閩、粵、贛三省這兩種材料可以算是取之不盡，而且舊樓若是拆除，其牆土和木構件還可以重複使用。圓形的客家土樓還具有極好的結構堅固性。圓筒狀結構能極均勻地傳遞各類荷載，同時外牆底部最厚，往上漸薄並略微內傾，形成極佳的預應力向心狀態。除非在一般的地震作用或地基不均勻下陷的情況下，否則，土樓整體不會發生破壞性變形。

由於以上種種獨特性，福建客家土樓在2008年被評爲世界文化遺產，成爲中國列入該名單的第二十八項文化遺產。

417

藏族的碉樓建築有哪些作用？它在建築佈局和構造手法上有何特色？

藏族碉樓與戰爭密切相關，它的作用以防禦爲主，兼有多種功能。專門防禦的碉樓位於寨口或要隘險道上，是阻止敵人入侵，保護村寨、部落和地區的戰爭工具。高碉居高臨下，俯視敵人，遠則箭射槍擊，近則滾木礌石，進可以攻，退可以守，是“一夫當關，萬夫莫開”的堅固工事；在戰爭中碉樓也可能用來燃放烽火，傳遞戰爭資訊。此外，人們相信碉樓還可以起到求福保平安、避邪袪祟的作用。修建在屋後的高碉與居住的樓房緊緊相連，屬於家用碉——相對矮小，一般用作貯藏室、防範匪盜，戰事來臨之際亦可用作防禦。

碉樓建築通常坐落在視野開闊的山腰或山頭，有的是獨立建築，有的與民居等相對底矮的建築融爲一體，形成“碉房相連”的獨特景觀。樓高一般在十米至數十米，視野開闊，外形平整封閉，構造堅固，這些都是利於防守的特徵。

丹巴中路藏寨民居（徐曉穎 攝）

根據維護材質的不同，碉樓可以分爲土碉和石碉，後者較爲常見。石碉主要由周邊石牆承重，支撐各層樓板和屋面的木樑插入牆體，再在其上覆板、夯土。各層樓板上留出長寬不足一米的方洞，以圓木簡單砍製而成的直梯逐層連接，亦是碉樓易守難攻的特點之一。

建築平面最常見的是趨近於正方形的矩形，還有五角形、八角形等，在甘孜城廂的蒲各頂寨有一處碉樓，平面竟達到十三邊。這些形狀各異的平面是否有各自的象徵意義，至今還是個謎。平面呈星形放射狀的碉樓，各層小窗設在凹角處，外觀極爲封閉。

建築牆體由藏族工匠砍琢當地出產的岩石，層層堆疊砌築而成。牆體底層厚可達數米，自下而上逐漸收細；整座碉樓的立面也有自下而上的明顯收分，牆身內凹，有微妙弧度。牆上開窗外小內大，呈漏斗口狀，以利防守。儘管牆體構造如此精妙，匠人在施工時卻並不使用尺子，全憑經驗完成，以形狀大小不一的石塊施工，還能保證牆體內外表面的平整，令人稱奇。山南貢布等地區的碉樓，頂部以一圈藏族建築特有的“邊瑪牆”作爲收束，形象更爲別緻。

418

時間最爲久遠的中國史前祭祀場所在哪裏？

現有考古成果顯示，位於中國遼寧省朝陽市境內的牛河梁遺址是在東亞文化區域內新石器晚期考古遺址中，形成時間最爲久遠且規模宏大的祭祀和墓葬場所。它不僅見證了紅山文化晚期先民獨特的精神信仰，更反映出新石器晚期人類文明起源階段紅山聚落獨特的社會形態。

牛河梁遺址形成於距今5500～5000年，在沿努魯兒虎山的山谷地區約五十平方公里分佈的十六處遺址點，以其“女神廟—祭壇—積石塚”爲代表的具有系統性、秩序性遺址組成，豐富的玉器與陶器等出土文物，共同構成了這一東亞文化區域內規模空前的祭祀與墓葬“聖地”。

遺址第一地點“女神廟”與大型山臺遺址，具有嚴謹的佈局關係，對稱的平面格局，精巧的構造技術，這裏出土了形態逼眞的女神頭像，豐富的祭祀類器物，表明這裏是東亞區域內最古老的祭祀廟宇之一。遺跡內發現的這具保存完整的女性泥塑頭像與大量人物和動物塑像殘肢，不僅證實了這一建築遺跡的特定功能，更見證了新石器晚期聚落獨特的宗教信仰。顯然，女神崇拜仍然在先民精神世界中具有重要影響，然而，女性頭像又表現出驚人的寫實創作手法——頭像應是以眞實女性面部爲摹本的；人物塑像的殘肢中也沒有出現對於生殖器官的誇張表現，而是強調人體各部位比例的協調，在寫實基礎上進行適當誇張。這標誌著，此時的社會雖然仍然崇拜女神，但已經從對女性的生殖崇拜轉向具有祖先崇拜的意向，是人類文明起源階段發生的重要轉變。

牛河梁遺址十四處積石塚墓葬遺址則表現出佈置格局、墓葬形制嚴謹的秩序性。在墓葬佈局方面，多數積石塚週邊由石砌塚界圍繞，塚體由塚台壁界定，兩者之間往往埋藏數量衆多的筒形陶器；塚體以一座或兩座石砌大墓爲中心，小墓坑圍繞其周邊。中心大墓不僅土坑墓穴較寬較深，深度鑿入基岩內，墓葬內壁砌築也更爲整齊，並伴隨有大量成套玉器，而無陶、石器隨葬品。而圍繞其周邊的墓葬則可根據規模、形制、隨葬品種類與數量等，分爲四個等級。

隨墓葬遺址發現的大量玉器，不同墓葬數量多寡有別，雕刻精美，且造型上已經脫離了實用器物的範疇，成爲代表墓主人身份或地位尊卑的象徵性符號。出土的馬蹄狀箍、勾雲形佩、人物、璧、環、豬龍、鳳、龜、鱉等動物形玉器，表現出豐富的宗教內涵，並反映出當時社會結構分化的狀態。擁有這些玉器作爲隨葬品的墓主人，被認爲是具有掌握通神權力的巫師。玉器所具有的強烈象徵性也反映出東亞區域內史前文明所具有的特殊文化面貌。

牛河梁遺址突出地展示了史前先民的信仰觀念和墓葬習俗，是這一類型遺址的傑出且稀少的範例。其中，更蘊含了反映當時社會形態的各種資訊，成爲瞭解文明起源過程中人類社會歷史發展、轉變的獨特見證。

中國人應知的

國學常識 3

The knowledge of Chinese

考古文物

419

陶器的主要特點有哪些？

今天我們常說的“陶瓷”一詞，其實包含陶器、瓷器兩個概念，兩者既有聯繫也有本質的不同。

陶器是以陶土爲胎，陶土通常爲紅土、沉積土、黑土或是其他帶有粘性的土經過淘洗而成的。用純淨的陶土燒製出的陶器稱爲泥質陶。因爲陶胎入火燒製後容易變形，所以陶土中有時還要加入一些羼合料，以提高胎體的耐熱性。羼合料通常有沙粒、稻草、石灰粒，精緻一些的還有加入蚌殼碎粒的。我們今天燉煮時使用的砂鍋就屬於一種加砂陶器。

崧澤文化夾沙紅陶鼎

根據燒成後器物用途的不同，陶胎加入的羼合料比例也不相同。我國新石器時代用於炊器的陶器中甚至有的加入高達30%的羼合料。用加工好的陶土製作成所需要的器物再放入窯爐，經過900～1000度左右的溫度燒製，成形後就成爲陶器了。

一般陶土中的鐵元素含量都比較高，鐵元素對陶器燒成後的顏色有較大影響。在氧化氣氛中，陶器通常燒製爲紅色；在還原氣氛中，陶器通常燒製爲灰色。由於陶器表面存在著大量細小的空洞，所以與瓷器相比，陶器的吸水性較高。我國的陶器起源較早，在距今一萬四千年左右的江西省萬年縣仙人洞遺址中就出土了將近三百塊陶片。

420

瓷器的主要特點有哪些？

南朝青瓷雞首壺

瓷器是以瓷土爲胎，瓷土是一種白色的純淨粘土，因爲以景德鎮高嶺所產品質最好，所以又稱爲高嶺土。剛剛被開採出來的瓷土呈塊狀，需要經過粉碎、舂細再將其淘洗，去除雜質。瓷土中氧化矽、氧化鋁含量較高，而氧化鐵含量較少。所以瓷土在高溫狀態下能夠完全燒結，不易變形。將準備好的瓷土通過手工捏製、輪製拉坯、模製等方法加工成所需要的瓷胎。

表面施高溫釉也是瓷器製作的一個重要環節。我國古代的釉料以含有鐵、銅、鈷、錳等元素的天然礦物爲主，可以燒出青、紅、藍、黑、綠等多種顏色。其中含鐵元素的釉料應用最廣，歷代的青瓷都是以氧化鐵爲主要的著色劑。通過調節釉料中含鐵量的多少可以控制釉料的呈色效果。

需要注意的是古代常見的白瓷並非所施釉料燒成後爲白色，其釉料實際是一種接近透明的無色釉。白瓷是在胎體表面塗上一層白色的“化妝土”或其胎體本身就爲純淨的白色，透過無色的釉料呈現出白色的效果。瓷器的燒成溫度遠比陶器要高，需要達到1200～1300度左右。燒成後的瓷器胎體緻密堅硬，吸水率低於1%，釉層光亮剔透，並且耐腐蝕性高。

421

“原始瓷”是如何產生的？

瓷器的產生經歷了漫長的過程，在成熟瓷器出現之前，首先產生了原始瓷。

原始瓷出現在商代中期，與陶器已經有了本質的不同。原始瓷採用高嶺土做胎，普遍施釉，釉料均爲高鈣石灰釉，釉內鐵元素含量約在2%左右，多在還原氣氛中燒成，顏色呈青綠色。這些因素都已非常接近成熟瓷器的標準。

鴻山越國貴族墓出土原始瓷編鐘

但原始瓷也有其原始性的一面。首先，此時的瓷土加工仍比較簡單，使得胎體中的鐵含量仍比較高，質地粗糙。其次，施釉技術也尚未成熟，釉層一般較薄且不均勻，經常出現釉料脫落的現象。而且燒製原始瓷時也經常因爲窯爐內溫度不均導致原始瓷表面顏色不一致。基於這些原因，原始瓷還不能算是眞正的瓷器。

商周時期的原始瓷在我國南北方都有發現，但南方發現的數量大大高於北方。進入春秋戰國時代，原始瓷在品質和數量上都出現了顯著提高，特別是吳、越地區的原始瓷生產進入繁盛階段，出現了大量仿製青銅禮器的器物，如鼎、鐘、盉(hé)、敦等。但是到了戰國晚期，隨著越國被楚國吞滅，這種工藝傳統也隨之衰敗，最終退出了歷史舞臺。

422

唐代瓷器的“南青北白”是指什麼？

“南青北白”是指唐代瓷器生產中南方的青瓷和北方的白瓷兩大瓷器系統。又有所謂“邢白越青”的說法，是用邢窯的白瓷和越窯的青瓷代表了唐代南北方製瓷業的最高成就。

南方的青瓷起源甚早，可以追述到漢晉時代。所燒造的窯口有：越窯、婺州窯、甌窯、岳州窯、長沙窯等，其中以越窯燒造的青瓷最爲有名。越窯青瓷最大的特點是胎質細膩、釉色青綠、光澤淡雅。唐代陸羽所作《茶經》中就將越窯所製的碗列爲第一：“碗，越州上，鼎州次，婺州次，岳州次，壽州、洪州次。”又有“越瓷類玉”、“越瓷類冰”的說法。而且，越窯燒製的瓷器還被唐代列爲貢品。

邢窯白瓷碗

唐代的白瓷生產集中在北方，特別是以邢窯燒製的白瓷，流行於當時的各個階層，被譽爲“天下無貴賤通用之”。邢窯白瓷的特點是胎質潔白、釉色瑩潤，而且較少帶有附加裝飾。文獻中稱其“類銀”、“類雪”。邢窯白瓷也深受唐代皇室的青睞，在傳世和出土的邢窯瓷器中有一類帶有“盈”字款題字的，應爲唐代皇家大盈庫專用。

邢窯白瓷與越窯青瓷在唐代就爲人們所並重，唐代詩人皮日休在《茶甌詩》中贊道："邢人與越人，皆能造瓷器。圓似月魂墮，輕如雲魄起。棗花似旋眼，蘋沫香沾齒。松下時一看，支公亦如此。"

423

何爲"秘色瓷"？

唐代詩人陸龜蒙曾有一首《秘色越器》："九秋風露越窯開，奪得千峰翠色來。好向中宵盛沆瀣，共嵇中散斗遺杯。"講的是唐代瓷器中的一類精品，被譽爲"秘色瓷"。

法門寺出土秘色瓷碗

自古關於秘色瓷就有種種傳聞，宋代的周煇所著《清波雜誌》中解釋秘色瓷爲："越上秘色瓷，錢氏有國日供奉之物，不得臣下用，故曰'秘色'。"講的是秘色瓷是五代吳越國錢氏宮廷專用，臣下不得使用，所以得名。五代時期吳越國曾向中原地區的唐、晉、漢以及後來的宋進貢過秘色瓷器。可見秘色瓷應是吳越地區的特產。但既然唐詩中已經描寫過秘色瓷，其起源應可以追述到唐代。

根據文獻中的描述，可以推測秘色瓷是由越窯燒造的青瓷類中的一種，但長期以來對於秘色瓷究竟爲何物不得而知。1987年陝西扶風法門寺唐代地宮的考古發掘中出土了一批青瓷器，並且還出土了一件"金銀寶器衣物帳"，記錄了地宮中所藏各類器物的名稱、數量，其中有"瓷秘色碗七口，內二口銀棱，瓷秘色盤子、疊子共六枚"。根據此帳的記載正好可以找到相應的器物。出土的秘色瓷釉色呈青綠色和青黃色，光澤晶瑩，造型勻稱，屬於越窯青瓷中的精品。可見“秘”色應是指“碧”色，兩字古音相通，並非是皇宮專用。由此終於揭開了秘色瓷的千年之謎。

424

青花瓷產生於何時？

元青花“蕭何月下追韓信”梅瓶

青花瓷是指在成形的白色胎上用鈷料繪製圖案，然後再將胎體整體塗上透明的釉料，經過1350度以上的高溫燒製後，鈷料呈現出藍色，整體表現爲白底藍花的釉下彩瓷。

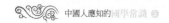

我國的青花瓷最早出現在唐代，但是數量不多，且完整器較少，那時技術尚未成形，隨後便逐漸消失了。

到了元代，景德鎮窯開始大量生產青花瓷，標誌著青花瓷進入成熟階段。起先人們對元青花並不關注，認爲青花是明代才開始流行的。1929年英國人霍布遜發現了兩件題有“至正十一年”款的青花瓷。到20世紀50年代，美國人波普以“至正型”爲基礎，對照伊朗、土耳其一帶收藏的元代青花瓷，確立了元代成熟青花瓷的標準。隨後在北京、河北、江西等地的考古發掘中，也相繼出土了一批元代青花瓷。至此對於元代青花瓷的廣泛燒製得到了認同。元代憑藉著蒙古帝國的影響，與中亞、西亞交往頻繁，青花瓷深受穆斯林的喜愛，被大量銷往伊斯蘭世界。不僅如此，元代還從海外進口鈷料，所燒製的青花色彩濃豔。由於青花是釉下高溫彩瓷，經久使用也不會褪色，再加上其燒製成本較低，一經產生便迅速普及，使得其他各類瓷器隨之衰落。到了明清時代，青花瓷已成爲了瓷器中的絕對主導。

425

什麼是“鬥彩”？

鬥彩是指釉下的青花和釉上彩相結合的一種瓷器。其製作過程是：先在胎體上施青花釉料繪製花紋，再整體施透明釉料，經過高溫燒製，燒製出青花瓷。再用各種彩色釉料在釉上繪製出與青花相配合的圖案，然後第二次入窯，經過800度左右的低溫燒製，燒成後釉下的青花與釉上彩共同組成圖案。

明成化鬥彩雞缸杯

鬥彩始創於明代，是明代釉上彩瓷高度發展的結果。宣德年間就已經出現了將釉下青花和釉上紅彩相結合的青花紅彩器，這已經可以稱作是廣義的鬥彩了，只是顏色仍比較單調。

眞正成熟的鬥彩出現在明成化年間，其特徵是以青花勾勒圖案線條，再以紅、綠、黃、紫等釉上彩塡色。燒製好的鬥彩，不僅色彩多樣，而且給人一種強烈的層次感。

成化鬥彩基本都爲官窯燒造，因爲工藝繁複，且需燒造兩次，稍有不愼就會成爲廢品，以致鬥彩在當時就價値不菲。《神宗實錄》：“神宗時尙食，御前有成化彩雞缸杯一雙，値錢十萬。”

到了嘉靖朝，鬥彩又發展出青花五彩瓷器。五彩中的青花已經不像鬥彩中佔有主要的地位，而是以釉上彩構成主要圖案。

進入淸代，鬥彩不論是色彩品種、畫面構圖以及燒造品質都大大地超過了明代，並且民窯也有廣泛的燒製。

426

“紫砂”是如何產生的？

考古出土宜興紫砂壺

沏茶時常用的紫砂壺實際是一類特殊的陶器。燒造紫砂以江蘇宜興一帶出產的質地細膩、含鐵量高的陶土爲最好。宜興所產陶土有紫泥、綠泥、紅泥三類，燒成後呈現出紅褐、蛋黃、紫黑等顏色。其中紫泥的含鐵量約在6%～9%，有的甚至達到12%。紫砂的燒成溫度爲1100～1200度，這已經接近瓷器的燒成溫度了。燒成後的紫砂器質地細密，吸水率小於2%，介於陶器和瓷器之間。這使得紫砂的透氣性和隔熱性適當，非常有助於發揮茶的香氣。宜興所產紫砂以蜀山鎮最爲有名，稱爲茶具之首。此外，鼎山鎮所產一種以紫砂爲胎外表施以天青、天藍、葡萄紫等色的釉料，因與宋代鈞窯瓷有相似之處，故被稱爲“宜鈞”。

除了宜興以外，浙江、廣西等地都產有紫泥，但品質不及宜興所產的優質。

宜興在宋代就開始生產紫砂器，但製作比較粗糙。到了明代，由於飲茶的方式由烹煮法轉變爲沖泡法，紫砂器能夠提升茶香的功能逐漸爲人所知，一時以紫砂飲茶成爲士人的風尙，紫砂器也由此風靡開來。到了萬曆年間，出現了壺藝四大家董翰、趙梁、元暢、時朋，紫砂壺也從單純的茶具逐漸轉變爲一種藝術品。清代以後，紫砂不僅流行於士大夫之間，甚至走入了宮廷，成爲了地方貢品。

427

石窟寺是如何起源的？

石窟的樣式可謂多種多樣，例如：中心塔柱式、僧房式、覆斗式、大像窟式、背屏式等。但人們爲什麼要雕鑿形式各異的石窟，石窟又是如何產生的呢？

石窟寺最早起源於古代印度。南亞次大陸氣候炎熱、雨季暴雨不斷，開鑿在岩體內的房屋不僅涼爽宜人、經久耐用，而且多遠離塵世、環境清幽。因此許多僧侶多選擇在山中開鑿石室以供修行、居住。

在佛教剛產生的一段時間裏，佛教僧侶們並不立佛像崇拜，而是以佛祖遺留的許多遺跡作爲禮拜對象，其中最爲重要的就是爲埋葬佛祖舍利而建造的塔的形象。

雲岡石窟第一窟中心柱

進入深山修行的僧侶也將塔帶入了石窟寺中。梵語中稱塔爲“caitya”，本意爲積聚，漢音譯作“支提”，本指釋迦牟尼涅槃時曾積聚香柴，其後又堆積磚土而埋葬。因此在石窟內雕鑿出塔的形象以供禮拜的石窟被稱作“支提窟”，又稱作中心塔柱窟。僧侶們在石窟中圍繞塔柱旋繞，誦經禮拜。

在支提窟的周圍往往還伴隨有僧侶們居住的小型石窟，在梵語中將僧侶住宿的地方稱作“viha^ra”，漢譯爲僧院、精舍，音譯爲“毗訶羅”，因此這種石窟又被稱作“毗訶羅窟”或僧房窟。

佛像產生以後，這兩種石窟仍然沿用，但往往在窟內增加大量的佛像裝飾。如支提窟內的中心柱多雕鑿成四方形，四面雕刻上佛祖的四種形象。此後石窟內的佛像越來越突出，並最終取代了“支提”，成爲了石窟的主體。

428

“天下第一禪林”是怎樣得名的？

靈谷寺無梁殿

南京紫金山中山陵的東部坐落著一座靈谷寺，這座寺院是南朝梁代爲紀念一位名叫寶志的神僧建造的。《南史·釋寶志傳》：“時有沙門釋寶志者，不知何許人，有於宋太始中見之，出入鐘山，往來都邑，年已五六十矣。齊、宋之交，稍顯靈跡，被發徒跣，語默不倫。或被錦袍，飲啖同於凡俗，恒以鏡銅剪刀鑷屬掛杖負之而趍。或征索酒肴，或累日不食，預言未兆，識他心智。一日中分身易所，遠近驚赴。”寶志由於展現了種種靈異，篤信佛教的梁武帝對其非常敬重。寶志圓寂後，葬在今紫金山獨龍阜下，就是今日明孝陵所在地，梁永定公主還出資爲其修造了一座五層石塔。後來梁武帝又在此建造了一座開善寺——靈谷寺的前身。

此後，關於寶志和尚的種種傳聞在民間廣爲流傳。敦煌文書S.1624號中就有關於寶志的神異故事，並且很多文人都撰文、作詩傳誦這位高僧。今日在靈谷寺中就保存有一通原由唐代的吳道子爲寶公作像、李白撰文、顏眞卿書丹而成的“三絕碑”。甚至有學者指出，從宋代開始流傳的“濟公”形象就是起源於寶志和尚。

關於志公墓塔遷移一事，有一段有趣的傳說。朱元璋定都南京後，要爲自己選一處葬地，看中了寶志和尚長眠的鐘山獨龍阜下。但在搬遷志公塔底層的志公眞身時，竟然“眞身不壞，指爪繞身數匝，軍士輦之不起”。於是朱元璋許諾給志公金棺銀槨，並敕建禪林。眞身隨即搬起，在今天靈谷寺內再度安葬，朱元璋賜靈谷寺爲“天下第一禪林”。

429

什麼是布幣？

先秦時期流行的如同鏟形的金屬貨幣，今天習慣上稱作布幣。布被指代爲一種貨幣起源於早期物物交換階段布帛所具有的一種實物貨幣功能。進入金屬貨幣階段，人們習慣性地將金屬貨幣仍稱爲“布”，但這應是古代金屬貨幣的一種通稱。從宋代以來的古錢研究者把流行於先秦的鏟形金屬貨幣稱作“布”，流傳至今已成爲一個專指名稱。

布幣主要流行於春秋戰國時期以農耕經濟爲主的周、鄭、衛、晉等地區，是模仿實用的鏟形工具而來。

早期的布幣體型較大，還保留著實用工具的特徵，被稱作“原始布”。

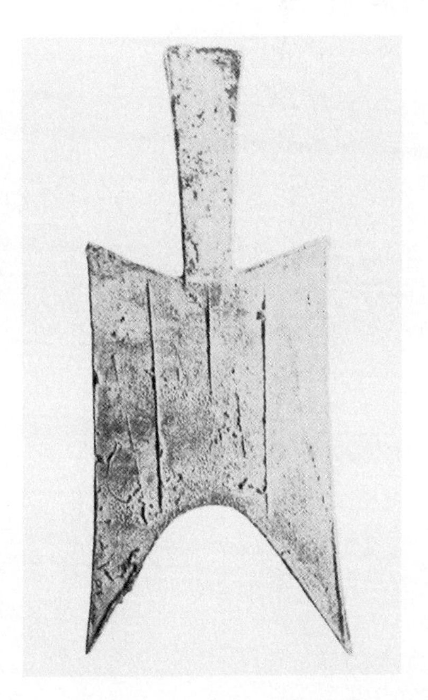

空首尖足布

從春秋中期開始，逐漸產生了一種體型較小、便於攜帶的布幣，由於其頂部有一個中空的銎(qióng)，所以被稱作“空首布”。空首布根據肩部的形狀可以分爲平肩、斜肩和聳肩三類，但基本形制相同。空首布錢身上常有三道突起的豎線，豎線間有時會鑄有文字，文字多爲當時的地名。由於空首布頂部有一個中空的銎，鑄造工藝比較複雜。

到了戰國時期，人們逐漸省略了銎，而改爲扁平的首，被習慣稱爲“平首布”。

平首布流行的範圍更加廣泛，樣式也逐漸增多，有尖足、平足、橋形等多種樣式。布幣的主要單位爲“釿”，可見到二釿、一釿和半釿等幾種。

品種繁多的布幣一直通用到戰國末年，隨著秦國統一中國，秦國的方孔圓錢取代了列國各自通用的貨幣。布幣也至此消失，退出了歷史舞臺。

430

什麼是刀幣？

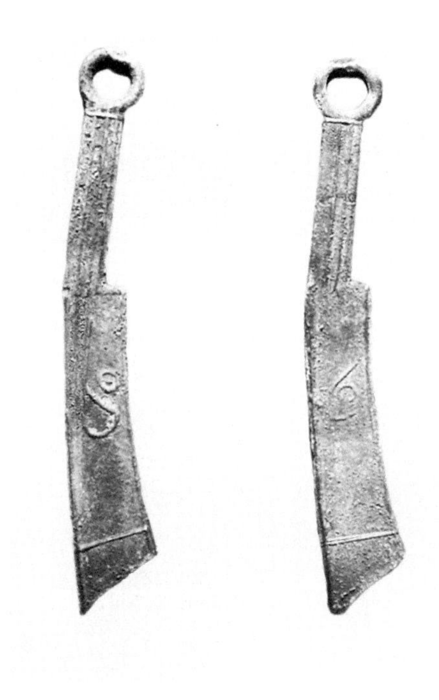

燕明刀

刀幣流通於東周開始到秦統一中國，主要出現在濱海工商業發達的燕、齊兩國。

刀幣最早流行於燕國的周邊地區，模仿的應是生活中實用的削刀。從考古發掘的墓葬判斷，當時這裏屬於北方的戎狄部族。早期的刀幣體形較大，刀身厚重，特別是刀頂部比較尖銳，所以又稱“尖首刀”。由於燕國地處北方的農牧交接帶，與戎狄部落的交往頻繁，因此燕國的刀幣很可能是在與戎狄的貿易和戰爭中逐漸吸收過來的。戰國時期燕國境內出土有大量刀身上帶有“明”字的刀幣，被稱作燕明刀，應是燕國鑄造的通用貨幣。燕明刀根據刀背的形狀，主要可以分爲弧形刀背、折刀背兩種。關於“明”字的意思，衆說紛紜，有的說是地名，也有說“明”通“盟”，是會盟時所用。但現在學界更傾向於“明”是鑄錢機構的名稱。此外，刀身背面也常鑄有數字、“行”、“爐”等文字。

齊國鑄造的刀幣上面常有“大刀”兩字，過去常將其釋作“法化”，現在已經得到修正。“大刀”前一般還有地名，如“齊大刀”、“安陽之大刀”、“即墨之大刀”等，應與鑄造地有關。齊國也流行有一種“明”刀，早年多被認爲是燕國樂毅伐齊時鑄造的。現在普遍觀點是刀背有“莒冶某”字樣的尖首細腰形“明”刀是樂毅伐齊時莒、即墨兩地所鑄的。而與燕弧折“明”刀相似的齊“明”刀，尚沒有確定其來源。

濱海的燕、齊兩國流通的刀幣代表了與農業發達的中原地區使用的布幣不同的貨幣系統。

431

王莽貨幣改革中鑄造了哪些“新錢”？

王莽生活的西漢中後期，漢帝國所面臨的土地、財政等問題相當嚴峻。王莽以外戚身份逐漸步入權力的頂峰，最終代漢立“新”，托古改制。王莽在執政期間共進行了四次大規模的貨幣改革，鑄幣品種多達三十餘類。這些“新錢”在傳世和考古發掘中都有發現，略作介紹。

“一刀平五千”

（一）前兩次貨幣改革

王莽在尚未登基之前的居攝二年（7）第一次改革貨幣，新鑄造了三種大錢與原來通行的五銖錢並行使用。所謂大錢，就是錢文面值與錢的實際重量不符。一種爲錢文作“大泉五十”的方孔圓錢，重量只有十二銖，卻可以兌換50枚五銖錢。另兩種爲錢文作“契刀五百”、“一刀平五千”的刀幣。雖然是仿造先秦的刀幣，但是刀柄處又有一方孔圓錢，“契刀”、“一刀”均鑄造在圓錢上。特別是“一刀”二字爲陰文內嵌錯黃金，故又稱“金錯刀”。這兩種刀幣分別可以兌換500枚五銖錢和1000枚五銖錢。由於“一刀平五千”的製作十分精美，後來竟成爲一種定情信物，如張衡《四愁詩》：“美人贈我金錯刀，何以報之英瓊瑤。”

始建國元年（9），王莽下詔第二次改革貨幣。因爲他篤信讖緯經學，所以極力消除一切與“劉”（卯、金、刀）有關的事物，而“錢”、“銖”、“契刀”、“錯刀”以及佩戴的“剛卯”等均有卯、金、刀三字，所以一律下令廢除。“錢”全部改稱“泉”，並發行重僅一銖的“小泉直一”，與居攝二年發行的“大泉五十”並行使用，二者兌換比率爲1：50。由於百姓早已習慣了用五銖錢進行交易，不願使用“莽錢”，王莽下令強制頒行新錢，以至於“農商失業，食貨俱廢，民人至涕泣於市道。坐賣買田宅奴婢鑄錢抵罪者，自公卿大夫至庶人，不可稱數”。

（二）後兩次貨幣改革

始建國二年（10）王莽下令第三次改革貨幣。這次頒行了複雜的“寶貨制”，包括“五物、六名、二十八品”。

所謂“五物”就是指五種貨幣質地，即金、銀、銅、龜、貝。“六名”是指六種貨幣名稱，即黃金、銀貨、龜寶、布貨（銅幣）、貝貨和貨泉（銅幣）。“二十八品”就是六種貨幣一共分成二十八種面值。其中布貨有十品，模仿先秦的布幣鑄造。最小的爲“小布一百”，長爲漢代的一寸五分（約今34毫米），重爲十五銖，價值相當於一百錢。其他九品爲“么布二百”、“幼布三百”、“序布四百”、“差布五百”、“中布六百”、“壯布七百”、“第布八百”、“次布九百”、“大布黃千”，長度依次遞增一分，重量依次遞增一銖，而面值卻遞增一百。因爲此次發行的“二十八品”過於複雜，且幣值懸殊過大，根本無法流通，推行後不久就停止使用，僅保留“小泉直一”和“大泉五十”兩種貨幣。

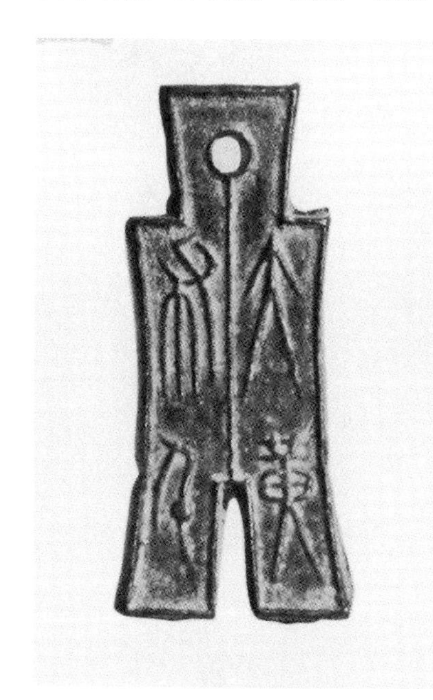
“大布黃千”

天鳳元年（14）王莽第四次下令改革貨幣，廢除此前流行的“小泉直一”、“大泉五十”，改鑄方孔圓錢面文書“貨泉”和仿先秦布幣面文書“貨布”的兩種錢。二者兌換比率爲25：1。

此外，還流傳有兩種錢被認爲是王莽時期鑄造的。其中一種爲面文書“布泉”的方孔圓錢，錢文書寫與莽錢相似，另一種爲面文書“國寶金匱直萬”的巨額面值錢。雖然王莽的多次貨幣改革均告失敗，但是王莽所鑄造的貨幣字體優美，做工精良，是我國鑄幣史上傑出的代表。

432

詩聖杜甫安葬何處？

我國共存有八處詩聖杜甫的墓地，分別位於：河南偃師、河南鞏義、湖南耒陽、湖南平江、湖北襄樊、陝西富縣、陝西華縣和四川成都。其中富縣、華縣、成都均爲杜甫生前仕宦或生活過的地方，襄樊爲杜甫家族襄陽杜氏的郡望，這四個地方的杜甫墓屬於追念性的。而其餘四地的杜甫墓孰眞孰謬爭議頗大。

根據文獻記載，杜甫死於唐大曆五年（770），文獻中明確記載卒地爲湖南耒陽，也有學者根據詩文和後代文獻考證爲洞庭湖舟中。

杜甫死時曾有遺願要歸葬位於河南偃師的祖塋，這裏埋葬著他最爲崇拜的兩位先祖。一位是他的十三世祖西晉鎮南將軍杜預，杜預是西晉平吳統一戰爭的主要戰略制定者和指揮官，也是一位著名的經學家，曾注解《左傳》。另一位是杜甫的祖父杜審言。杜審言是唐代前期的著名文士，與當時的李嶠、崔融、蘇味道共稱爲“文章四友”。而且偃師還安葬了杜甫的叔叔杜並，杜並因殺死誣陷其父杜審言的周季童而死於非命，被當時人譽爲“孝童”。因此在杜甫看來，偃師應是其歸葬的地方。但是由於當時杜家已經貧困，其子杜宗武無力將其靈柩運回河南安葬，只能權葬在湖南。這就是湖南兩處杜甫墓出現的原因。

但是到了元和年間，杜甫之孫爲完成祖父的心願，竭盡全力將杜甫遷葬回偃師，並在途中請詩人元稹爲杜甫撰寫了墓誌，墓誌中明言杜甫遷回偃師安葬。

而在宋代出現的文獻中誤將偃師記成了鞏縣，這就是鞏縣杜甫墓的來歷。

今天在偃師市西的杜婁村，樹立著杜預、杜審言和杜甫的墓碑，這裏應是詩聖魂歸之所吧。

433

北京的金代帝王陵是何時遷來的？

雲峰山下的睿陵遺址

在北京的房山區坐落著一處大型的皇家陵區，這就是大房山金代帝王陵。

金太祖完顏阿骨打建立金朝之初，定都於今黑龍江省的阿城，稱上京會寧府。自阿骨打及以下的太宗完顏晟、熙宗完顏亶均葬於上京。金代的第四代皇帝完顏亮，強行將首都遷到燕京，也就是今天的北京，並將上京的祖陵全部遷到北京西南的大房山，其中太祖完顏阿骨打的睿陵被遷到雲峰山下。完顏亮一方面極其仰慕漢文化，史載其“嗜習經史，一閱終身不復忘。見江南衣冠文物，朝儀位著而慕之”。而遷都燕京更有利於女眞政權吸取漢文化；另一方面，完顏亮是篡位稱帝，而上京爲女眞舊貴族所掌控。遷都的同時，完顏亮將宗室貴族也一同遷往內地，並下令平毀上京的宮殿和大族宅邸，以加強對他們的控制，鞏固自己的統治。後來完顏亮因剛愎自用而被女眞貴族所殺，並降爲海陵王，但燕京作爲金的首都卻被保留下來。以後的歷代皇帝也均以大房山爲陵。

蒙古滅金後，仍奉金爲正朔，對大房山的金陵也保持祭祀。

明代天啓年間，因作爲女眞後裔的後金不斷強大，明熹宗將其歸咎於大房山金陵“王氣太盛”，於是下令徹底摧毀金陵。不僅拆毀了所有地面建築，還將太祖睿陵後的雲峰山山脊砍斷，在峰下挖出一條深洞，並填以碎石，稱爲斬龍頭、扼龍喉，以消滅女眞的王氣。以後金陵逐漸湮沒無聞。

隨著建國後考古工作的不斷深入，房山金陵又重現端倪，最終在雲峰山下找到了埋葬著完顏阿骨打的睿陵。

434

昭陵六駿是指什麼？

昭陵六駿中的颯露紫

唐太宗的昭陵位於陝西省禮泉縣境內的九嵕山，採用“依山爲陵”的構築方式。因爲九嵕山山體南坡過於陡峭，所以整座昭陵一反傳統的坐北朝南的陵園佈局，將陵園的正門設置在了北面。

在昭陵北門內樹立著衆多石刻，其中最爲著名的當屬“昭陵六駿”。所謂六駿就是太宗皇帝在剿滅唐初地方割據勢力的戰爭中所乘過的六匹戰馬，分別爲青騅、什伐赤、特勒驃、颯露紫、拳毛騧、白蹄烏。石刻中的六駿，馬鬃處被修剪成三辮，在唐代被稱作“三花”；馬尾處也爲防止在奔跑時相絆而繫成一團；其中三匹作站立狀，三匹作奔跑狀，動靜結合，各具特色。

在“昭陵六駿”中尤以颯露紫一件最爲傳神。“颯露”一詞應源於突厥語，又被翻譯成“沙缽略”，原意爲“勇健者”。“颯露紫”就是指勇敢的紫色駿馬。太宗皇帝征討王世充時所乘的就是這匹颯露紫。

據記載，太宗皇帝爲秦王時受命征討洛陽，與王世充的軍隊在邙山一帶相遇。秦王身先士卒，衝入敵陣，所向披靡，卻逐漸與周圍的將士失散，身邊僅有大將丘行恭護衛。正在此時，所乘御馬颯露紫前胸中箭。丘行恭見狀便將坐騎讓與秦王，自己爲颯露紫拔出胸口的箭。但颯露紫還是因傷勢過重，倒在了此次平定東都的戰場上。隨後丘行恭護衛秦王衝出敵陣，最終奪得了洛陽。貞觀年間，太宗皇帝爲表彰丘行恭和颯露紫在戰場上的英勇表現，下詔雕刻了這塊描繪丘行恭爲颯露紫拔箭的石刻，立於昭陵北門內。

435

霍去病墓前石刻有哪些？

馬踏匈奴

位於陝西省興平縣的漢武帝茂陵是西漢帝王陵墓中最爲宏偉的一座。在其東北約一公里處有一座陪葬墓，安葬著漢代著名將領霍去病。

霍去病十八歲時就曾率兵出擊匈奴，先後六次深入河西、漠北等地擊敗匈奴主力。特別是在元狩四年（前119）霍去病出代郡二千餘里，在狼居胥山擊敗匈奴左賢王部，俘獲七萬餘人，史載匈奴“幕南無王庭”。但兩年後霍去病卻英年早逝，年僅二十四歲。漢武帝下詔讓其陪葬茂陵，並築塚以像祁連山，還在墓前安放了衆多石刻，以表彰其赫赫戰功。

霍去病墓前現保存有十六件石刻，其中馬踏匈奴、臥馬、躍馬、臥虎、野人抱熊、怪獸食羊、石人、石豬、臥牛、臥象、石蛙、石蟾等被列爲國寶，又有石魚、石刻題字等屬於國家一級文物。這些石刻雖然雕刻手法簡潔，但卻極其傳神。特別是其中的“馬踏匈奴”寓意深刻。這尊石刻高約1.68米，長約1.90米，雕刻主體爲一立馬，馬身下部踩踏著一個蓬發髯鬚、手持弓箭、正在掙扎的人，據推測應是匈奴士兵。整座雕刻表現了霍去病生前在戰場上迎擊匈奴的場景和其“匈奴未滅、無以家爲”的志向。

436

漢代“剛卯”的用途是什麼？

漢代人固守著一種被稱作“讖緯”的神學思想。所謂讖緯，簡而言之就是包含有大量吉凶符驗的迷信思想。漢人又極其崇尚玉，認爲玉可以溝通人間與仙界。我們熟悉的金縷玉衣就是漢人崇玉的極端體現。剛卯就是漢代人讖緯思想與崇玉情節相結合的產物。

玉剛卯

《漢書・王莽傳》引服虔曰：“剛卯，以正月卯日作佩之，長三寸，廣一寸，四方，或用玉，或用金，或用桃，著革帶佩之。今有玉在者，銘其一面曰‘正月剛卯’。”又引晉灼曰：“剛卯長一寸，廣五分，四方。當中央從穿作孔，以采絲茸其底，如冠纓頭蕤。刻其上面，作兩行書，文曰：‘正月剛卯既央，靈殳四方，赤青白黃，四色是當。帝令祝融，以教夔、龍，庶疫剛癉，莫我敢當。’其一銘曰：‘疾日嚴卯，帝令夔化，順爾固伏，化茲靈殳。既正既直，既觚既方，庶疫剛癉，莫我敢當。’”由此可以瞭解剛卯的大致形制，其上所刻銘文應爲驅除疫鬼的符語。

在考古發掘中，漢代的居延遺址中出土過木質的剛卯。此外還在安徽亳州市鳳凰臺漢墓中出土過一對玉質剛卯。這兩枚玉剛卯大小相仿，高約2.28釐米，寬不到1釐米，中間各有一個穿孔，原來應配有繩帶，用以佩戴。令人驚奇的是剛卯四面均陰刻篆書兩行，所刻內容與文獻中記載一致。可見，漢代人確實曾佩戴過這種用以驅除災禍的配飾。

437

古代的“司南”是勺形指南針嗎？

復原的古代司南

在很多歷史或古代科技類的博物館中都展示有古代“司南”的模型，通常將其解釋爲古代的指南針，其形象爲：下部有一金屬方盤，上面刻畫著天干、地支、二十八宿等古代天文要素。方盤上還放置有一個磁勺，磁勺的勺柄就相當於指南針，可指明方向。這種復原的古代司南已廣泛爲大家接受，並被很多歷史教科書所採納。其實上面所說的“司南”是王振鐸先生根據《論衡・是應篇》中的一段記載復原的：“司南之杓，投之於地，其柢指南。”

在我國古代，司南多指司南車，《韓非子》李瓚注曰：“司南即指司南車。”司南車就是一種具有指南功能的皇家禮儀用具。《晉書・輿服志》：“司南車，一名指南車，駕四馬，其下制如樓，三級，四角金龍銜羽葆，刻木爲仙人。衣羽衣，立車上，車雖回運而手常南指。大駕出行，爲先啓之乘。”這種司南車顯然與復原的“司南”相距甚遠。

經中國國家博物館孫機先生考證，王振鐸先生所引用的文獻版本有誤，在宋版的《論衡》中記載爲“司南之酌，投之於地，其柢指南”。講的是將司南車放置在地上，其上的橫木指向南方，所說的還是司南車。因此王振鐸先生復原的方盤磁勺的“司南”應是一種誤解，這也就可以解釋爲何在考古發掘中始終沒有發現此類“司南’的文物了。

438

滇文化的貯貝器是用來做什麼的？

貯貝器

滇文化是分佈在我國雲南地區以滇池爲中心的古代文化，其存在的時間相當於戰國初年到西漢末年。在中原王朝看來，滇無疑是南蠻荒服之地。但通過考古發現，滇人同樣創造了輝煌的古代青銅文化，貯貝器就是其中的代表。

貯貝器顧名思義是用來存放貝殼的容器，在滇文化的墓葬中常常與銅鼓、銅俑等成組出現，按照樣式可分爲提桶型、銅鼓型、特殊形狀等多種。貯貝器本身由器蓋、器身、器足三部分組成。器足多爲三個，起了支撐器身的作用。器身上滿布裝飾圖案，有時還配有形狀各異的把手。貯貝器最富表現力的地方就是器蓋上展示的各種滇人生活場景，通常有農業生產、戰爭、祭祀、舞蹈等多種題材，往往人物形象衆多，動作生動，極富情趣。

貯貝器在出土時很多都被發現裝滿了貝殼。據生物學家研究，這些出土的貝殼共分爲環紋貝、貨貝、虎斑寶貝三種，基本上產自太平洋、印度洋和大西洋的沿岸地區。在臺灣、海南、西沙一帶也有出產。古代滇人如果要獲得這些海貝一定要經過貿易才能得到。這些海貝雖然不一定在滇文化中充當貨幣的作用，但肯定具有很高的價值，以致當滇國貴族死去時，一定要把這些財富永遠地留在身邊。

439

爲何“滇王之印”與“漢委奴國王”印非常相似？

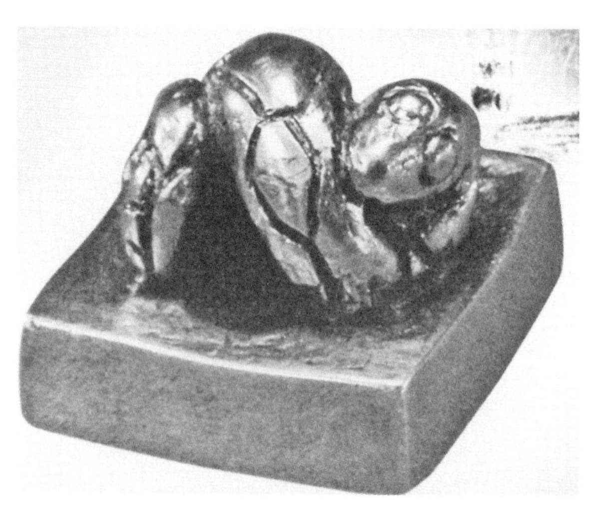

滇王之印

“漢委奴國王”印1784年出土於日本九州福岡縣誌賀島。此印爲金質，重108克，通高2.2釐米，印上爲蛇鈕，印面爲邊長2.3釐米的正方形，印文作“漢委奴國王”。由於當時傳世的漢代璽印中沒有發現蛇鈕的樣式，所以很多人懷疑“漢委奴國王”爲僞造或者是倭國自己鑄造的，與中國並無關係。

1956年，在雲南晉寧石寨山滇文化墓葬中也出土了一件蛇鈕的金印。這枚金印重90克，通高2.7釐米，印面邊長2.4釐米，印文作“滇王之印”。可以看出兩枚金印從形制到大小均十分相似，從而確定了“漢委奴國王”印應爲眞品。如今“漢委奴國王”印已被定爲日本國寶，收藏在九州福岡美術館中。

兩枚金印雖然樣式相似，但是鑄造的時間不同。根據《史記·西南夷列傳》：“（漢武帝元封二年）賜滇王王印，復長其民。”可見滇王之印應是在西漢時期賜予滇王的。而最早記載漢朝和倭國有正式交往要到東漢時期，《後漢書·東夷列傳》：

“（東漢光武帝）建武中元二年倭奴國奉貢朝賀，……光武賜以印綬。”漢代地方官員和諸侯王作爲職位憑證都配有印綬，並且印鈕的樣式還有相對的規定。

440

墓碑是如何起源的？

碑最早的概念是指樹立的石塊。《儀禮・聘禮》鄭玄注：“宮必有碑，所以識日景，引陰陽也。凡碑引物者，宗廟則麗牲焉。”這一段講的是宮中一定要立碑，用來測量日影；宗廟也要立碑，是拴祭祀用的牲畜的。這些碑都是具有實用價值的立石，與後來專門用於刻寫文字的碑相距甚遠。

南朝蕭繡墓碑上的穿

此外，早期墓葬中還使用一種下葬用的工具，也稱爲碑。《禮記・檀弓下》：“公室視豐碑。”鄭玄注：“豐碑，斫大木爲之，形如石碑。於槨前後四角樹之，穿中於間爲鹿盧，下棺以綷繞。天子六綷四碑，前後各重鹿盧也。”可見，鄭玄所說的豐碑是用來固定轆轤、牽引繩索將棺槨放置到墓穴中的木製設備。在陝西鳳翔秦公一號墓中的墓壙兩側出土了兩件斜插的高大木碑，據推測就是文獻中所記的“豐碑”。因爲這種碑在死者安葬後就被留在墓旁，人們於是將死者的生平和悼念文字刻寫在這種“碑”上，以後逐漸發展成爲專門爲頌揚死者所立的墓碑了。

今天能夠見到的最早的碑出現在漢代，頂部的碑額與撰寫正文的碑身通常刻在同一塊石板上，下部還配有用於固定的碑座。常見的碑額有圭形、圜形、方形等幾種。

在早期墓碑的碑額與碑身之間通常有一個圓孔，被稱作“穿”。這很可能是保留早期碑作為下葬工具時用於牽引繩索的圓孔。隨著後來碑形制的定型，這種穿也就逐漸消失了。

441

唐代乾陵的述聖紀碑是什麼樣子？

在安葬著唐高宗和武則天的乾陵正門朱雀門外，東西樹立著兩通高大的石碑，這就是無字碑和述聖紀碑。

述聖紀碑是在唐高宗李治駕崩後，由武則天撰文歌頌高宗一生的功業，並由中宗李顯親筆書丹而成。

述聖紀碑通高7.3米，重約90噸，可謂是古碑中的巨制。不僅如此，述聖紀碑的形制也非常獨特。碑首部分高約0.6米，製作成廡殿頂形，屋頂的瓦壟、簷下的櫞條均雕刻得惟妙惟肖。在屋簷的四角下方，還雕刻出四個力士承托屋頂的形象，造型十分巧妙。廡殿頂碑首下由五塊長寬均為1.86米、高1.2米的巨石疊落而成。在碑身下部還有一方形碑座，邊長近3米，並有大部分埋在地下。因為述聖紀碑共有一節碑首、五節碑身、一節碑座，一共七節，所以又被稱作“七節碑”。

在乾陵未進行全面整修前，述聖紀碑周圍散落著許多磚瓦碎片，後經發掘還發現了條磚、蓮花磚等遺物。由此可以推測，此碑在唐代曾建有碑亭，後遭損壞。

由武則天撰寫、中宗書丹的碑文就刻寫在碑身的巨石上。由於時代久遠、風雨侵蝕，特別是此碑約在明代時倒塌，所以碑文漫漶嚴重，僅在第二、三、五塊碑石上保留有文字，所能識別的內容有限，據說一些文字中還保留有填金的痕跡。經歷代學者研究，現在約識別出一千六百餘字。碑文的主要內容是敘述了高宗皇帝一生的主要事蹟以及登基後的文治武功。像述聖紀碑這樣圍繞著一個家庭三位皇帝而成的古碑可謂是絕無僅有的。

442

乾陵的無字碑爲何無字？

無字碑是在武則天去世後，合葬高宗乾陵時樹立的。整座碑通高8米，寬2.1米，厚達1.49米。

無字碑採用唐代常見的碑體形制，碑首呈圓形，刻有八條身體相纏的螭龍。在碑首的兩側各垂下四條龍首。在螭龍身體下方有圭形的碑額，但是並沒有任何題字。在碑身的陽面上隱約地刻有4.5釐米見方的小格子，總共約有四千餘個，如同今日的作文紙。但是在碑身上並沒有唐代的任何刻字。在碑身的兩側刻有大雲龍紋，造型極其生動。碑座爲方形，陽面刻有獅馬圖案。

乾陵無字碑

關於無字碑爲何已經製作成形卻沒有刻字，歷來觀點頗多。有人說無字碑是因武則天功高蓋古，取《論語》中“民無得而稱焉”之義，故沒有刻寫文字；也有的說武則天臨終前曾留有遺言說，自己的功過是非留待後人評論。但是這些說法均缺少確實的依據。

現在普遍的觀點是武則天生前極力迫害李唐皇室成員和忠於唐室的官員，等到中宗復位後，朝廷中還留有武氏子弟和由武則天提拔的官員，這必然造成觀點的相悖。特別是中宗李顯，一生受到武則天的幽禁、迫害，但畢竟武則天是其生母，作爲兒子該如何評述母親的種種行爲？由於這些矛盾，所以最終導致了無字碑的形成。

其實無字碑也並非無字，在碑身上刻有漢文與契丹小字對譯的《大金皇弟都統經略郎君行記》，是金代留下的一篇珍貴的行記。早期人們一直將其認定爲金朝女眞文撰寫，後經研究發現這些文字竟是契丹小字，從此成爲瞭解讀契丹小字的入門依據。

443

陽山碑材爲何沒有雕刻成碑？

陽山碑材

位於南京東郊陽山之陽有三處經人工雕鑿成形的巨型石塊，據記載這是明永樂年間成祖朱棣爲朱元璋修建明孝陵準備取用的碑材。

朱元璋死後，朱棣因不滿建文帝登基，發動“靖難之役”，佔領南京奪得帝位。朱棣稱帝后爲了安撫朝野，證明自己即位的正統，決定爲其父樹立“神功聖德碑”，而且建立此碑務求高大，於是從永樂三年八月開始在陽山開鑿石碑。

如今留在陽山的三座巨石，據分析可能分別爲碑首、碑身和碑座。碑首的一塊呈橢圓形，寬21.20米、厚8.03米、高8.07米，兩側還留有雕刻螭龍的痕跡。碑身的一塊最爲壯觀，其東北端尙與山體相連，但其餘部分已基本成形。碑身長41.50米、寬13.02米、厚近4米，據推測僅碑身重量就達8000餘噸。碑座長26米、寬16米、厚13米，底部已經基本鑿空，尙留有用以支撐的石座。如果將這通石碑組合立起，其體積和重量是難以想像的，也可見是根本無法完成的。

陽山碑材僅開鑿了九個月，就因體量過於龐大無法運輸、組合，最終只得作罷。隨後朱棣在明孝陵陵園內建造了一座碑亭，並樹立起僅高近9米的“大明孝陵神功聖德碑”。

清代詩人袁枚看到位於陽山上的碑材後寫下了《洪武大石碑歌》，其中一句爲“碑如長劍青天倚，十萬駱駝拉不起”，令人感慨。

444

墓誌是如何起源的？

在墓誌出現以前，墓葬中出現記錄有墓主人身份的遺物是比較少見的。例如爲人們所熟知的曾侯乙墓，就是在墓中出土了一百餘件青銅禮器、用品上有“曾侯乙”的銘文，才將其確定爲戰國時期曾國一位叫乙的侯爵的墓葬。漢代初年的南越王墓、馬王堆漢墓也均是出土有相應的印章，才基本確定了墓主人的身份。可見，此時墓葬中還沒有出現追述墓主人生平和悼念的文字。

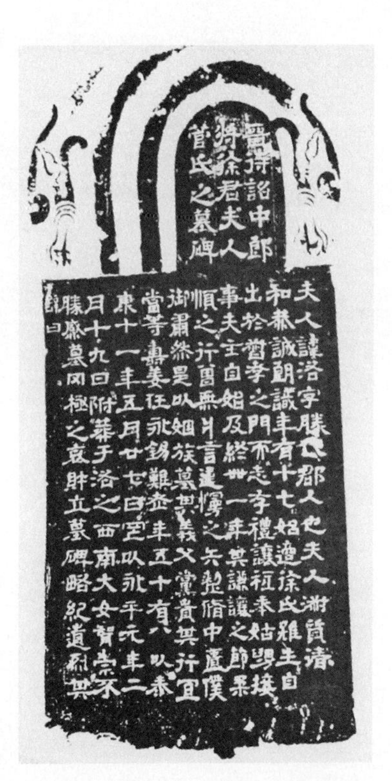

管氏碑形墓誌拓片

從漢代開始，由於事死如生的觀念和對儒家孝道的高度推崇，厚葬之風愈演愈烈，甚至有人竭財以事喪。不僅墓葬修建得龐大奢華，而且墓外還要樹碑爲死者頌德。東漢末年，天下紛亂，曹操爲籌集軍資，設置了“發丘中郎將”、“摸金校尉”等官職專門負責盜掘大墓。曹操掌權後，深感厚葬之風虛費財力，因此下詔廢棄厚葬，禁斷立碑。由於有了法律上的約束，墓前的立碑逐漸轉入墓內。魏晉時期墓葬中也就出現了樹立的碑形墓誌。這種墓誌如同是縮小了的墓碑一樣，例如：河南洛陽出土的《晉侍詔中郎將徐君夫人管氏之墓碑》，其自名就爲“墓碑”，形狀也與立在地表的碑相仿，但高僅58釐米，寬24釐米，可以看出是由地表的墓碑向墓中的墓誌轉化的痕跡。

墓誌的形制到南北朝時基本定型爲由盝頂的志蓋和方形的志身共同組成，並且這種形制一直保持到清代。

445

唐代章懷太子墓中爲何放有兩方墓誌？

章懷太子李賢墓是唐高宗乾陵的陪葬墓，在李賢墓葬的甬道和後室中分別出土了兩方墓誌，一方題爲《大唐故雍王墓誌之銘》，另一方爲《大唐故章懷太子並妃清河房氏墓誌銘》。爲什麼會在同一墓葬中出土兩方稱謂不同的墓誌呢？

李賢是高宗李治與武則天所生的第二子，本封爲雍王，在其胞兄太子李弘病死後，李賢被立爲太子。李賢勤敏好學，曾組織學者注解范曄的《後漢書》。這個注解被奉爲經典，一直沿用到今日。而且李賢處事明審，被人稱作“狀類太宗”。正是由於李賢所具有的超群能力，被其有奪唐之志的母親武則天所不容。武則天派人到東宮搜查，發現了很多鎧甲，於是誣告太子李賢謀求篡位。高宗特別喜愛李賢，希望能從輕發落，但武則天說“賢懷逆，大義滅親，不可赦”。於是太子被廢爲庶人，並發配巴州（今四川巴中）安置。但武則天對李賢還是不放心，最終派人到巴州逼其自盡。李賢死後，武則天以雍王的身份在巴州安葬了他。直到中宗李顯復辟，才將李賢屍骨遷到乾陵陪葬。這時李賢僅有雍王身份，這就是第一方墓誌的來歷。

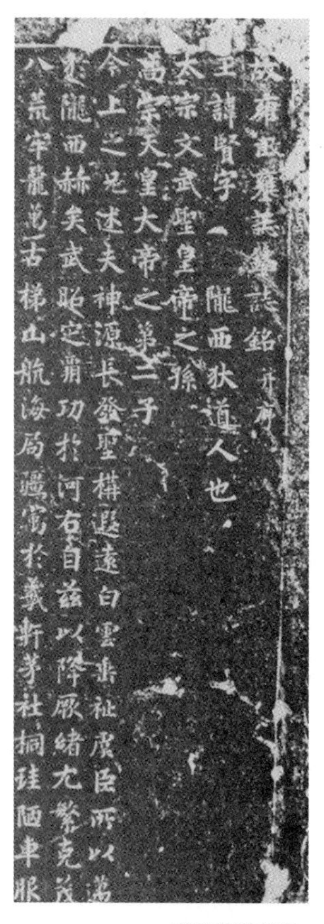

雍王墓誌拓片

到了睿宗登基後，又下敕追贈李賢爲章懷太子。李賢的妃子房氏也在此時去世，需要陪葬李賢，於是將第二方刻有李賢爲章懷太子的墓誌也一同放置在了墓中。

雖然兩方墓誌均在武則天倒臺後撰寫，但是由於中宗、睿宗均爲武氏之子，所以對於李賢被貶以及被逼自殺之事都是隱約其詞。

446

西安出土史君墓誌爲何由兩種語言寫成？

用兩種文字撰寫的碑文、墓誌並非罕見，如在蒙古發現用漢語和突厥語撰寫的《闕特勤碑》，西藏大昭寺前樹立的漢藏語《唐蕃會盟碑》、在遼寧省出土的用漢語和契丹大字撰寫的《耶律延寧墓誌》。

史君墓誌出土時情況

2003年在西安發現了一座北周時期的石槨墓，在墓葬中還出土了一方石墓誌。墓誌呈長方形，與這一時期流行的帶有盝頂志蓋的墓誌差異較大。該墓誌長88釐米、寬23釐米、厚8.5釐米，一共刻有51行文字。其中左邊18行爲漢文書寫，右邊32行由粟特文書寫，右邊最後一行爲空行。墓誌上的粟特文與漢文爲對譯。粟特人被認爲是漢代受匈奴入侵而從祁連山的昭武城遷居西域的月氏人的後裔，分佈在今日中亞阿姆河和錫爾河流域。由於粟特人中的安、史、曹等九個姓氏最爲著名，所以又被稱作昭武九姓。昭武九姓以祆教（又稱拜火教或索羅亞斯德教）爲主要的宗教信仰。起初中國學者沒有能夠辨別出這些粟特文字，後來由日本學者吉田豐釋讀了墓誌上的粟特文。

史君的墓誌爲何要用這兩種文字來撰寫呢？從墓誌內容中我們可以得到解釋。漢字部分主要介紹了史君來自中亞的史國，其祖先擔任史國的薩寶，後可能遷居到涼州（即今天的武威）。薩寶是指祆教中的祭司兼商隊大統領。史君後來也被北周任命爲涼州的薩寶。而粟特文部分更爲詳細地介紹了史君與妻子康氏漫長的婚姻生活。可見，史君是保留有很強西域文化的在華粟特人。從墓葬中，既採用中國的墓葬形制，又使用極具祆教色彩的石槨，也可看出史君及其家族文化觀念的複雜性。所以記錄他生平的墓誌也就採用了兩種文字。

447

漢代的“懸泉置”是什麼性質的遺址？

上個世紀90年代，在甘肅省敦煌市甜水井一帶發現了漢代的懸泉置遺址。“置”是一種綜合多種功能的古代驛站。懸泉置處在河西走廊通往敦煌的途中，是到達敦煌乃至出陽關、玉門關進入西域的必經之路。“懸泉”一名的由來還有一段典故，《元和郡縣圖志》：“懸泉水，在縣東百三十里，出懸泉山。漢將李廣利伐大宛還，士衆渴乏，引佩刀刺山，飛泉湧出，即此也。水有靈，車馬大至即出多，小至即出少。”

據考古發掘的懸泉置遺址主要屬於漢代遺存，由塢院、馬廄、房屋及附屬建築構成。遺址中出土了大量的簡牘、帛書以及各類生活用品。根據遺址中出土的簡牘記載，懸泉置內設置有置、傳舍、廚、廄四大管理機構，管理郵置、驛傳、馬匹、食物等有關事宜。根據簡牘中所保留的年號，可以得知懸泉置的主要使用時間爲西漢武帝到東漢安帝時，其中東漢光武帝建武五年到二十五年約有二十年的明顯中斷。由於西漢時期國力強盛，不斷向西域擴張，懸泉置一帶遠離長城，並沒有發現屬於烽燧性質的遺物，說明懸泉置一帶牢牢地掌握在漢帝國的手中，沒有安全隱患。

東漢後期對西域的控制不斷減弱，懸泉置也就逐漸被廢棄。

魏晉時在整座塢院的西南角建立起了烽燧，成爲了一座純粹的預警性質的建築。通過對驛站遺址興衰更替的分析，可以推斷出當時國家邊界的變遷。

448

王莽爲何頒佈“月令”？

在敦煌的漢代懸泉置遺址東北角房屋遺址的牆壁上發現了一處墨書的《月令詔條》。“月令”本爲《禮記》中的篇名，是規定農曆十二個月中每個月應做哪些事情。此件《月令詔條》“中春月令”中有“毋焚山林。謂燒山林田獵，傷害禽獸□蟲草木……〔正〕月盡……”就是指導人們在這段時間內不要焚毀山林進行田獵，以保持生物蕃息。這種月令以詔書的形式下達到地方行政機構，其性質有點類似於今日的“行政準則”。

這件《月令詔條》是西漢元始五年由王莽呈上，乙太皇太后的名義發佈的。在《月令詔條》的最後清晰地寫著“安漢公、〔宰衡〕、太傅、大司馬〔莽〕昧死言，……大皇大後〔制曰〕：可。”

但是王莽爲什麼要發佈這樣的“月令”呢？這要從當時的歷史背景講起。此時的王莽已經掌握了漢王朝的各項大權，正在爲自己廢漢立新作積極的準備。王莽又是一個極爲崇古的政治家，他希望利用古代禮中的“月令”來安定天下，以鞏固自己的權力，所以才將這樣的“行政準則”頒行於漢朝的各處，甚至是像懸泉置這樣的驛站中。

關於這篇月令的作者，有學者考證爲漢代著名學者劉歆。因爲在文中多處出現有“羲和臣秀”的說法，羲和是王莽改大司農的稱呼，秀是官員的名字。劉歆曾經擔任過羲和一職，並且也曾改名爲“秀”。

這件寫在牆壁上的詔書無疑是研究王莽時期歷史的重要文物。

449

唐代華清宮最主要的功能是什麼？

陝西省臨潼縣境內的驪山山麓是一處有名的溫泉。驪山溫泉古代稱作驪山湯，由於溫泉中含有多種礦物質，所以具有一定的保健功效。相傳秦始皇身上曾長有膿瘡，後來在驪山湯中洗過便痊癒了。

文獻記載秦、漢以及後來許多定都關中的朝代都在此建立過離宮別館。到了唐代，更是在驪山山麓大興土木。唐太宗於貞觀十八年（644）命大將姜行本與著名建築師閻立德在此建造宮殿，並親自賜名湯泉宮；高宗時將此宮改爲溫泉宮；玄宗天寶六年大規模擴建了宮室並改名爲華清宮，史載："驪山上下，益治湯井爲池，臺殿環列山谷，明皇歲幸焉。"由於玄宗特別喜歡這裏，時常在華清宮聽政，甚至還在此設立了百司和公卿官邸。宮內球場、歌臺等娛樂設備一應俱全。華清宮因驪山湯而來，因此仍以作爲皇家溫泉最爲知名。

華清宮4號湯池遺址

經考古發掘，華清宮範圍內共發現集中湯池遺址七座。這些湯池外部原先多有建築遺跡，池身多由青石砌作，入水與出水口設計巧妙。例如編號爲T4的湯池，池身整體呈海棠花形，長3.6米、寬2.9米。池內有一層石臺，可能是供入浴後坐倚所用。湯池東西兩側各有臺階可以出入。湯池的入水孔在池底中心，直徑約17釐米。出水口則在西北角呈半橢圓狀，並有可以控制水量的閘門。進出水口均與地下陶管道相連。由於這座湯池外形如同海棠花，因此有學者認爲這就是玄宗專爲楊貴妃所造的海棠湯。安史之亂時，由於叛軍攻入潼關，華清宮首當其衝遭到了嚴重的破壞，以後遂逐漸荒廢了。

中國人應知的

國學常識 3

The knowledge of Chinese

中華醫藥

450

古代醫生的水準考試怎麼考？

中醫是一門生命所繫的學問，對從業者素質提出了很高的要求，中醫生看病又是一個難以複製的過程，因此有很多人面對“中醫沒法治病”的詰難，總是會想到“那是因爲你沒學好中醫”來辯解。從這個角度來說，中醫還眞是一門“自律”的醫學，很難有一個量化的、客觀統一的標準來衡量其診療水準的高低，同樣，考察中醫生的職業素質也成爲一個難題。那麼古人有什麼辦法來考察中醫生的醫療水準呢？這裏我們要介紹的是一種相對客觀一些的考核方法，即發生在宋代的“針灸銅人”。

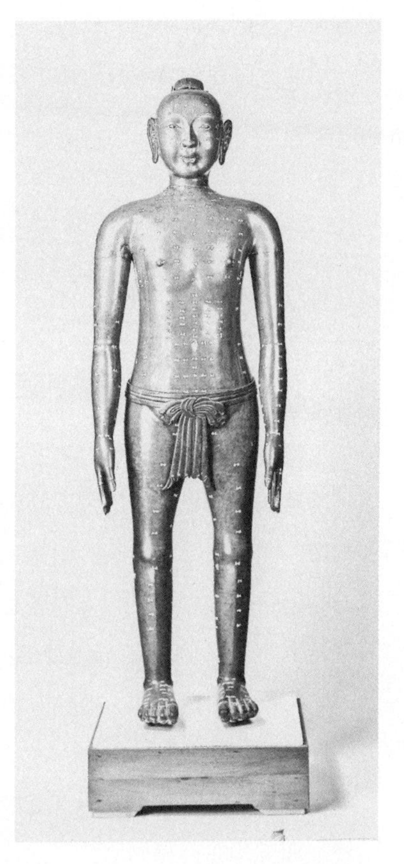

針灸銅人

最早的兩個針灸銅人是北宋時仁宗詔命翰林醫官王惟一於天聖五年（1027）負責設計製造的，主要的目的是以此銅人用作傳授中醫學知識，尤其是針灸學知識的教具。據文獻記載，宋代的針灸銅人是仿成年男子身體形制而製造，銅人身高175.5釐米，頭圍（經兩耳上際）62.5釐米，形態爲正立，兩手自然向下伸展，掌心向前。銅人的軀幹部分由前後兩個組件構成，軀幹裏面藏著臟腑，體表刻有354個腧穴的名稱，每個穴都有一個穴孔與體內連通。合攏兩個組件後，在銅人體表塗上黃蠟，這樣就看不見穴孔的位置了。如何用這個銅人來傳授中醫學知識呢？文獻記載說，先在銅人裏面灌滿水或水銀，體表塗完黃蠟後讓醫生去刺穴位，若刺穴準確則有液體溢出，如果認穴不準，刺不準穴位，針不能刺進去，因此這種針灸銅人可以供教學和考試之用。

其實，與針灸銅人配套使用的還有一本“說明書”，也是王惟一主持編寫的，書名叫《銅人腧穴針灸圖經》，在這本書裏，王惟一論述了人體的十二經脈和任脈、督脈的經絡循行線路和穴位，並闡明了各個穴位的功效和主治的疾病。同時，書中還繪製了正面和背面的人體尺寸圖、十二經脈、任脈、督脈經穴圖等，屬於圖文並茂的中醫古籍。《銅人針灸腧穴圖經》在當時被用作醫生學習的法定教本，政府下令頒行全國，爲便於保存，隨後政府還下令將這部書刻在五塊石碑上。

451

歷史上眞有“神農嘗百草”嗎？

說起我們的歷史，我們總是自豪地說“自從盤古開天地，三皇五帝到如今”，中醫學也習慣從神話傳說開始講述自己的歷史，神農嘗百草就是其中之一。

神農也就是炎帝，是中國的農神，他和伏羲、女媧是古史傳說中的“三皇”，與“五帝”並稱爲中華民族的始祖。據《論衡》等古代文獻記載，神農大約生活於原始社會的農耕時代，當時的人過著茹毛飲血、採野果、食禽肉的原始生活，時常遭受疾病蟲毒的侵害。到神農氏作爲部落首領時，他感民生之多艱，始因天之時，分地之利，製耒耜，教民農作，播種五穀，於是就有了農業。相傳神農氏時代，人們還發明了製陶技術，能製造斤斧等。

而神農氏與醫藥的發明有直接關係的記載主要見於《淮南子》、《帝王世紀》等古籍，即神農嘗百草的傳說。當時藥食不分，神農率先嘗百草，他使用了一種叫“赭鞭”的神鞭，來鞭打各種各樣的草，瞭解它們的色澤、性味等，熟知它們有無毒性，無毒者可就，有毒者當避，並爲之正名。傳說中神農氏還有一靈異的“藥獸”，爲他銜百草。

神農不僅嘗百草，據《路史》記載，他還優化了火的使用和促進了酒的發明。優化火的使用，使人類開始注意飲食衛生，火的使用使得人們開始吃熟的食物，少得腹瀉一類的胃腸疾病，對保護人體健康、治療疾病起了積極作用。酒可以養生，可以治病，神農氏促進酒的發明，改善了人類的養生治病條件，對增進人類的健康長壽是有裨益的。

所謂常在河邊走，哪能不濕鞋？神農氏嘗百草，最後也因此而身亡。傳說神農晚年，巡視南方，視察民情，爲民治病，不幸誤嘗斷腸草，中毒而亡，“崩葬長沙茶鄉之尾”，也就是葬在今天的湖南省株洲市炎陵縣鹿原陂。

爲紀念神農氏的偉大功勳，炎帝神農氏的子孫把他神化了，尊他爲“農神”。中藥學的第一元典也冠以神農之名，被稱爲《神農本草經》。

那麼，歷史上眞有這麼一位叫“神農氏”的聖人嗎？筆者認爲這些故事顯然有太多的浪漫渲染。人類歷史上的每一次進步都是與人類群體智慧的結晶分不開，聖人的故事吸引著一代又一代的中華兒女，是因爲像神農氏這樣的聖人是中華民族精神的象徵。

452

到底有沒有眞“神醫”？

“神醫”這個詞在我們的生活中並不陌生，扁鵲是婦孺皆知的“神醫”，以至於我們今天讚歎某個大夫醫術高超，能起死回生，都把他比作“神醫扁鵲”。扁鵲雖然神，歷史上卻眞有其人，他的事蹟主要記載在司馬遷的《史記・扁鵲倉公列傳》裏，《扁鵲倉公列傳》專門敘述了戰國時神醫扁鵲和西漢初年名醫淳于意的行醫事蹟，可以說扁鵲是被寫入正史的神醫。

扁鵲姓秦，名越人，授業於仙人長桑君，他與長桑君的見面頗富傳奇色彩。扁鵲年輕時曾做過旅舍的主管，長桑君就住在他工作的店裏，多年來對扁鵲進行了周密的

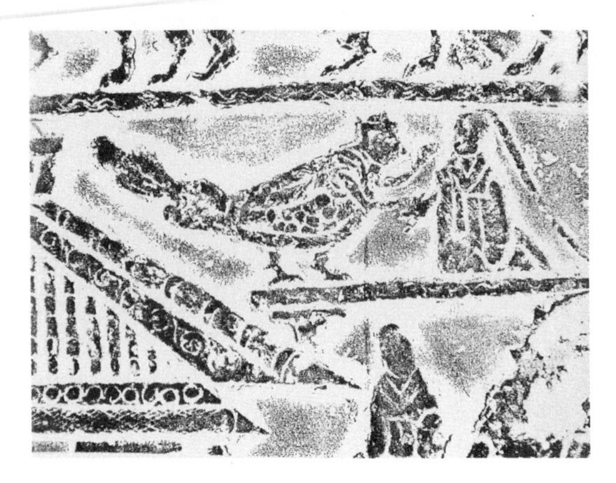
扁鵲醫病畫像石

考察。最後，長桑君為了感激扁鵲周到的服務，將他隨身攜帶的仙丹送給扁鵲吃了，並且告訴扁鵲要用露水吞服。扁鵲服後擁有了一種透視人體功能，成為神醫。

在《扁鵲倉公列傳》裏還記載了幾個扁鵲診病的神奇案例，說有一次扁鵲行醫到晉國，晉國大夫趙簡子病了，“五日不知人”，大家都很驚惶，認為簡子危在旦夕。但扁鵲診脈後告訴衆人，說趙簡子的脈象正常，並非死症，大家不必驚怪。果然不出扁鵲所料，趙簡子的病不出三天就痊癒了。還記載說扁鵲精於望診，他在初次見到齊桓侯時，根據桓侯的面色，斷定他有病在身，並說如果不及時治療，病情會逐漸加重。但是桓侯諱疾忌醫，最終抱病身亡。

還有一個案例記載了扁鵲能“起死回生”，說有一次扁鵲路過虢國，碰巧虢國的太子“病死”了，扁鵲一打聽才知道原來是太子病得不省人事了。一位懂醫術的官員告訴扁鵲，太子從雞鳴暈厥到現在還沒有甦醒。扁鵲認為人死不到半天，有活命的希望，就自報家門，希望能為太子療疾。這位官員很納悶，認為扁鵲是在說大話。他說自己只是聽說上古的時候有一位叫俞跗的醫生，治病不用湯劑、藥酒、鑱針、導引、按摩、藥熨等辦法，只是解開病人的衣服診視，就能清楚疾病的所在，如果扁鵲的醫術能夠如此高明，太子才能有望復生；不然，只是誑語。扁鵲聽罷覺得很無奈，說這位官員見識褊狹。扁鵲說自己診病，不需切脈、察色、聽聲，觀察體態神情就能說出病因，並且他判斷虢太子並沒有死，如果順著兩腿摸到陰部，應該還是溫熱的。這位官員聽完了扁鵲的話，驚得目瞪口呆，趕快將此事報告虢君。虢君走出內廷，接見扁鵲，並且對扁鵲說：如果您能救活我的兒子，我們眞是太幸運了。扁鵲說：太子的病實際是人們所說的“屍厥”（類似於休克），人安靜得像死去一樣，而實際上太子並沒有死。於是，扁鵲讓學生磨針石，取穴扎針，時間不長，太子眞的甦醒過來了。接著扁鵲又採用藥物熨治法，太子就能坐起來了。他囑咐太子吃了湯劑二十天，太子的身體就恢復得和從前一樣了。

從記載來看，扁鵲的醫術眞是神奇，不過見慣了文學家把傳說當事實的現象，我們雖對“神醫”心嚮往之，理性上卻難免會問一句：這是歷史的眞實嗎？

453

“坐堂醫生”的稱號是怎麼來的？

人們把那號脈、問診、開方的中醫大夫稱作“坐堂醫生”，那麼這個稱號是怎麼來的呢？其實“坐堂醫生”這一稱號已有近兩千年的歷史了，最初被用來稱呼東漢末年的名醫張仲景。張仲景在東漢建安年間，曾經做過長沙太守，每月初一和十五兩天，不問政事，升座大堂的衙門，爲病人診病，這就是“坐堂醫生”的由來。

張仲景像

張仲景自幼喜歡讀書，愛好醫術，被後人稱作“醫中之聖，方中之祖”。據張仲景《傷寒雜病論》自序記載，他的家族本來很大，有二百多人，但是建安以後，不到十年的時間，因病死亡的就有三分之二，其中十分之七左右是死於傷寒。這在當時很普遍，可是人們卻不重視醫藥，世俗之人總是汲汲追求榮華富貴，等到生病以後，又熱衷於找巫醫治病，對此，張仲景痛心不已，於是勤求古訓，博採衆方，著成《傷寒雜病論》十六卷。

《傷寒雜病論》中的方劑被譽爲“醫方之祖”，仔細品味張仲景的處方，嚴謹縝密，卻又幻化多端。所以人們常說：中醫不僅是一門技術，更是一門藝術。醫生用藥隨症治之，靈活化裁，似乎來源於藝術家曼妙空靈的想像。比如，在桂枝湯中多擱點桂枝，變成了桂枝加桂湯，在桂枝湯的基礎上增加了通陽降沖之力。小承氣湯、厚樸三物湯、厚樸大黃湯，都是大黃、厚樸、枳實三味藥組成，但是劑量不同，處方的君臣佐使就發生了變化，於是三者就有了攻下、除滿、開胸泄飲的功效差異。所以後代人稱讚說："藥陣增減，分兩輕重，差之毫釐，失之千里。"

454

道士可以當醫生嗎？

在中醫學的歷史上，有很多醫家是多才多藝的，除了在醫學界有名氣外，他們的其他學術造詣也很高，比如說魏晉時候的葛洪就是這樣一個醫家。他被稱爲"小仙翁"，是一個神仙一樣的人物。

確切地說，葛洪是一位追求得道成仙、長生不死的道家學者，同時也是有重要影響的醫學家。他們家原本是吳國士族，到他父親這一代，吳國被晉滅掉。晉的統治階層多數是中原士族，他們瞧不起江南的"土著"，說江南士族是蠻夷。少年時代的葛洪接受過正統的儒學教育，也曾想要做官，二十多歲時還從軍征戰而立有戰功，不過這些都沒能幫助他順利地走上仕途。一直到葛洪四十歲時，晉朝王室被趕到江南，爲了拉攏江南的士族，才把葛洪十幾年前的軍功翻出來，論功行賞，給他封了官。期間，葛洪發展了另外的天賦，而且非常成功，那就是學道和著述。葛洪有一個從祖父叫葛玄，葛玄研究的是神仙家的長生術，後來道教裏稱葛玄爲"葛仙翁"、"南極仙翁"。葛玄把他的學問傳給了鄭隱，鄭隱再傳給葛洪，葛洪後來被稱爲"小仙翁"。葛洪的老丈人鮑玄也喜歡研究神仙術，葛洪從鮑玄這裏也學到不少東西。按照葛洪自己的說法，他從小就是立志要修仙學道的，只不過是因爲俗事太多，沒辦法把所有精力都放在這上面。

按照《晉書·葛洪傳》裏的記載，他的著述很多，其中有代表性的幾部是《神仙傳》、《抱樸子》、《肘後救卒方》。《神仙傳》中記載了九十多個神仙的事蹟，至今仍是考察道教神仙譜系和中國神話傳說的重要參考著作。《抱樸子》分爲內、外篇，其中內篇主要講怎麼煉丹藥，魏晉時代煉丹藥的首要目的就是爲了延年益壽、長生不老，那時候很多人相信眞可以煉製出仙丹，就像《西遊記》裏演繹的那樣，從太上老君八卦爐裏燒煉出來的仙丹，吃了就可以長生不死。煉製丹藥的過程中會發生一些變化，比如重金屬的氧化之類，往往會生成新的物質，於是煉丹又衍生出另一目標或者演化出道教神仙另一個能力：點石成金，即化成財富，後來的西方學者往往將這一功能和“煉金術”相提並論。《抱樸子》外篇主要講人間得失，世事臧否，被看作儒家哲理。《肘後救卒方》被稱爲中醫學的第一部臨床急救手冊，書中主要記載了各種急性病證、慢性病證的急性發作時的治療方案，這部書影響較大，明清兩代有十餘個版本傳世。

455

“山中宰相”指的是誰？

陶弘景畫像

中國人的傳統觀念裏，也許並不是那些帝王將相最被人敬佩，中國文人骨子裏有一股自由精神，他們希望自己的“道”比帝王的“勢”還要高出一點點。於是，文人更敬佩和羨慕的行業似乎是帝王的“顧問”，這些“顧問”不願爲官，卻有能夠做官的大本事，被帝王當做老師般敬重，是帝王諮詢請教的對象。中醫大夫中也有這樣一位帝王的“顧問”，他就是被稱爲“山中宰相”的陶弘景。

陶弘景是南北朝時梁朝人，和葛洪有些類似，他也既是醫學家又是道家煉丹學者，後世還尊其爲道教茅山派的祖師爺之一。陶弘景出身於江東名門，自幼稟賦異人，熟讀儒家經典。十歲即讀葛洪的《神仙傳》，“晝夜研尋，便有養生之志”；十五歲時有志於學神仙養生之說，嚮往隱逸生活。陶弘景曾做過官，不到二十歲時，就被宰相蕭道成招爲諸王侍讀，任職宮中。他曾官拜梁左衛殿中將軍，但他信奉老莊學說，厭倦浮華俗世，樂於逍遙恬淡的隱居生活，三十六歲後就毅然隱居於茅山華陽洞。梁武帝非常欣賞陶弘景的才華，詔令其出山爲官，但屢遭拒絕。武帝也不勉強，常常找上門來與他商討國家大事，所以人們稱他是“山中宰相”。

456

中醫生的誓言是什麼？

現在醫學院校的學生入學，一般都會莊重地宣讀一篇叫“醫學生誓言”的文字，這篇文字開篇就說“健康所繫，性命相托”，勾勒出醫學事業的嚴肅性。古代中醫有沒有類似的規範呢？也有。中醫學的醫德規範被論述的很多，流傳最廣、影響最大的，應該是“藥王”孫思邈寫的那篇《大醫精誠》。這篇文章基本上被當作中醫醫德的總綱：

孫思邈診脈圖

凡大醫治病，必當安神定志，無欲無求，先發大慈惻隱之心，誓願普救含靈之苦。若有疾厄來求救者，不得問其貴賤貧富、長幼妍蚩、怨親善友、華夷愚智，普同一等，皆如至親之想。亦不得瞻前顧後，自慮吉凶，護惜身命。見彼苦惱，若己有之，深心悽愴。勿避險巇、晝夜寒暑、饑渴疲勞，一心赴救，無作功夫形跡之心。如此可為蒼生大醫，反此則是含靈巨賊。

總體的意思是說，要想成爲一個合格的好醫生，要想醫術高明，就必須做到德藝雙馨。首先要確立“普救含靈之苦”的志向。其次醫術要精湛，博極醫源，精勤不倦。對待病人要平等，博施濟衆，對每一位病人都應給予同樣的關心、愛護。對待同行要謙虛謹慎，不恥下問，尊重同行，互相學習。孫思邈認爲醫生只有做到淡泊名利，無爲自然，才能在德和術方面眞正有所建樹。

457

中國古代有法醫學嗎？

古代中國的衙門裏有一個叫“仵作”的職業，專門管檢驗命案死屍，而在醫生行業裏沒有專門管這個事情的，不過法醫學界都認可的，被稱爲“法醫學之父”的人，是中國宋代的宋慈，大多數學者認爲他於西元1235年開創了“法醫鑒定學”。

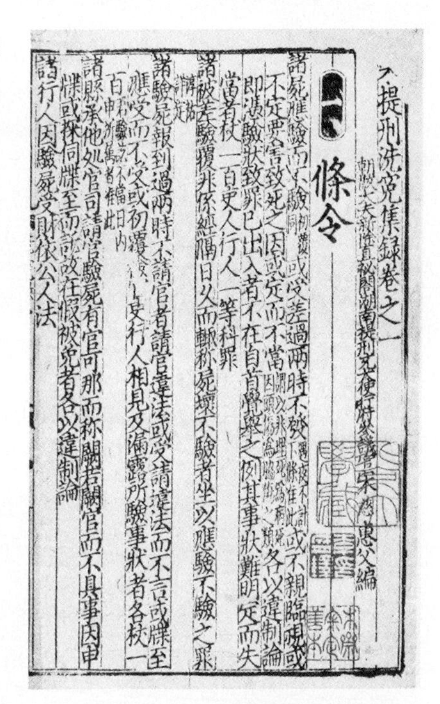

提刑洗冤集錄卷之一

朝散大夫新除直秘閣湖南提刑充大使行府參議官宋慈惠父編

條令

諸屍應驗而不驗……或受差過兩時不發……或不親臨視或不定要害致死之因或定而不當……各以違制論

即憑驗狀致罪已出入者不在自首覺舉之例其事狀難明定而失

當者杖一百吏人行人一等科罪

諸被差驗複非系經隔日以而輒稱屍壞不驗者坐以應驗不驗之罪

諸驗屍報到過兩時不請官者請官違法或受請違法而不言或牒至

應受而不受或初覆……吏行人相見及漏露所驗事狀者各杖一

百

諸縣承他處官司請官驗屍有官可那而稱闕若闕官而不具事因申

牒或探伺牒至而託故在假被免者各以違制論

諸行人因驗屍受財依公人法

宋慈《洗冤集錄》（元刻本）

宋慈曾經歷任十餘任地方官，主要管刑事案件，一生經辦的案件數不勝數，逝世前兩年，他寫成並刊刻《洗冤集錄》五卷，主要記載的就是法醫學內容。

在《洗冤集錄》中，有一些檢驗方法雖屬於經驗範疇，卻與現代科學令人驚歎地吻合。如書中論述的救縊死法，與現代急救的人工呼吸法，幾乎沒有差別；還有用糟、醋、白梅、五倍子等藥物擁罨洗蓋傷痕，有防止外界感染、消除炎症、固定傷口的作用，也與現代科學原理一致，只是使用的藥物不同而已；又比如用明油傘檢驗屍骨傷痕，檢驗屍骨傷損，與現代用紫外線照射一樣，都是運用光學原理。屍骨是不透明的物體，它對陽光是有選擇地反射的。當光線通過明油傘或新油絹傘時，其中影響觀察的部分光線被吸收了，所以容易看出傷痕。諸如此類，不勝枚舉。宋慈運用和記載這些方法，目的在於查出眞正的死傷原因，體現了求實求眞的科學精神。

458

自學中醫能行嗎？

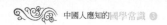

現在中醫很“火”，很多老年人退休了，開始自己鼓搗中醫，於是有人就擔憂了：中醫能這麼學嗎？擔憂者有擔憂者的道理，激進者卻也能找到極端的個例來證明：學中醫，四十歲開始都不晚！因爲四十歲開始學中醫，並且成名了的，金元時代有這麼一位：朱丹溪。

朱丹溪的一生很有傳奇色彩，他十幾歲時父親因病去世，到三十歲時，母親也罹患不治之症。這些變故讓他覺得，一直以來學習研究的那些儒學雖然很好，但當親人生病時卻幫不上忙，於是他立下志向學習醫術。他刻苦鑽研《素問》等書五年多，一邊鑽研一邊自己給母親治病，還眞給治好了，這時他已經三十六歲。母親病好了，他放下心事，到東陽師從許謙學習理學，又學了四年，成爲許謙的得意門生。這之後朱丹溪才眞正專業當醫生。到四十五歲時，朱丹溪來到杭州向羅知悌求教，羅知悌是劉完素的二傳弟子，旁參張從正、李東垣兩家，曾任宋理宗的醫侍。一年半後，羅知悌去世，朱丹溪安葬了師傅後回到義烏老家。

朱丹溪後來創立了滋陰學說，成爲滋陰派的開山掌門人，我們今人在談到滋陰養生的時候，仍然需要向這位已故多時的老掌門學習。他本來的名字叫朱震亨，因他居住的赤岸村後來被改爲丹溪村，所以人們尊稱他爲“丹溪先生”或“丹溪翁”。朱丹溪宣導滋陰學說，創立丹溪學派，後人將他和劉完素、張從正、李東垣譽爲“金元四大醫家”。

459

《本草綱目》是怎樣寫成的？

如果做一個民意調查，今天老百姓最熟知的中醫學典籍是什麼？可能有兩本書，一本毫無疑問是《黃帝內經》，另一本應當是《本草綱目》。

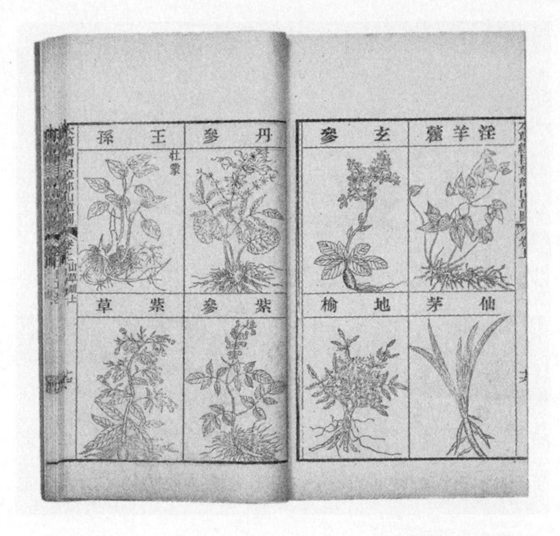

《本草綱目》書影

《本草綱目》被譽為“中國古代的百科全書”，作者李時珍是湖北蘄州（今湖北省黃岡市蘄春縣蘄州鎮）人，他的祖父是“鈴醫”，就是手裏拿一個鈴鐺，走街串巷的遊醫。他的父親李言聞也是當時當地的名醫。那時候民間醫生的地位很低，因此，李言聞決定讓二兒子李時珍去讀取功名。李時珍從小就體弱多病，性格又很剛直純真，對空洞乏味的八股文章沒什麼興趣，所以他十四歲中了秀才之後的九年中，三次到武昌考舉人都名落孫山。於是，他放棄了科舉做官的打算，請求父親允許他專心學醫，李言聞最後同意精心教他學醫了。沒過幾年，他就成了一名很有名望的醫生。三十八歲時，他任武昌楚王王府“奉祠正”，兼管良醫所事務。三年後，他又被推薦上京任太醫院判。當時的太醫院被一些庸醫弄得烏煙瘴氣，李時珍不願與他們同流合污，只任職一年，便辭職回鄉了。

李時珍花了二十七年時間才編撰完成《本草綱目》。為了寫這部書，他常常穿上草鞋，背起藥筐，在徒弟龐憲和兒子李建元的伴隨下，遠涉深山曠野，遍訪名醫宿儒，搜求民間驗方，觀察和收集藥物標本。採藥的、種田的、捕魚的、砍柴的、打獵的，各種人都是他採訪學習的對象，人們也熱情地幫助他瞭解各種各樣的藥物。比如芸苔，是一種治病常用的藥，但究竟是什麼樣的呢？《神農本草經》說得不明白，各家注釋也沒搞清楚。李時珍便求教一個種菜的老人，在他指點下觀察了實物，才知道芸苔實際上就是油菜。這種植物，頭一年下種，第二年開花，種子可以榨油。於是，這種藥物便在他的《本草綱目》中一清二楚地注解出來了。再比如蘄蛇，即蘄州產的白花蛇，一開始李時珍是從蛇販子那裏觀察，這時內行人提醒他，蛇販子的蛇是從江南的山裏捕來的，不是眞的蘄蛇。那麼眞正的蘄蛇又是怎麼樣的呢？他請教了一位捕蛇的人，瞭解到蘄蛇的牙尖，且有劇毒，若人被它咬傷，要立即截肢，否則就會中毒而亡。蘄州那麼大，其實只有城北的龍峰山上才有眞正的蘄蛇，為親眼觀察蘄蛇，李時珍請捕蛇人帶他上了龍峰山。山上有個狻猊洞，洞周圍怪石嶙峋，灌木叢生，是蘄蛇經常出沒的地方。纏繞在灌木上的石南藤花葉，舉目皆是，這是蘄蛇最喜歡吃的食物。後來他終於在捕蛇人的幫助下，親眼看見了蘄蛇，並看到了捕蛇、制蛇的全過程。這樣深入調查後，李時珍在《本草綱目》中寫到白花蛇時，就得心應手，說得簡明準確。

460

二十四節氣導引養生怎麼練？

二十四節氣導引養生相傳為陳希夷所傳，所以也被稱為“陳希夷二十四節氣導引坐功圖”。這套功法在明代羅洪先秘傳、清代曹無極增輯的《萬壽仙書》和清代鄭觀應的《中外衛生要旨》中均有收錄。

“二十四節氣導引圖”總共二十四個導引功法，分別對應著一年中的二十四節氣。其內容順次如下：

正月立春：功法為每天23點至3點間練習，取平坐式，兩掌重疊，按在大腿上，吸氣時右掌疊於左手背上，伸臂聳肩，向左扭身，上體保持正直。稍停後，呼氣時鬆肩臂，恢復到原坐式，再吸氣，同時身軀右轉，其餘同前。左右交替做三五次，然後叩齒、深呼吸、鼓動舌頭攪動口中津液咽下，各3次。

正月雨水：功法為每天23點至次日3點之間，正坐，左手掌疊在右手背上，按壓右大腿，上身向左轉，並向左側傾倒，扭頭拗頸，睜目回視，稍作停頓後，改爲頭右轉，上身轉向右側，同時向右側傾倒，扭頭拗頸，睜目回視，稍作停頓後，再轉向左側。如此反覆做15次。右手掌疊於左手背上，按壓左大腿上，同前法扭身扭頭拗頸，反覆做15次。叩齒、咽津、吐納而收功。

二月驚蟄：功法爲每天1點到5點之間，盤坐，兩手握固。頭項向左右緩緩轉動各4次。兩肘彎曲，前臂上抬與胸齊平，手心朝下，十指自然拳曲。兩肘關節同時向後頓引，還原。如此反覆做30次。叩齒、咽津、吐納而收功。

二月春分：功法爲每天1點到5點之間，盤坐，兩手由體側提到腋下，手心向上，兩掌內旋後向正前方推出，掌心朝前指尖向上，兩臂伸直，與肩平，與肩同寬，同時頭向左轉，兩手收至腋下，頭轉向正前方。兩手如前法推出，頭轉向右側。如此左右各做42次。然後叩齒、咽津、吐納收功。

三月清明：功法爲每天1點至5點之間，盤坐，兩手作挽弓動作。左右兩手交換，動作相同，方向相反，各做56次。叩齒、咽津、吐納收功。

三月穀雨：功法爲每天1點至5點之間，自然盤坐，右手上舉托天，指尖朝左。左臂彎曲成直角，前臂平舉於胸前，五指自然彎曲，掌心向內，同時頭向左轉，目視左前方。然後左右交換，動作相同，各三五次。叩齒、咽津、吐納收功。

四月立夏：功法爲每天3點至7點之間，一條腿盤曲，一條腿屈膝，兩手交叉抱膝，手與膝努力相拮抗爭，持續用力二三秒鐘。兩腿交替，左右各抱膝用力拮抗三五次。叩齒、咽津、吐納收功。

四月小滿：功法爲每天3點至7點之間，盤坐，左手按住左小腿部位，右手向上舉托，指尖朝左。然後左右互換，動作相同，各做15次。叩齒、咽津、吐納收功。

五月芒種：功法爲每天3點至7點之間，自然站立，兩腳分開與肩同寬，兩手自胸前上提，掌心向上，然後外旋，向上舉托，兩臂伸直，掌心向上，指尖朝後，腹前挺，背向後壓，頭後仰，目視雙手，略停數秒，雙手經體側緩緩落下。如此重複做三五次。叩齒、咽津、吐納收功。

五月夏至：功法爲每天3點至7點之間，屈膝蹲坐，兩臂伸直，十指交叉，掌心向內，以右腳蹬雙手，腳向外蹬，雙手往裏拉，蹬拉相拮抗，持續約二三秒鐘。換左腳蹬，同樣動作，左右各做三五次。然後叩齒、咽津、吐納收功。

六月小暑：功法爲每天1點至5點之間，兩手於背後撐地，十指朝後，手臂伸直，左腿向前伸直，腳跟著地，右腿屈曲讓大腿壓住小腿，目視在腳尖，身體重心先向後移，後向前移。如此兩腳交換，動作相同，各做15次。叩齒、咽津、吐納收功。

六月大暑：功法爲每天1點至5點之間，盤坐，雙手握拳拄地，兩臂伸直與肩同寬，拳眼相對，身體重心前移，上體前俯，扭項轉頭向左右上方瞪視。然後重心後移，頭轉向前；重心再前移，頭轉向右，動作相同，方向相反，左右各做15次。叩齒、咽津、吐納收功。

七月立秋：功法爲每天1點至5點之間，盤坐，上體前俯，兩臂伸直與肩同寬，撐地。然後含胸縮體，屏住呼吸，聳身向上，重心前移，稍停，然後還原到開始時的姿勢。如此反覆做七八次。叩齒、咽津、吐納收功。

七月處暑：功法爲每天1點至5點之間，盤坐，上體前俯，兩臂伸直與肩同寬，撐地。然後含胸縮體，屏住呼吸，聳身向上，重心前移，稍停，然後還原到開始時的姿勢。如此反覆做七八次。叩齒、咽津、吐納收功。

八月白露：功法爲每天1點至5點之間，盤坐，兩手按膝，頭緩緩轉向左，然後轉向右，各牽引15次。叩齒、咽津、吐納收功。

八月秋分：功法爲每天1點至5點之間，盤坐，兩手捂耳，十指向後相對，上體向左側傾斜牽引。再慢慢向右側傾斜牽引。左右動作相同，方向相反，各做15次。叩齒、咽津、吐納收功。

九月寒露：功法爲每天1點至5點之間，盤坐，兩手心向上，十指相對，緩緩上提胸前至與乳相平，前臂內旋，雙手慢慢向上舉托，手心朝上，指尖朝外，兩臂伸直成開放型。身體上聳，頭轉向左，手心翻向下，兩臂由體側緩緩放下。如此反覆做15次。叩齒、咽津、吐納收功。

九月霜降：功法爲每天1點至5點之間，向前伸腿而坐，兩手分別向前攀住左右腳的腳底，膝關節彎曲。腳向前蹬，手向後扳，蹬扳拮抗數秒鐘，屈膝，兩臂隨之彎曲。如此反覆做三五次。叩齒、咽津、吐納收功。

十月立冬：功法爲每天1點至5點之間，盤坐，兩手由體側提到胸前，掌心朝上，頭轉向左，兩臂隨後慢慢落下，頭轉向正前方，兩臂重複上述動作，頭轉向右，其他動作相同，左右相反，各做15次。叩齒、咽津、吐納收功。

十月小雪：功法為每天1點至5點之間，盤坐，左手按膝部，十指朝外，右手挽住左手肘關節，並用力向右拉，左肘用力向左，彼此相持數秒鐘，左右各做15次。叩齒、咽津、吐納收功。

十一月大雪：功法為每天23點至次日3點之間，自然站立，兩腳分開與肩同寬，稍曲膝，兩臂伸直外展平舉，掌心朝外，指尖朝上，抬腿原地踏步若干。叩齒、咽津、吐納收功。

十一月冬至：功法為每天23點至次日3點之間，平坐，兩腿前伸，與肩同寬，兩手半握拳，按兩膝上，拳眼指向腹部，肘關節朝向左右斜前方，拳心朝外，上身前俯，極力以拳壓膝；重心後移，以拳輕輕按膝。如此做15次。叩齒、咽津、吐納收功。

十二月小寒：功法為每天23點至次日3點之間，盤坐，右大腿壓住左小腿，右小腿稍向前伸，左手掌按在右腳掌，右手向上舉托，掌心朝上，指尖朝右，轉頭目視上托之手。然後左右交換，動作相同，左右各做15次。叩齒、咽津、吐納收功。

十二月大寒：功法為每天23點至次日3點之間，單腿跪坐，一腿前伸，另一腿跪在床上，前伸的腳腳掌著地，臀部坐在跪坐的腳的腳後跟上，上體後仰，兩臂在身後左右側撐地，指尖朝向斜後方，身體重心先後移，再前移。兩腿前伸和跪坐互相交換，左右各做15次。叩齒、咽津、吐納收功。

古籍記載中還說每一式功法都能主治某些特定的病症，現代人很難完全按照這個功法的要求練習，其效果自然也很難評價。不過從中醫學的醫理來看，因為節氣的不同而採用不同的鍛煉方法，這個順時養生的原則是沒有錯的，因為所患疾病的不同而選擇不同的功法練習，這個原則也是沒有錯的。

461

真的是“人參殺人無過，大黃救人無功”嗎？

現在人們生活條件改善了，很多人都可以享用人參、鹿茸、牛黃等價格昂貴的藥品了，一些患者也想當然地認爲凡是貴的藥都是好東西，即使治療沒什麼效果，也心安理得，自認爲這樣治療算是盡力了。其實這麼想是不正確的。

“人參殺人無過，大黃救人無功”的說法，意思是說：即使使用人參而致人於死地，人們常常不認爲人參有過錯；相反，正確使用大黃而救人於危難，人們卻不認爲大黃有功勞。這反映出人們偏愛補益藥物、厭惡攻下藥物的一種傾向。而實際上，這種偏愛和厭惡都是不對的，正確的態度是：該用什麼樣的藥物就用什麼樣的藥物，這就是所謂“辨症用藥”，而不是憑對藥物的偏見來使用藥物。

人參被人們稱爲“百草之王”，確實是療效很好的藥物，它是五加科植物人參的根，由於根部肥大，形狀像紡錘，常有分叉，整根看起來很像人的頭、手、足和四肢，所以被稱爲人參。人參的功效是大補元氣、補脾益肺、生津止渴、安神益智。人參的這些功效聽起來也好得很，可是中醫治病講究的是“辨症論治”，如果不是使用人參的適應症而使用人參，反而會有害，一味偏信只要用人參就不會錯是很危險的，久而久之地盲目進補會殺人於無形。

相反，大黃是瀉藥，味道還苦，不好喝。它是老牌的瀉下類中藥，藥性很猛，能推陳致新，好比一個國家裏能平定禍亂的虎將，所以大黃還有一個綽號叫“將軍”。之所以名字叫“大黃”，是因爲這味藥的顏色是黃色的。人們誤解認爲下瀉就會對身體不利，猛烈的瀉下藥更是不會對身體有好處，因此，即使因爲使用大黃而救了人的性命，人們也不會歸功於它。事實上，大黃性味苦寒，瀉下通便力強，還可以清熱瀉火、活血化瘀、清熱解毒、清熱燥濕等，可治療腸胃積滯、便秘腹脹、高熱神昏、痢疾出血、跌打損傷等多種病症。

462

蒸梨用的是哪種貝母？

很多人都知道中藥貝母有止咳的功效，如果家人咳嗽難止，還會自己做一個貝母梨或者熬點貝母粥來吃，也能收到止咳的效果。通常貝母梨的做法是先把梨洗乾淨，然後在梨的上部橫著切開，把上部分做成一個蓋，將梨核挖去。再把貝母搗碎，放入掏空了的梨中，還可以在裏面撒上點糖，然後蓋上梨蓋。最後將整個的貝母梨放入蒸鍋，用旺火蒸一小時，蒸出來的梨汁和果實都可以吃掉。

中藥的貝母家族中可以分出三個種類：浙貝母、川貝母、土貝母。那麼這貝母梨裏面用的是哪種貝母呢？我們可以先看看三種貝母各自的特點：

浙貝母是百合科貝母屬植物浙貝母的鱗莖，生於濕潤的山脊、山坡、溝邊，村邊草叢中也有，味苦，性寒，入心、肺經，有止咳化痰、清熱散結的作用，主治咽喉腫痛、支氣管炎、肺膿瘍、肺熱咳嗽等症。因爲浙貝母主要產於浙江的象山，所以又被稱爲象貝母。浙貝母的個頭比川貝母要大一些，因此又被稱作大貝母。浙貝母偏寒，所以清熱的力量比較強，如果有咳嗽胸痛、惡寒發熱、咳吐腥臭膿痰、大便乾燥、舌紅口乾等熱性症狀時，用浙貝母就很合適。

川貝母是貝母中的珍品，價格也最高，川貝母中又分出松貝、青貝、爐貝，鑒別起來也不是那麼容易。川貝母味微甘，寒性也比浙貝母小一些，它的止咳化痰功效較強，還有些潤肺的功效，痰多痰少都可以使用，特別適用於肺燥或秋燥咳嗽。

土貝母具有較強的抗炎、抗病毒及抗腫瘤的作用，常與其他清熱解毒藥物配伍使用，治療乳腺疾患、結核、皮膚腫爛等疾病。

因爲川貝母主要止咳，寒性相對較小，氣味也較淡，老年人或者體虛的人，如果單純想止咳的話，製作貝母梨時都可以用川貝母。浙貝母寒性相對大一些，所以它瀉火的作用要大一些，如果是熱盛，表現爲痰黃黏稠、口乾口渴、舌苔紅，用浙貝母就比較合適，不過浙貝母的用法一般是用水煎服。

463

薄荷有什麼用？

中醫學認爲薄荷性涼味辛，功能疏散風熱，善於治療風熱感冒或溫病初起，比如見到患者有發熱無汗、微惡風寒等症狀，往往提示可以使用薄荷來治療。宋代詩人陸游曾以詩吟詠薄荷：“薄荷花開蝶翅翻，風枝露葉弄秋妍。自憐不及狸奴黠，爛醉籬邊不用錢。”因爲薄荷具有殺菌、健胃、清涼、鎮痛等作用，所以在酷熱時節出現輕微中暑的症狀時，用上一點兒薄荷片、清涼油等就能減輕病痛。

大多數薄荷都喜歡潮濕涼爽的地方，比如樹蔭下，薄荷也可以在陽光充足、溫暖濕潤的氣候中生長，在路邊的背陰地方不難找到薄荷，如果摘一片薄荷葉子放在鼻子邊聞一聞，會聞到一種獨特的氣味，這種氣味有強勁的穿透力，能清涼醒腦。薄荷也很容易成活，只要折一枝薄荷插到溫暖潮濕背陰的土壤裏，它就能成活，用根莖、種子也同樣可以種植。

中醫生用的薄荷一般是取全草，藥店裏賣的中藥薄荷是經過炮製的乾品，是一段一段的莖和乾葉子的混合。用薄荷的處方常常取其發散的作用，所以往往不用煮很久，如果是用新鮮的薄荷的話，可以直接敷在患處，比如被蜂螫傷，耳朵腫痛，就可以用鮮薄荷敷貼或者用鮮薄荷擠出來的汁直接塗。

但是薄荷也不是什麼情況都可以用的，中醫古籍中也記載了一些不適合用薄荷的情況，比如陰虛的人、病剛剛好身體尙虛弱的人、咳嗽就出虛汗的人等都不適合用薄荷，而且薄荷也不能用得太多、太久。

464

冬蟲夏草爲什麼這麼貴？

冬蟲夏草是一種傳統的名貴滋補中藥材，有調節免疫系統功能、抗腫瘤、抗疲勞等多種功效，與人參、鹿茸一起，被列爲中國三大補藥。冬蟲夏草適用於治療肺氣虛和肺腎兩虛、肺結核等所致的咯血或痰中帶血、咳嗽、氣短、盜汗等，對腎虛陽痿、腰膝痠疼等亦有良好的療效，是老年體弱者的滋補佳品。

之所以叫“冬蟲夏草”這個名字，和這味藥材的來源有關。夏季的時候蟲子把卵產於地面，經過一個月左右的孵化，變成幼蟲後鑽入潮濕鬆軟的土層，土裏的一種黴菌侵襲了幼蟲，在幼蟲體內生長，不斷蠶食幼蟲直至幼蟲死亡。經過一個冬天，到第二年春天來臨，黴菌菌絲開始生長，到夏天時長出地面，外觀像是一根小草，這樣冬天時形態是蟲子，夏天時形態是“草”，幼蟲的軀殼與黴菌菌絲共同組成了一個完整的“冬蟲夏草”。天然的冬蟲夏草很難獲得，產量非常有限，因爲它們生長在海拔3000米至5000米的高山草地灌木帶上面的雪線附近的草坡上，對自然條件的要求很高，而且黴菌自然地侵襲幼蟲的概率也不會那麼高，更加造成了天然冬蟲夏草的難得。這就導致了冬蟲夏草的價格很貴，有“軟黃金”之稱。

因爲它既是“蟲”又是“草”，人們認爲它有近乎完美的陰陽平衡，補益功效非常好，《本草綱目拾遺》認爲它“功與人參同，宜老人”。《藥性考》認爲它“秘精益氣，專補命門”。但是，中醫學同樣認爲並不是所有人都適合用冬蟲夏草，比如兒童、孕婦、哺乳期婦女，感冒發燒、腦出血患者、有實火或邪勝的人都不宜用。

465

靈芝眞的是仙草嗎？

在神話故事《白蛇傳》中，白娘子爲救許仙的命，歷盡艱險去盜仙草，這個仙草就是靈芝，可見靈芝被當做救命的靈藥來使用。古人認爲靈芝具有長生不老、起死回生的功效，視其爲仙草，也稱其爲瑞草、長壽草，它素有“太上之品、方中妙藥”的美譽。

《神農本草經》中將靈芝列爲上品，依色澤而劃分成赤芝、黃芝、白芝、青芝、黑芝、紫芝六種，現代常見的只有赤芝和紫芝兩種。實際上靈芝是一種堅硬的、多孢子和微帶苦澀的菌類植物，一般生長在濕度高且光線昏暗的山林中，主要生長在腐樹或其樹木的根部，它自身不能進行光合作用，只能從其他有機物或是腐樹中攝取養料。現在市場上的大部分靈芝都是人工種植的，野生的靈芝已經很少見，而且野生靈芝的品質也不容易控制。

中醫學認爲靈芝味甘、性平，歸心、肺、肝、腎經，能補氣安神，止咳平喘，可用於眩暈失眠、心悸氣短、虛勞等症，還有抗癌的功效。對一些常見的老年性疾病有預防和治療的作用，能起延年益壽的作用。靈芝確實能治療一些老年性、頑固性、退化性的疾患，但是說服用它就能起死回生，那就顯得太玄乎了，因爲超量服用靈芝也可能會導致不好的結果，千萬不能迷信其補益作用而濫用。

另外，靈芝儲藏起來也較麻煩，因爲它容易受潮而發黴，還容易被蟲蛀，保存時需要把它自然晾乾或烘乾，然後用密封的袋子包裝，放在陰涼乾燥處保存。

466

“桃養人，杏傷人，李子樹下埋死人”的說法有道理嗎？

桃在中國古代傳說中經常被提到，被認爲是一種可以延年益壽的水果，比如《西遊記》裏說孫悟空看管的仙桃園，人吃了那裏的桃子可以立刻成仙，可以長生不老。現在人們祝壽時也常常用到一個大大的壽桃，桃被當成長壽的象徵。桃木在中國文化中有避邪的意義，比如道士用桃木做成權杖和七星劍來斬妖除魔。桃花則多與愛情、人緣相關，比如說“桃花運”，說的就是和愛情、情感有關的事情。中醫學認爲桃味甘酸、性溫，歸胃、大腸經，具有養陰、生津、潤燥活血的功效。桃具有補中益氣、養陰生津、潤腸通便的功效。桃核也有藥用作用，有行血、消積、殺蟲、通大便的功效。桃子外皮有毛，有些人對其很敏感，在吃之前可以用鹽水浸泡洗淨。

杏在中國文化中也有它的象徵意義，比如說莊子講孔子升堂講學的地方叫“杏壇”，所以後世以“杏壇”代指教育，又比如中醫界被稱爲“杏林”，這來源於一個叫董奉的醫生，他每治好一個病人，就會植一顆杏樹，久而久之，成了一片杏林。中醫學認爲杏甘酸、性微溫，入肝、心、胃經，能生津止渴、潤肺化痰、清熱解毒。杏營養豐富，含有多種人體所必需的維生素，杏仁還有潤肺止咳的功效，主治風寒肺病。杏仁壓榨出的杏仁油，還有很好的保健的功效。根據中醫學典籍的記載，杏吃多了易傷筋骨，引動宿痰，生痰熱，小孩子多吃杏，還容易生膈熱瘡癧。

中醫學認爲李性平、味甘、酸，入肝、腎經，有生津止渴、清肝除熱、利水的功效，主治陰虛內熱、消渴、肝膽濕熱、小便不利等症。李花還有美容的功效，《本草綱目》中寫到“（李花）苦、香、無毒。令人面澤，去粉滓黑黯”。諺語“李子樹下埋死人”是說李不能多吃，多食損傷脾胃。

總體而言，桃、杏、李這三種水果的利與害是相對而言的，每一種都各有利弊，作爲水果，桃、杏、李都是生活中的輔助品，當擇其利而食之，適可而止。

467

中醫怎麼看“每天一個蘋果，不用看醫生”這句話？

英語中有一句諺語：An apple a day keeps the doctor away，意思是說：每天一個蘋果，可以不用看醫生。今天我們已經很熟悉這句話，經常吃蘋果也被視作保持健康的方法之一。那麼中醫學是怎麼認識這個問題的呢？

我們查《本草綱目》卻找不到關於“蘋果”的記載，於是有的人認爲蘋果這個詞來源於梵文，早先是叫“頻婆”，和古籍中記載的林檎和柰是一個東西。不過也有人經過詳細考證，認爲即使“頻婆”和“柰”也不是一回事。但不管怎麼說，大多數學者考證的結果也有共識之處：“蘋果”這個詞和梵文關係很大；中國大陸原本有野生的、類似今天的蘋果的植物；今天中國大陸生產的蘋果多是引進改良後的品種，原始的野生品種幾乎消失。

就今天的蘋果而言，中醫學認爲它味甘、微酸，性涼，歸脾、肺經，有生津止渴、潤肺除煩、健脾益胃、潤腸、止瀉等功效。認爲它酸甜可口，營養豐富，是老幼皆宜的水果之一。相比之下，現代科學對蘋果認識就要豐富得多，比如發現蘋果能降低結腸癌、肺癌等癌症的風險，並對心臟病和控制體重有幫助，等等。同時，還發現某些人會對蘋果過敏，尤其蘋果皮是導致過敏的主要部位，而如果把蘋果做熟，則可以避免過敏。

468

老年人怎麼用西洋參？

西洋參原來又叫“花旗參”，因爲那個時候美國被叫做“花旗國”，人們因此把原產於美國的這種參稱爲“花旗參”。其實西洋參的海外來源地有北美地區的美國和加拿大，一般來說，產自美國的參比產自加拿大的品質稍好。現在西洋參在中國本土也已經有種植。歷史上，美洲本土人很早就已經把西洋參的根和葉子用於醫療，從19

世紀開始，美洲人開始有意識地收集這種藥用植物，並把它賣給中國人或中國香港人，那些生長期長的野生西洋參往往能賣個好價錢。

中醫學認爲西洋參性涼，味甘、微苦，歸肺、心、腎、脾經，有益肺陰、清虛火、生津止渴的功效，在中醫臨床使用中多用於脾、肺的氣陰兩虛之症。比如說因爲熱病或大汗、大瀉、大失血導致的人體元氣和陰津損傷，表現出氣息短促，心煩口渴，舌燥，脈細數無力，尿少而顏色黃赤，大便乾結等。如果兼有咳嗽，痰少或痰中帶血，出現了肺的氣陰兩傷，或者兼有不想吃飯，吃一點點東西就沒胃口了，口渴總想喝水等，出現了脾的氣陰兩虛，都是西洋參的適應症。

現在很多老年人把西洋參用作日常服用的保健養生品，也取得了不錯的效果。一般我們認爲只要服用西洋參沒有什麼不適出現，都可以服用。當然如果找中醫看看，搞明白自己的體質特點，然後在醫生指導下配合服用西洋參，則效果更好。西洋參的服用，常用的方法是泡茶喝或者煮粥吃，這兩種方法最好都要有其他中藥的搭配，組成一個適合自己的配方。比如泡茶喝，國醫大師李濟仁先生就用了西洋參、黃精、黃芪、枸杞子四味藥，每天一清早就用開水泡上，泡上10分鐘左右，就可以喝了，一天中不斷往茶裏續水，不用換藥，最後把這四味藥嚼爛吃掉。至於說每味藥使用的劑量，和配方一樣，也需要依據各人體質的不同而有相應的變化，所以西洋參最好的用法還是在中醫的指導下，有針對性地使用。

469

鶴頂紅眞能見血封喉嗎？

《新白娘子傳奇》裏面有一段戲寫許仙與人結仇，仇家爲了陷害許仙，給在許仙藥堂裏看過病的一對乞丐祖孫偷偷下了鶴頂紅，後白娘子利用自己仙術又將二人救活，令人嘖嘖稱奇，進而又引出了一系列故事。

在武俠小說中也常常能看到鶴頂紅這種毒藥，據說鶴頂紅的毒能見血封喉，無藥可救。這究竟是什麼毒藥這樣厲害，又眞的是藥石無救麼？

按照字面理解，鶴頂紅應該是仙鶴頭頂上的紅色冠頭。但是，在中醫學看來，鶴肉、鶴骨和鶴腦都是滋補增益的藥，可入藥，並且無毒，單單沒有人記載過鶴頂上的紅冠的功用。

事實上鶴頂紅是種叫做紅信石的礦石，加工以後就是三氧化二砷，三氧化二砷還有一個名字更加著名，即我們所知道的砒霜。而“鶴頂紅”不過是古時候對砒霜的一個隱晦且文學化的說法而已。砷進入人體後，會和蛋白質的巰基結合，使蛋白質變性失去活性，可以阻斷細胞內氧化供能的途徑，使人快速缺少ATP供能而死亡，和氫氰酸的作用機理類似。

據說皇帝在處死大臣時，就是在所賜酒中放入“丹毒”；大臣們也都置“鶴頂紅”於朝珠中，以便急難時服之以自盡。在武俠小說中，武林中人常用這種劇毒之物來施展其下毒的高超本領。其實，這些說法都有文學渲染的成分在裏面，只有砒霜可致人於死地這一事實是確鑿無誤的。

470

孕婦可以吃中藥嗎？

懷孕的準媽媽們通常會很緊張，她們在懷孕過程中會有一些軀體方面的變化，也可能會出現一些正常的妊娠反應，比如食物喜好的變化，比如妊娠嘔吐等。有些人特別希望自己不要有這種不舒服，會想到尋求醫學方面的幫助，同時她們又擔憂會對腹中的小寶寶產生不利的影響。

於是，“孕婦可以吃中藥嗎”成爲一個問題。其實這個問題可以分解成兩個問題來理解：

第一步，我們或許要弄明白：孕婦可不可以用藥？一般來說，正常的懷孕需要生活方式的調整，比如休息和運動的調整、飲食的調整等等，通常並不需要藥物方面干預。但是有幾種情況卻使得醫學幫助變得比較需要，一種是孕婦不小心感冒了，不小心受了點傷等情況；一種是妊娠反應過度，比如妊娠嘔吐得太厲害，以至於不能正常進食以保證母子的營養；還有一種情況或許更嚴重，那就是妊娠出現了些許可以通過醫學幫助而糾正的偏差，最常見的大概就是中醫學所謂的“胎動不安”，這個時候就需要臥床靜養，並適當輔以藥物安胎了。所以說，原則上不能排除孕婦有需要用藥的可能，只是需要正規醫院的有專業經驗的醫生來協助我們做出這種判斷。

第二步，我們需要考慮的是：中藥是不是可以用？通常狀況下，大多數中藥也是用來治療的，所以，用中藥同樣是不得已而爲之。好好的妊娠，正常的反應，可以自己通過飲食、作息等生活方式調整而平穩渡過的反應，何苦要用藥呢？如果出現了需要醫療幫助的情況，用中藥不也和用西藥一樣是爲了幫助克服困難嗎？中藥不是孕婦的"救世主"。至於出現狀況，是選擇用中藥還是用西藥呢？建議謹遵醫囑。

不過，即使如此，我們還是有一些基本中醫藥知識可以告知，即從歷史文獻記載和臨床經驗來看，孕婦禁忌的中藥大概有這麼幾類：第一類是辛香走竄或者力道很猛烈的，基本上要避免應用，如辛香的麝香，破血逐瘀的水蛭、虻蟲、莪術、三棱等，峻下逐水藥的巴豆、牽牛子、芫花、甘遂、商陸、大戟等，有大毒的水銀、斑蝥、蟾蜍等。第二類是功效與妊娠需求相背離的中藥，需要愼用，如活血祛瘀的桃仁、蒲黃、五靈脂、沒藥、蘇木、皂角刺、牛膝等，行氣破滯的枳實，利水的大黃、芒硝、冬葵子等，辛熱之性很強的附子、肉桂、乾薑等。第三類是禁忌使用的中成藥，如牛黃解毒丸、牛黃清心丸、益母草膏、大活絡丹、小活絡丹、紫血丹、至寶丹、蘇合香丸等。

471

吃中藥要按時辰嗎？

服藥時間是醫囑的一個重要方面，通常醫生都會給病人交代：一天吃幾次、什麼時候吃、一次吃多少等事宜。除了劑量和服藥次數外，服藥時間也是影響療效的一個重要因素，關於這一點，中西醫可以說是有共識的。

現代醫學的研究已經發現，一天之中人體的體溫、心率、呼吸、血壓、激素分泌等生理活動會有時間規律，因此服藥治療需要依據這些規律，選擇好最佳的服藥時間，比如說糖尿病患者的服藥時間就有嚴格的控制，再比如腎上腺皮質激素的使用對給藥時間的要求也很講究。而中醫學則結合古人關於十二時辰的劃分，總結千百年的臨床實踐經驗，也提出了關於服藥時間的思考。

中醫學之所以重視服藥時間，至少基於以下幾個方面的考慮：

首先，中醫學總的指導思想是“天人相應”的，中醫學認爲“人與天地相參也，與日月相應也”，如果“順天之時，而病可與期”，即治療要想達到理想的效果，則需要順天時而動；

其次，中醫學構建了一套人與天地陰陽相應的系統學說，比如五臟六腑都有各自對應的值班時間，所謂“子午流注”其實就是說的這個，還有“五運六氣”更是說的這個規律；

最後，中醫學之所以重視服藥時間，還因爲出於藥物特性、製劑方法等方面的考慮。比如，一般而言，服用冰片、麝香後一兩分鐘便可發揮作用，如果用的是植物的葉、花之類則要兩三個小時才會起作用，而根、莖類藥物的起效時間會更長一些，需要四五個小時才起作用。另外，藥物製作方法的不同也會影響到藥物發揮作用的時間，比如中藥處方熬出來的湯劑，起效相對較快，像中成藥這樣的藥丸子通常相對起效慢一些。

472

中藥有副作用嗎？

很多人認爲中藥沒有副作用，對人只有好處，沒有壞處，尤其是當生病吃藥時。如果醫生讓服用的是化學藥品，毒副作用都一項一項清清楚楚地寫著，醫生也會小心謹慎地交代要注意觀察用藥的反應。於是，大家認定：用西藥可不敢大意，不能自作主張。另一方面，讓很多人感到非常高興的是中國人還有中醫，中醫顯得親切多了，用來治病的藥大多是身邊那些個花花草草，還有那些用文言文寫明瞭適應症的中成藥，更爲甚者是，大多數人認爲中藥治病能去根兒並且沒有副作用。於是乎，人們也往往傾向於友善地對待中醫藥，比如生病了先自己去買點中成藥對付對付，自己找個土方、偏方自我治療，反正沒副作用嘛。

認爲中藥沒有副作用的觀念近些年來有所變化，起因在於臨床發現某些中藥能引起嚴重的後果，比如說關木通有腎毒性，清熱瀉火的中成藥龍膽瀉肝丸因爲其中含有木通而一度在藥店面臨“下架”的危機。有了這些資訊，大衆對“中藥沒有副作用”的說法似乎不再那麼迷信。相反，因爲中藥有目前還不甚清楚的、可能會有的副作用，所以，一些人開始懷疑中醫藥，並藉此攻擊中醫藥。

究竟如何看這個問題呢？那要看你吃什麼藥和怎麼吃藥了！

在中醫看來，中藥都是有“偏性”的，正如老百姓常說的：“是藥三分毒”，中藥用的就是藥物的這種偏性，病症爲寒的，給偏性爲熱的藥物，糾正寒症；病症爲熱的，給偏性爲寒的藥物，糾正熱症，這就是“以偏糾偏”。即使是補益類的藥物，也同樣有其偏性，吃補藥吃得不對，同樣會有副作用的。更何況中藥學裏本來就標明了有些藥是有毒的，使用是有非常嚴格的劑量和用法控制的，比如“細辛不過錢”，比如附子要炮製後再用，再比如中藥裏的“十八反”，藥物搭配不對也會出問題。所以不分青紅皀白地認定凡是中藥肯定沒有副作用，這樣的看法是很要不得的。

473

煉丹煉出了什麼？

中國煉丹術的發源與古代神話傳說中長生不老的觀念有很大關係，比如老百姓津津樂道的嫦娥奔月的故事，說後羿從西王母處得到不死之藥，嫦娥偷吃後便飛奔到月宮，成爲月宮仙子。這裏面傳遞了一種觀念，即吃了長生的東西，就可以長生不死。

長生不老是中國古代皇帝的共同夢想，這也孕育了中國古代煉丹家對長生不老之術孜孜不斷的探求。古代煉丹家爲煉製“長生不老藥”，精心選配各種藥物原料，反覆提煉，多方試驗。誰知長生不老的仙丹沒有煉出來，倒是發明了許多鮮爲人知的東西，火藥就是其中之一。

現在看來，我們還沒有找到關於古代的服藥者吃什麼丹藥的明確記載，但從晉人編纂的《列仙傳》中可以一窺端倪，這本書認爲可以使人成仙的服食品包括了丹砂、雲母、玉、代赭石、松子、桂等礦物和植物。到戰國時期，煉丹術眞正開始萌芽，出現了一批煉丹術士，如李少君、欒大等。秦漢時期的煉丹很大程度上是爲帝王的心理需求服務，比如秦始皇、漢武帝都非常希望能得到長生不老的丹藥，漢武帝時淮南王劉安組織編撰的《淮南子》裏就提到使用汞、丹砂、雄黃等藥物煉丹。

東漢前煉丹術有兩個目的：一是致力於尋找長生不老的藥物；二是試造黃金。到了東漢時這兩個目的匯合爲一，即煉製長生不老藥，當時中醫藥的發展促成兩個傳統結合，所以東漢後的許多著名煉丹家，如葛洪、陶弘景等，就既是煉丹家也是中醫藥家。

煉製丹藥時，使用的原料包括五金（金、銀、銅、鐵、錫）、八石（各種礦物藥）、三黃（硫磺、雄黃、雌黃），還有汞和硝石等。後世的人們推測，當煉丹家用硝石與三黃共煉時，突然發生了燃燒爆炸，把煉丹家燒得灰頭土臉，卻弄不清發生了什麼事，他們當時哪裏知道自己發明了火藥。不過這個現象被觀察到，這個反應也逐漸被應用了，比如這種爆炸最初被用於法術或惡作劇，後來又逐漸用於軍事。

474

水銀眞能防腐嗎？

電視裏演那些給帝王將相陪葬的奴隸們，屍身保持較爲完好，還有人說陪葬的奴隸就是用灌水銀的方法毒死的，這究竟爲什麼呢？

據《史記・秦始皇本紀》記載，秦始皇陵地宮內的水銀含量異常，而且分佈爲東南、西南強，東北、西北弱。水銀防腐最主要的功能就是消滅了微生物生存繁殖的環境，分解屍體的微生物、細菌無法生存，屍體自然不會腐敗。秦始皇死後，最初先採用降溫的方法保持屍身，然後將遺體用水銀"潔身"，並用多層絲綢包紮起來，再浸泡在水銀棺之中。

從有關記載來看，水銀是那個時代常用的防腐劑。它雖然是金屬物質但呈液體狀態，圓轉流動，容易揮發，顯得與尋常物質相異，這些怪異現象使得古人感到神奇。

由於煉丹家們發現水銀有殺毒滅菌之效，所以也就自然而然地認爲服用水銀這樣“不敗朽”的東西，可以使人的血肉之軀也同樣“不敗朽”。

20世紀末，中國考古專家曾在秦陵地宮表面檢測出大片強汞區域，其結論是，秦始皇陵地宮裏隱藏著大量的水銀。同時《史記·秦始皇本紀》也有這樣一段記載：秦始皇陵“以水銀爲百川江河大海，機相灌輸。上具天文，下具地理”。而考古學家認爲在陵墓中使用水銀，有保護秦始皇遺體的意圖，而且可以營造恢宏的氣象，甚至可以利用硫化汞的有毒氣體防止盜墓賊入侵。

水銀是常溫下惟一呈液態的金屬，含有水銀的物品一旦被打碎，水銀從中洩漏出來，就會蒸發。水銀的吸附性很好，水銀揮發的氣體容易被牆壁和衣物等吸附，成爲不斷污染空氣的源頭。雖然少量吸入水銀不會對身體造成太大的危害，但長期大量吸入，則會造成汞蓄積中毒。日常生活用品中有的與水銀有關，比如螢光燈、某些暖水瓶、早期的鏡子、電腦顯示器、電池等，生活中應該注意，打碎含有水銀的生活用品時一定要避免傷害，如果有受傷，要及時去檢查。

475

中藥裏的百合是什麼？

在植物百合屬下，全球至少已經發現有一百二十個品種，其中近一半的品種產於中國，現在園藝方面更是通過雜交培育出了很多新的觀賞品種。百合花可以有多種顏色，非常漂亮，還有特別的香氣，人們大多很喜歡它們。

中藥或者食物裏用的百合和觀賞的百合是不是一個東西呢？應該說不完全一樣。中藥裏的百合是百合科植物卷丹、百合或山丹百合（細葉百合）的乾燥肉質鱗葉，一般以產於安徽宣城一帶的品質最優，爲道地產品。

首先，不是所有的百合品種都可以入藥，中藥用的品種是百合科植物卷丹、百合或細葉百合。很多百合品種的毒副作用目前還沒有深入研究，所以不能食用，研究表明有的百合對動物有毒，比如一些變種會對貓產生腎毒性。現在的研究表明卷丹的藥用價值最高，被推薦為首選品。

其次，中藥用藥取的是肉質鱗莖的鱗片，而不是百合的花朵。中醫認為百合性味甘寒，具有養陰清肺、清心安神的功效。可用於治療陰虛久咳、虛煩、失眠等，它既可供藥用，也可作為保健食品，是一種藥食共用之品。如果作為食物用，百合主要用來煮粥服用，比如配上銀花、綠豆、蓮子、山藥等一起煮粥，因為百合性涼，所以那些吃完涼性食物就拉肚子的人，並不是很適合用百合粥。百合也被用作美容藥，主要用法是煮水或者泡水擦洗。需要注意的是，百合也有可能導致過敏反應，所以使用時要注意觀察。

476

什麼叫“藥食同源”？

“藥食同源”是中醫學經常提到的一個概念，它的意思是說治病用的中藥與我們平日裏吃的食物是同時起源的，許多食物也就是藥物，食物和藥物之間並無絕對的分界線。因此，古代的中醫學家乃至今天的中醫學，通常將中藥的“四性”、“五味”理論運用到食物上，認為每種食物也具有“四性”、“五味”。

關於藥食同源的觀念可以追溯到《淮南子》，在《淮南子・修務訓》中有一段神農嘗百草的傳說，其中記載說“神農嘗百草之滋味，水泉之甘苦，令民知所避就”，嘗味百草的滋味，應該是尋找食物，同時也發現藥物，嘗味水泉的甘苦，應該是尋找可飲用的水源，並且判斷水質的好壞。這段記載被後世看作中醫學藥物發明的傳說，其中我們注意到神農嘗味的東西，是藥食不分，百草中的藥物、食物和水源都是“無毒者可就，有毒者當避”。

隨著文化的發展，人們生活的改善，藥物和食物逐漸開始分化。有些東西開始只用作藥物，比如那些所謂的大毒之品，因為它們偏性顯著，不適合平時食用，而另一些性情相對平和，沒有毒性的，就被主要用作食物。雖然如此，至少在兩個方面藥物和食物的分別不明顯：第一是中醫學乃至整個中國的傳統學術用於描述、說明、指導藥物和食物使用的思想是同一個，基本上沒有分化出兩套不同的理論來，比如我們說大黃的性味苦寒，用的是“四氣五味”理論，我們說苦瓜是涼性的，味道苦，同樣用的是這個理論；第二是從古到今有相當一部分東西既是食物又是藥物，比如我們中國菜用的調味品茴香、花椒，煮粥用的薏米、赤小豆，泡茶飲用的西洋參、枸杞子，燉肉用的橘皮、山楂、人參，等等，這說明從中醫學的視角看來，吃東西大概是一回事，不管你是吃食物還是吃藥，要想利於健康都得辨證，都得講究。

因此，中醫學主張食用瓜菜蔬果，也需要辨別其寒熱溫涼，甘苦酸辛，結合時令和各人體質食用，這樣才能健康。比如屬於溫性類的食物，如韭菜、蔥、大蒜、辣椒、薑、胡椒等辛辣調味品，就不宜長期大量食用，因爲它們會耗損人體的正氣和津液；桂圓、大頭菜、荔枝、芭樂、木瓜等也屬於溫性，有的火熱體質的人吃多了就容易上火；而涼性食物如芹菜、菠菜、白菜、空心菜、番茄、蘿蔔、絲瓜、苦瓜、黃瓜、海帶、西瓜等，夏季時令炎熱時常吃就很適合，而素來脾胃虛寒的人吃多了這些涼性食物，有可能會肚子不舒服。當然，平時選擇適合的果蔬，適時適量食用，還需注意營養學的見解，以達到食物合理健康的目的。

477

古代的人得癌症嗎？

癌症是由於控制細胞生長增殖的機制失常而引起的疾病。癌細胞除了生長失控外，還會局部侵入周遭正常組織，甚至通過體內循環系統或淋巴系統轉移到身體其他部分。到目前爲止，治療癌症還沒有找到可以根治並且治療費用低廉的方法，而癌症在現代人中的發病率卻在上升，各個年齡層的人都有可能產生癌症，癌症在發達國家中已成爲主要死亡原因之一。

一般認爲，醫學上中文“癌”字最早出現在北宋的《衛濟寶書》中，這本書裏把癌歸屬於“癰疽五發”之一。南宋時的《仁齋直指附遺方論》中則列專篇論述了關於癌的認識，認爲癌的外在表現像岩石一樣，上面會高出皮膚腫塊，下面則有很深的毒根，整個的形狀也像石頭一樣一顆接一顆地不規則連續著。傳統中醫學也常用“岩”作爲形象的病名，指質地堅硬、表面凹凸不平、形如岩石的腫物，例如乳岩、腎岩、舌岩等。

中醫學中還有一些名詞和今天的癌症有些關聯，比如症瘕，這兩個字合在一起被用來泛指體內一切積聚結塊。其中推之而動，按之而走的，是瘕；症則比瘕更爲嚴重，它形狀固定，質地堅硬、牢固。

從某種程度上說，中醫學很早就開始了對癌症的認識。不過，我們同時也必須承認，中醫學的這些認識是對表象的認識，是形象化的認識，是在中醫學氣血陰陽理論框架下，綜合中醫學關於毒邪的相關認識而得出的推斷性認識。

今天的中醫學在繼續深化其對癌症的認識，很多方面已經超越了前人，即使如此，到目前爲止，中醫學也還沒有找到治癒癌症的妙方。中醫學在改善癌症病人症狀，提高其生存品質方面可以起一些輔助作用。癌症病人帶癌延年的生存品質往往是醫療、生活方式、社會支持、飲食、情緒等多因素綜合作用的結果，並不能單單依靠醫學手段。

國家圖書館出版品預行編目資料

中國人應知的國學常識3 / 中華書局編輯部編著.
--初版. -- 臺北市 ： 華品文創，2011.07
冊；17×23公分
ISBN 978-986-86929-4-7(第3冊 ： 平裝)

1.漢學 2.問題集

030.22　　99026298

華品文創出版股份有限公司
Chinese Creation Publishing Co.,Ltd.

《中國人應知的國學常識 3》

編　　著：中華書局編輯部
總 經 理：王承惠
總 編 輯：陳秋玲
財 務 長：江美慧
印務統籌：張傳財
美術設計：vision 視覺藝術工作室
出 版 者：華品文創出版股份有限公司
地址：100台北市中正區重慶南路一段57號13樓之1
讀者服務專線：(02)2331-7103　(02)2331-8030
讀者服務傳真：(02)2331-6735
E-mail：service.ccpc@msa.hinet.net
部落格：http://blog.udn.com/CCPC

總 經 銷：大和書報圖書股份有限公司
地址：台北縣新莊市五工五路2號
電話：(02)8990-2588
傳真：(02)2299-7900
印　　刷：卡樂彩色製版印刷有限公司

初版一刷：2011年7月
初版二刷：2012年1月
定價：平裝新台幣380元
ISBN：978-986-86929-4-7